图书在版编目(CIP)数据

红楼梦脂评辑校/郑红枫,郑庆山辑校. —北京:北京图书馆出版社,2006.3

ISBN 7 – 5013 – 2997 – 4

Ⅰ.红…　Ⅱ.①郑…②郑…　Ⅲ.《红楼梦》评论　Ⅳ.I207.411

中国版本图书馆 CIP 数据核字(2005)第 152000 号

书名　红楼梦脂评辑校
著者　郑红枫　郑庆山　辑校

出版　北京图书馆出版社　(100034　北京西城区文津街7号)
发行　010 – 66139745　66175620　66126153
　　　　66174391(传真)　66126156(门市部)
E-mail　cbs@ nlc. gov. cn(投稿)　btsfxb@ nlc. gov. cn(邮购)
Website www. nlcpress. com
经销　新华书店
印刷　北京地质印刷厂

开本　850 × 1168 毫米　1/32
印张　15. 25
版次　2006 年 3 月第 1 版　2006 年 12 月第 2 次印刷
印数　3001—6000 册

书号　ISBN 7 – 5013 – 2997 – 4/K · 1279
定价　30. 00 元

前　言

　　我们正在整理打印《红楼梦脂评辑校》，准备出版问世，以纪念辑校者郑红枫。作为故人的父亲，我有责任做这件艰苦的工作，并向广大读者和研究者加以介绍。

　　以评点的形式批评文学作品，是中国特有的形式，也是我们民族的文化传统。西方人以思辨理性见长，而我们则以即兴式的感性抒写取胜。它具体而微，引人感发，产生共鸣。是中国作风，中国气派，是历来为人所喜闻乐见的民族形式。

　　最著名的大概要算是金圣叹评所谓"七才子书"。而我看到的却只有《水浒》和《西厢》。毛诗的小序和《诗品》应该是它的最早的形式，而《人间词话》则是晚近的作品。我在大连的一家藏书中，发现了一本竹纸木刻大开本的《诗经》，天头上写满了蝇头眉批，记得是晚清的本子，来自山东。来到长春，忙里偷闲，有意访书。在和平大世界的古玩城，发现了抄本归有光评《淮南鸿烈解》；无名氏评《吴梅村诗集》，钱谦益作序的木刻本；纪评苏诗残本。纪晓岚评《文心雕龙》则已有复印本。沿袭《史记》的"太史公曰"，《聊斋志异》则有"异史氏曰"；三会本《聊斋志异》这种形式，在解放后的古籍整理中，出现得最早，且具有典范性。毛泽东评廿四史，王蒙评《红楼梦》，说明这种形式有多么强的经久不衰的生命力。北方五省区师专教材《中国古代文学》（1989年，辽宁大学出版社出版）在我的建议下，所选作品，还尽力搜集了古人的品评呢！

小说评点的兴盛和长篇小说的出现有关。虽然比较晚，但一经产生，评者蜂起。影响最大的自然是金圣叹评《水浒传》、张竹坡评《金瓶梅》和脂砚斋评《石头记》。但早在20世纪30年代，受西方文学批评的影响，就有人不满意传统的文学品评，撰文加以批评，甚至说它其实算不得真正意义上的文学批评，不过是品题式的小品。金圣叹腰斩《水浒》连同他的评点，一概受到鲁迅的批评；《金瓶梅》长期以来更是被作为黄色禁书；批判胡适和俞平伯的自传说，就不能不批评脂砚斋。直到新时期，这才解禁；研究中国小说美学，必然要研究评点派。它的文学理论和文学价值，才被重新认识，并给以很高的评价。在中国文学史和文学理论批评史上，自然有它的重要地位。就是对于中国古代文学作品的赏析，也自有很高价值。

至于所谓《红楼梦》的"脂评"，与其他小说评点又不同。

首先，"脂评"作者并非一般的小说评点家。广义的"脂评"，是写在《脂砚斋重评石头记》早期抄本上的批语。它们的作者，主要有署名的脂砚斋、畸笏、立松轩、孙桐生和鉴堂、绮园等人。而狭义的"脂评"，不过是曹雪芹、棠村、畸笏、脂砚斋四个人的评语。作者曹雪芹有自注，为数不多。棠村是雪芹之弟，署名批语只有一条。那些别具一格的解题式的回前总评，吴世昌先生以为即"棠村为《风月宝鉴》所作的小序"，得到魏子云先生的赞同。畸笏即曹頫，当为雪芹之父。而脂砚则是曹颙的遗腹子，雪芹堂兄曹天佑，而非裕瑞所说雪芹之叔。

脂砚斋曾四评《石头记》。有明文记载者，"甲戌抄阅再评"，己卯、庚辰"凡四阅评过"，"乾隆二十一年五月初七日对清"。畸笏的批语纪年则有丁丑、壬午、乙酉、丁亥、辛卯，而以壬午、丁亥为最多。他们是曹雪芹创作《石头记》的参与者、抄评者和收藏者。

一言以蔽之，他们是作者的至近亲属与合作者。毋须多言，这非外姓人，单纯的批评者所可比。因此，不可与后世的王希廉、张新之、姚燮等人同日而语。

因此，脂评的内容，就不单是小说品评，而且有大量的丰富的历史材料。从中可知曹雪芹的生活和思想、《红楼梦》的题材及创作、作者的意图及作品存佚，尤其是素材和佚稿状况，在后三十回书已遭散佚的情况下，是何等的珍贵，是不言自明的。脂评的文学观点，美学思想，如关于典型问题，也是值得深入研究的。除了少数语意含混，文理不通，显得有些蹩脚的"棠序"外，其他批语，皆感情深挚低回，语言洗炼畅达，洞察世故人情，启人深思。

所以说，脂批的文学价值很高，史料价值更高。是曹雪芹及其亲人留给我们的一份极其宝贵的文化遗产。它是《红楼梦》的重要组成部分。要想读懂文本，必须阅读脂批；研究文本的人，不研究脂批，也研究不明白。当然，对脂批也要一分为二，吸收其精华，剔除其糟粕。

有正戚序本的石印在清末民初（1911—1912），甲戌本的发现在1927年，俞平伯先生做《脂砚斋红楼梦辑评》则在20世纪50年代初（1954）。他汇辑五个本子（甲戌、己卯、庚辰、甲辰、有正）的旧评加以校订，有代表性的本子几乎全有了。撰写了"引言"。做了开山的工作，奠定了脂评研究的基础。1972 年陈庆浩的《新编石头记脂砚斋评语辑校》问世，补辑了蒙府本、靖藏本、列藏本、杨藏本、舒序本、程甲本，做长文"导论"，堪称完备。然余读中国友谊出版公司 1987 年印本，仍多讹误脱漏，皆一一录于书眉之上。1986 年齐鲁书社出版了朱一玄先生的《红楼梦脂评校录》，蒙府本、列藏本、甲辰本皆用第二手材料。前此所编《红楼梦资料汇编》，所录脂批，更是本子不足，比俞辑还少了一个甲辰本。

鉴于此种情况，才有辑校此书的酝酿和动工。郑红枫是我的长子，本名郑伟平。文革时改名红风，后自更名红枫。1959 年 7 月 16 日出生于黑龙江省林甸县。1977 年考入黑龙江省嫩江地区萌芽学校（毛泽东题名，克山师专的前身）专科班。他以本科段的成绩，被录取到专科，只因家庭成份不好。因发愤读书，终于通过函授，取得东北师范大学中文系的本科学历。任克山师专附属中学语文组组长，中共党员，齐齐哈尔市优秀教师。出席在北京召开的第五届全国中学语文教学讨论会。黑龙江省红楼梦学会会员。1994 年秋调入长春外国语学校，任讲师。1997 年 3 月 11 日不幸病故。辗转于病榻，尚读《鲁迅杂文全编》、《世说新语》。生前在《唐都学刊》、《社会科学辑刊》、《大连师专学报》、《蒲峪学刊》和多种语文教学研究刊物上，发表论文 15 篇。遗著有《红楼梦脂评辑校》和《中学语文教学研究及其他》（收论文 20 篇）。

郑红枫在我研究《红楼梦》版本的影响下，研究脂批。发表有《"囫囵语"与"模糊语"——兼论脂评的审美意蕴》（《社会科学辑刊》1989 年第 1 期）和《脂砚斋论典型塑造特色》（《唐都学刊》1993 年第 4 期）。在黑龙江省红学会议上讲脂评，引起热烈反响。黑龙江大学刘敬圻教授、哈尔滨师范大学张松泉教授，钦羡我后继有人。辑录脂批的工作，动手于20 世纪 90 年代初，跟我准备并汇校《红楼梦》（1993 年 3月）先后同时。所用资料，皆脂评抄本的影印本或复印本（如蒙府本、戚宁本、舒序本、梦觉本、程甲本，皆为复印本；戚宁本至今尚未影印出版），靖藏本批语则用 1976 年南京师范学院中文系资料室编《红楼梦版本论丛》毛国瑶辑录《脂靖本〈红楼梦〉批语》。对于经人研究，已经确认为非脂批的评语，则予以剔除，如立松轩的 830 条批语。校勘遇有疑难，参考俞、朱、陈三家辑本，在有关系处，则加按语。可以说，是一部完备的纯脂批的精审校本。

此书稿首先抄录在八开 500 字的印有"克山师专学报"字样的灰格稿纸上，全部 80 回。是为初稿。随后誊清于十六开 300 字由我特制的灰格纯白稿纸上。可惜只誊录了 25 回，且未终篇。虽说完工大半，毕竟功亏于一篑，惜哉！

目前，我正复校打印汇校本《石头记》。炎夏已至，核对抄本，每日一回。在忙迫中整理此书，不过增添个别被遗漏的批语和删除残留的"松批"，把戚宁本、有正本合称戚序本，将梦稿本改称杨藏本（非稿本，徒生歧义），及个别技术处理之类。用抄本核对所辑手稿本，加以校勘，靖藏本则用毛国瑶手抄本复印件校核，尽量保持原稿面貌。

他人批语，与脂批有别，故未加附录，拟单行。如早在运作此书之前，即有立松轩批语辑录之成稿。重要者还有甲戌本孙小峰和梦觉本高兰墅的批语，以及列藏本、杨藏本、舒序本独出之批语，亦非脂批。另作辑录，有待他日。

我之所以能够全力以赴地从事教学和科研工作，数十年如一日，得老妻之助独多。不幸她在1996年至1997年护理红枫期间，忧劳患不治之症，于1997年11月1日病故于长春市中医院。此后，我辗转于长春、大连两地之间，身体尚好，而举步维艰。如今面对爱子遗稿，那卷帙浩大工楷清抄的稿本，也不知他几经寒暑，风雨阴晴，案头灯下，费尽心血，积劳成疾，气恼伤肝，英年早逝。39岁即离开老年父母、尚未成人的爱子，其苦可知。当他撒手西行之时，只有妻子并一妹二人守在身边。呜呼！千言万语，更向谁言！

　　千呼万唤不回来。我们后人能为他做些什么呢？万语千言，更向谁说？付诸一纸而已。哀哉！

郑庆山

2001年6月10日深夜，11日清晨；

芒种后六日，长春，旱风，无雨

2004年2月2日重校毕

辑校体例

一、本书以甲戌本、靖藏本、己卯本、庚辰本、蒙府本、戚序本（戚宁本、有正本）、列藏本、杨藏本、舒序本、梦觉本、程甲本为底本。

二、辑入脂砚斋、畸笏、棠村、松斋、梅溪的批语。剔除各本中的他人批语，如立松轩、高兰墅、孙桐生、鉴堂、绮园及列藏本、杨藏本、舒序本没署名的批语。

三、以甲戌本、庚辰本、己卯本的批语为主，他本异文分列于后，置括号中；差异大者，则单列一条于下。批语所附正文，分别录自甲戌本和庚辰本。

四、相关内容，前后连续有两条相邻的批语者，视其具体情形，有提行单排者，也有接前条连排者，中间空格以别之。

五、各本不同形式的批语，其条目用版本简称，黑体字。如"甲戌眉"，指甲戌本的眉批；"甲戌侧"，指甲戌本正文的行右侧之批；"甲戌双"，指甲戌本正文下的双行小字批语。余类推。此外还有"回前总批"、"回后总批"。

六、甲戌本的批语种类齐全。回前回后的总评为墨笔所书，与正文一色，仅第十三回末的总评为朱批。余类皆为朱批。靖藏本眉批有朱墨二色。己卯本仅有总评和双行批，皆墨批。庚辰本原来同于己卯本，然自第十二回至二十八回，增入朱笔总评、眉批和行侧批。眉批中有几条墨批。其余版本皆无朱批。"朱眉"是朱笔眉批，"墨眉"是墨笔眉批。

七、批语用宋体字，批语所批小说正文用楷体字。改字用圆括号（），补字用六角号〔〕，删字用尖括号〈〉，缺字用方框□表示。

目　录

凡 例

甲戌本　《红楼梦》旨义。是书题名极多：□□"红楼梦"，是总其全部之名也。又曰"风月宝鉴"，是戒妄动风月之情。又曰"石头记"，是自譬石头所记之事也。此三名，皆书中曾已点睛（睛）矣。如宝玉作梦，梦中有曲，名曰"红楼梦十二支"，此则《红楼梦》之点睛（睛）。又如贾瑞病，跛道人持一镜来，上面即錾"风月宝鉴"四字，此则《风月宝鉴》之点睛（睛）。又如道人亲眼见石上大书一篇故事，则系石头所记之往来（事），此则《石头记》之点睛（睛）处。然此书又名曰"金陵十二钗"，审其名，则必系金陵十二女子也。然通部细搜检去，上中下女子岂止十二人哉？若云其中自有十二个，则又未尝指明白系某某。极（及）至《红楼梦》一回中，亦曾翻出金陵十二钗之簿籍，又有十二支曲可考。

书中凡写长安，在文人笔墨之间，则从古之称；凡愚夫妇儿女子家常口角，则曰"中京"，是不欲着迹于方向也。盖天子之邦，亦当以中为尊，特避其东南西北四字样也。

此书只是着意于闺中，故叙闺中之事切，略涉于外事者则简，不得谓其不均也。

此书不敢干涉朝廷。凡有不得不用朝政者，只略用一笔带出，盖实不敢以写儿女之笔墨唐突朝廷之上也。又不得谓其不

1

备。

　　此书开卷第一回也。作者自云：因曾历过一番梦幻之后，故将真事隐去，而撰此《石头记》一书也，故曰"甄士隐梦幻识通灵"。但书中所记何事，又因何而撰是书哉？自云：今风尘碌碌，一事无成，忽念及当日所有之女子，一一细推了去，觉其行止见识皆出于我之上。何堂堂之须眉，诚不若彼一干裙钗？实愧则有余，悔则无益，之（是）大无可奈何之日也！当此时，则自欲将已往所赖——上赖天恩，下承祖德，锦衣纨绔之时，饫甘厌美之日；背父母教育之恩，负师兄规训之德；已致（以至）今日一事无成，半生潦倒之罪，编述一记，以告普天下人。虽我之罪固不能免，然闺阁中本自历历有人，万不可因我不肖，则一并使其泯灭也。虽今日之茆（茅）椽蓬牖，瓦灶绳床，其风尘月夕，阶柳庭花，亦未有伤于我之襟怀笔墨者。何为不用假语村言，敷演出一段故事来，以悦人之耳目哉？故曰"风尘怀闺秀"。乃是第一回题纲正义也。开卷即云"风尘怀闺秀"，则知作者本意原为记述当日闺友闺情，并非怨世骂时之书矣。虽一时有涉于世态，然亦不得不叙者，但非其本旨耳，阅者切记之。

　　诗曰：

　　　　浮生着甚苦奔忙，盛席华筵终散场。
　　　　悲喜千般同幻渺，古今一梦尽荒唐。
　　　　谩言红袖啼痕重，更有情痴抱恨长。
　　　　字字看来皆是血，十年辛苦不寻常。

　　庚辰本、蒙府本、戚序本、梦觉本、杨藏本、列藏本和舒序本中的"凡例"均始于"此开卷第一回也"，且悉混入正文，无题诗，文字亦略有出入。现据庚辰本转校如下：

　　此开卷第一回也。作者自云：因曾历过一番梦幻之后，故

2

将真事隐去，而借通灵之说，撰此《石头记》一（舒序本缺）书也，故曰"甄士隐"云云（杨藏本少一"云"）。但书中所记何事何人？自又云：今风尘碌碌，一事无成，忽（杨藏本脱漏）念及当日（杨藏本作"年"）所有之女子，一一细考较去，觉其行止见识皆出于我之上。何我堂堂须眉，诚（舒序本作"曾"）不若此（蒙府本、戚序本、梦觉本、杨藏本、列藏本、舒序本作"彼"）裙钗（蒙府本、戚序本其下多出"女子"二字）哉（蒙府本、戚序本无）？实（杨藏本、梦觉本原缺）愧则有余，悔又（杨藏本作"亦"）无益，之（蒙府本、戚序本作"是"，杨藏本作"真"，舒序本无）大无可（舒序本缺）如何之日也！当此，则自（舒序本缺）欲将已往所赖（庚辰本"赖"后空一字，列藏本因之；梦觉本残缺二字，接以"祖"字；蒙府本、戚序本、杨藏本、舒序本下紧承"天"字）天恩祖德，锦衣纨（舒序本误作"绸"）绔之时，饫（梦觉本误作"饮"）甘厌肥（梦觉本作"饱"）之日（列藏本误作"辈"），背（舒序本作"皆"）父兄教育之恩，负（舒序本作"皆"）师友规谈（蒙府本、戚序本从甲戌本作"训"，舒序本作"谏"）之德，以至（蒙府本、戚序本、梦觉本、杨藏本、列藏本、舒序本作"致"）今日一技（舒序本作"伎"）无成，半生潦倒（杨藏本原作"草"）之罪，编述一集，以告天下人（梦觉本无"人"字）。我之罪固（梦觉本独多出一"所"字）不免，然闺阁中本（梦觉本无）自历历有人，万（舒序本误作"若"）不可因我之不肖，自护己短（蒙府本、戚序本作"自己护短"；杨藏本"己"作"其"），一并使其泯灭也（蒙府本、戚序本无"也"字）。虽今日之（杨藏本无）茆（戚序本、杨藏本、列藏本用其本字"茅"）椽蓬牖，瓦灶绳床，其晨夕（梦觉本"夕"字模糊不清）风露，阶柳庭花，亦未有防（梦觉本、杨藏本、列藏本、舒序

3

本作"妨")我之襟（杨藏本作"衿"）怀笔墨（戚序本作"束笔阁墨"）。虽我未学，下笔无文，又何妨用假（戚序本作"俚"）语村言，敷演出一段故事来（梦觉本无），亦可使（列藏本作"为"）闺阁昭传（蒙府本、戚序本、杨藏本"昭"讹作"照"；列藏本则作"传照"，舒序本作"昭然"），复可悦世〔人〕之目，破人愁闷，不亦宜乎？故曰（杨藏本原脱）"贾雨（梦觉本作"假语"）村"云云。

此回中凡用梦用幻（梦觉本无后一"用"字）等字，是提醒阅者眼目，亦是此书立意本旨（庚辰本、杨藏本、舒序本下紧承"列位看官"；梦觉本自成一段；蒙府本、戚序本、列藏本无此一段文字）。

第一回　甄士隐梦幻识通灵
贾雨村风尘怀闺秀

说起根由，虽近荒唐。

甲戌侧　自占地步。自首荒唐，妙！

原来女娲氏炼石补天之时。

甲戌侧　补天济世，勿认真用（作）常言。（靖藏本侧"世"作"时"，"用"作"作"）

大荒山。

甲戌侧　荒唐也。（蒙府本、戚序本、梦觉本、杨藏本同）

无稽崖。

甲戌侧　无稽也。（蒙府本、戚序本、梦觉本、杨藏本同）

炼成高经十二丈。

甲戌侧　总（照）应十二钗。（蒙府本、戚序本、梦觉本"总"作"照"；杨藏本作"应十二钗"）

方经二十四丈。

甲戌侧　照应副十二钗。（蒙府本、戚序本、梦觉本、杨藏本同）

娲皇氏只用了三万六千五百块。

甲戌侧　合周天之数。（蒙府本、戚序本同；梦觉本字迹漫灭，独存"数"；杨藏本作"合周天之□"）

只单单的剩了一块未用。

甲戌侧 剩了这一块便生出这许多故事。使当日虽不以此补天，就该去补地之坑陷，使地平坦，而不得有此一部鬼话。

便弃在此山青埂峰下。

甲戌眉 妙！自谓落堕情根，故无补天之用。（蒙府本、戚序本“落堕”作“坠落”，无“之”字；梦觉本仅存“□□□堕□根，故无补天之用”）

自经煅炼之后，灵性已通。

甲戌侧 煅炼后性方通。甚哉，人生不能学也！（蒙府本、戚序本脱“能”字；梦觉本只存“炼（煅）炼后□□□甚哉人生不□□也”）

生得骨格不凡，丰神迥别。

戚序双 这是真像，非幻像也。（蒙府本、梦觉本同）

靖墨眉 作者自己形容。

不得已便口吐人言。

甲戌侧 竟有人问口生于何处，其无心肝，可笑可恨之极！

弟子蠢物。

甲戌侧 岂敢，岂敢！

弟子质虽粗（蠢），性却稍通。

甲戌侧 岂敢，岂敢！

必有补天济世之材，利物济人之德。

靖本侧 “补天济时”，勿认真作常言。

瞬息间则又乐极悲生，人非物换，究竟是到头一梦，万境归空。

甲戌侧 四句乃一部之总纲。

如此也只好踮脚而已。

甲戌侧 煅炼过尚与人踮脚，不学者又当如何？

我如今大施佛法助你助，待劫终之日复还本质。

甲戌侧 妙！佛法亦须偿还，况世人之偿（债）乎？近之赖债者来看此句，所谓游戏笔墨也。（靖藏本侧无"妙"，"偿"误作"赏"，"偿乎"作"债乎"，无末句的"所谓"和"也"字，"近之"句另成一批，且无"近之"二字）

大展幻术。

甲戌侧 明点"幻"字，好！

且又缩成扇坠大小的可佩可拿。

甲戌侧 奇诡险怪之文，有如髯苏《石钟》、《赤璧（壁）》用幻处。（梦觉本"壁"亦误作"璧"，"幻"讹作"约"）

形体倒也是个宝物了。

甲戌侧 自愧之语。

还只没有实在的好处。

甲戌侧 妙极！〔今〕之金玉其外败絮其中者，见此大不欢喜。（蒙府本、戚序本、梦觉本"妙极"作"好极"，"之"前有"今"字；梦觉本"见此"作"见之"）

须得在（再）镌上数字，使人一见便知是奇物方妙。

甲戌侧 世上原宜假，不宜真也。（蒙府本、戚序本同）

谚云："一日卖了三千假，三日卖不出一个真。"信哉！

昌明隆盛之邦。

甲戌侧 伏长安大都。（己卯本夹条、梦觉本同；蒙府本、戚序本无"大都"二字）

诗礼簪缨之族。

甲戌侧 伏荣国府。（蒙府本、戚序本、梦觉本同）

花柳繁华地。

甲戌侧 伏大观园。（蒙府本、戚序本、梦觉本同）

温柔富贵乡。

甲戌侧 伏紫芸轩。（蒙府本、戚序本、梦觉本"芸"作"芝"）

去安身乐业。

甲戌侧 何不再添一句云："择个绝世情痴作主人。"（梦觉本同）

不知赐了弟子那几件奇处。

甲戌侧 可知若果有奇贵之处，自己亦不知者；若自以奇贵而居，究竟是无真奇贵之人。

靖墨眉 果有奇贵，自己亦不知；若以奇贵而居，即无真奇贵。

又不知携了弟子到何地方？

甲戌眉 昔子房后谒黄石公，惟见一石。子房当时恨不随此石去。余亦恨不能随此石而去也。聊供阅者一笑。（梦觉本"余亦恨"句作"余今见此石，亦惟恨不能随此石而去"，余同）

无材补天，幻形入世。

甲戌侧 八字便是作者一生惭恨。（蒙府本、戚序本同；梦觉本"恨"作"愧"）

无材可去补苍天。

甲戌侧 书之本旨。

枉入红尘若许年。

甲戌侧 惭愧之言，呜咽如闻。

或可适趣解闷。

甲戌侧 "或"字谦得好。

然朝代年纪，地舆邦国。

甲戌侧 若用此套者，胸中必无好文字，手中断无新笔墨。

却反失落无考。

8

甲戌侧　据余说却大有考证。

第一件，无朝代年纪可考。

甲戌侧　先驳得妙。

第二件，并无大贤大忠理朝廷、治风俗的善政。

甲戌侧　将世人欲驳之腐言，预先代人驳尽。妙！

今我师竟假借汉唐等年纪添缀，又有何难。

甲戌侧　所以答的好。

历代野史或讪谤君相，或贬人妻女。

甲戌侧　先批其大端。

竟不如我半世亲睹亲闻的这几个女子，……反失其真传者。

甲戌眉　事则实事，然亦叙得有间架，有曲折，有顺逆，有映带，有隐有见（现），有正有闰，以至草蛇灰线，空谷传声，一击两鸣，明修栈道，暗度陈仓，云龙雾雨，两山对峙，烘云托月，背面传（傅）粉，千皴万染诸奇。书中之秘法，亦复不少。余亦千（于）逐回中搜剔剜剖，明白注释，以待高明再批示误谬。（"诸奇"似可移于"书中之"之后）

开卷一篇立意，真打破历来小说窠臼。阅其笔，则是《庄子》、《离骚》之亚。

甲戌眉　斯亦太过。

靖墨眉　事则实事，然亦叙得有曲折，有隐现，有〔映〕带，有间架，有正〔闰〕，有〔顺〕逆，以至草蛇灰线，辟（譬）空谷传声，一击两鸣，明修栈道，暗度陈仓，云龙雾雨，两山对峙，烘云托月，背面传（傅）粉，千皴（皴）万染，诸奇秘法亦复不少。予亦逐回搜剔刹（剜）剖，明白〔注释〕，以待高明批示。

开卷一篇立意，真打破历来小说果（窠）臼。阅其笔，则是《庄子》、《离骚》之亚。

也不定要世人喜悦检读。

甲戌侧 转得更好。

我师意为何如？

甲戌侧 余代空空道人答曰："不独破愁醒盹，且有大益。"

将这《石头记》。

甲戌侧 本名。（蒙府本、戚序本、梦觉本同）

再检阅一遍。

甲戌侧 这空空道人也太小心了，想亦世之一腐儒耳。

因见上面虽有些指奸责佞、贬恶诛邪之语。

甲戌侧 亦断不可少。

亦非伤时骂世之旨。

甲戌侧 要紧句。

又非假拟妄称。

甲戌侧 要紧句。

因毫不干涉时世。

甲戌侧 要紧句。

改《石头记》为《情僧录》，至吴玉峰题曰《红楼梦》，东鲁孔梅溪则题曰《风月宝鉴》。

甲戌眉 雪芹旧有《风月宝鉴》之书，乃其弟棠村序也。今棠村已逝，余睹新怀旧，故仍因之。（梦觉本"已逝"作"已没"，余同）

后因曹雪芹于悼红轩中披阅十载，增删五次。

甲戌眉 若云雪芹披阅增删，然后（则）开卷至此这一篇楔子又系谁撰？足见作者之笔狡猾之甚。后文如此处者不少。这正是作者用画家烟云糢（模）糊处，观者万不可被作者瞒弊（蔽）了去，方是巨眼。

靖墨眉 这是画家烟云模糊处，不被蒙敝（蔽），方为巨

10

眼。

满纸荒唐言，一把辛酸泪。都云作者痴，谁解其中味。

甲戌侧 此是第一首标题诗。（梦觉本同）

甲戌眉 能解者方有辛酸之泪，哭成此书。壬午除夕，书未成，芹为泪尽而逝。余尝（常）哭芹，泪亦待尽。每意（思）觅青埂峰再问石兄，余（奈）不遇獭（癞）头和尚何？怅怅！

今而后惟愿造化主再出一芹一脂，是书何本（幸），余二人亦大快遂心于九泉矣。 甲午（申）八日（月）泪笔。（靖藏本夹条将上述一侧批、二眉批合而为一，并以"此是第一首标题诗"为首句，"尝哭芹"作"常哭芹"，"每意"作"每思"，"余不遇"作"奈不遇"，"獭头"作"赖头"，"惟愿"只作"愿"，"一芹一脂"作"一脂一芹"，"何本"作"有幸"，"九泉"作"九原"，"甲午八日"作"甲申八月"，余同）

按那石上书云。

甲戌侧 以〔下系〕石上所记之文。（蒙府本、戚序本"以石"作"以下系石"）

梦觉双 以□〔下系〕石上□〔所〕记之文。

这江南一隅有处曰姑苏。

甲戌侧 是金陵。（蒙府本、戚序本同）

最是红尘中一二等富贵风流之地。

甲戌侧 妙极！是石头口气。惜米颠不遇此石。（梦觉本"是石头口气"作"□石头的口□"）

戚序双 妙极！是石头口气。（蒙府本同）

这阊门外有个十里街。

甲戌侧 开口失（先）云势利，是伏甄、封二姓之事。（蒙府本、戚序本、梦觉本"失"作"先"；又梦觉本"是"、

"事"二字残缺）

　　街内有个仁清巷。

　　甲戌侧　又言人情，总为士隐火后伏笔。（蒙府本、戚序本、梦觉本同）

　　巷内有个古庙，因地方窄狭。

　　甲戌侧　世路宽平者甚少。　亦凿。（蒙府本、戚序本"甚"作"最"，梦觉本无"甚"；且上述四本（戚序本包括戚宁本、有正本）均无"亦凿"二字）

　　人皆呼作葫芦庙。

　　甲戌侧　糊涂也，故假语从此具（兴）焉。（蒙府本、戚序本"具焉"作"兴也"；梦觉本"具"作"兴"）

　　庙旁住着一家乡宦。

　　甲戌侧　不出荣国大族，先写乡宦（宧）小家。从小至大，是此书章法。（梦觉本"宧"作"宦"）

　　姓甄。

　　甲戌眉　真。　后之甄宝玉亦借此音，后不注。（蒙府本同）

　　戚序双　真假之甄宝玉亦借此音，后不注。

　　梦觉双　真假之意，宝玉亦借此音，后不注。

　　名费。

　　甲戌侧　废。（蒙府本、戚序本误作正文；梦觉本同）

　　字士隐。

　　甲戌侧　托言将真事隐去也。（蒙府本、戚序本、梦觉本同）

　　嫡妻封氏。

　　甲戌侧　风。因风俗来。（蒙府本、戚序本、梦觉本同）

　　情性贤淑，深明礼义。

　　甲戌侧　八字正是写日后之香菱，见其根源不凡。（蒙府

12

本、戚序本、梦觉本无"不凡";梦觉本"日后"作"后
日")

然本地便也推他为望族了。

甲戌侧 本地推为望族，宁、荣则天下推为望族，叙事有
层落（次）。（梦觉本同）

只因这甄士隐禀性恬淡，不以功名为念。

甲戌侧 自是羲皇上人，便可作是书之朝代年纪矣。总写
香菱根基，原与正十二钗无异。 （梦觉本"总写"作"复
写"）

如今年已半百，膝下无儿。

甲戌侧 所谓"美中不足"也。（蒙府本、戚序本同）

只有一女，乳名英莲。

甲戌侧 设云"应伶（怜）"也。（蒙府本、戚序本"设
云应伶"误作"设法应怜"；梦觉本则作"犹云应怜"）

一日炎夏永昼。

甲戌侧 热日无多。（蒙府本、戚序本、梦觉本同）

忽见那厢来了一僧一道。

甲戌侧 是方从青埂峰袖石而来也，接得无痕。（梦觉本
同）

戚序双 是从青埂峰下袖石而来，接得无痕。 （蒙府本
"是从"作"是方从"）

只因西方灵河岸上，三生石畔。

甲戌侧 妙！所谓"三生石上旧精魂"也。

甲戌眉 全用幻。情之至莫如此。今采来压巷（卷），其
后可知。

戚序双 妙！所谓"三生石上旧精魂"也。全用幻。（蒙
府本"精"误作"积"；梦觉本同）

有绛珠草一株。

13

甲戌侧 点"红"字。 细思"绛珠"二字，岂非血泪乎？（蒙府本、戚序本、梦觉本同）

时有赤瑕宫。

甲戌侧 点"红"字"玉"字二（也）。（戚序本无"玉字"，蒙府本无"点"字；梦觉本同）

甲戌眉 按"瑕"字，本注："玉小赤也，又玉有病也。"以此命名恰极！（蒙府本、戚序本、梦觉本"病也"作"病者"；又蒙府本"注"误作"住"，梦觉本"恰极"作"确极"）

神瑛侍者。

甲戌侧 单点"玉"字二（也）。（蒙府本、戚序本无"单"字；梦觉本"二"作"也"）

绛珠神瑛一段。

甲戌眉 以顽石草木为偶，实历尽风月波澜，尝遍情缘滋味，至无可如何，始结此木石因果，以泄胸中恺郁。古人之"一花一石如有意，不语不笑能留人"，此之谓耶？

饥则食密（蜜）青果为膳，渴则饮灌愁海水为汤。

甲戌侧 饮食之名奇甚，出身履历更奇甚。写黛玉来历，自与别个不同。（梦觉本同）

只因尚未酬报灌溉之德，故其五衷便郁结着一段缠绵不尽之意。

甲戌侧 妙极！恩怨不清，西方尚如此，况世之人乎？趣甚，警甚！（梦觉本同）

近日神瑛侍者凡心偶炽。

甲戌侧 总悔轻举妄动之意。（梦觉本同）

意欲下凡造历幻缘。

甲戌侧 点"幻"字。（蒙府本、戚序本、梦觉本同）

已在警幻仙子案前挂了号。

甲戌侧 又出一警幻，皆大关键处。（梦觉本"大"误作"人"）

他既下世为人，我也去下世为人，但把我一生所有的眼泪还他，也偿还得过他了。

甲戌侧 观者至此，请掩卷思想，历来小说可曾有此句？千古未闻之奇文。（梦觉本"观"作"见"，无"请"，"思想"作"细思"）

甲戌眉 知眼泪还债，大都作者一人耳。余亦知此意，但不能说得出。

因此一事，就勾出多少风流冤家来，赔（陪）他们去了结此案。

甲戌侧 余不及一人者，盖全部之主，惟二玉二人也。（梦觉本"者""玉"二字残缺）

如今虽已有一半落尘，然犹未全集。

甲戌侧 若从头逐个写去，成何文字！《石头记》得力处在此。　丁亥春。

上面字迹分明，镌着"通灵宝玉"四字。

甲戌侧 凡三四次始出明玉形，隐屈（曲）之至！

那僧便说："已到幻境。"

甲戌侧 又点"幻"字，云书已入幻境矣。（蒙府本、戚序本、梦觉本同）

那牌坊上大书四字，乃是"太虚幻境"。

甲戌侧 四字可思。（梦觉本同）

假作真时真亦假，无为有处有还无。

甲戌侧 叠用"真假""有无"字，妙！（梦觉本同）

士隐大叫一声，定睛一看，只见烈日炎炎，芭蕉冉冉。

甲戌侧 醒得无痕，不落旧套。（蒙府本、戚序本、梦觉本同）

15

梦中之事便忘了对半。

甲戌侧 妙极！若记得便是俗笔了。

只见从那边来了一僧一道。

甲戌侧 所谓"万境都如梦境看"也。（梦觉本"看也"作"同看也"）

那僧则癞头跣足，那道跛足蓬头。

甲戌侧 此门（则）是幻像。（蒙府本、戚序本无"门"；梦觉本"门"作"则"，"像"作"缘"）

看见士隐抱着英莲，那僧便哭起来。

甲戌侧 奇怪，所谓"情僧"也。（梦觉本"情僧"讹为"情传"）

你把这有命无运，累及爹娘之物，抱在怀内作甚。

甲戌眉 八个字屈死多少英雄，屈死多少忠臣孝子，屈死多少仁人志士，屈死多少词客骚人！今又被作者将此一把眼泪洒与闺阁之中，见得裙钗尚遭逢此数，况天下之男子乎？（梦觉本"骚人"作"才人"，脱"此数"之"数"）

看他所写开卷之第一个女子便用此二语以订终身，则知托言寓意之旨，谁谓独寄兴于一"情"字耶？（梦觉本"所写开卷"作"开卷所写"，"以订"作"以为"，"则知"作"得知"，"谁谓"作"谁为"）

武侯之三分、武穆之二帝，二贤之恨及今不尽，况今之草芥乎？

家国君父，事有大小之殊，其理其运其数则略无差异；知运知数者，则必谅而后叹也。

惯养娇生笑你痴。

甲戌侧 为天下父母痴心一哭。

菱花空对雪澌澌。

甲戌侧 生不遇时。　遇又非偶。

16

好防佳节元宵后。

甲戌侧 前后一样，不直云"前"而云"后"，是讳知者。

便是烟消火灭时。

甲戌侧 伏后文。（梦觉本同）

三劫后，我在北邙山等你。

甲戌眉 佛以世谓劫。凡三十年为一世。三劫者，想以九十春光寓言也。

忽见隔壁（璧）葫芦庙内寄居的一个穷儒。

甲戌侧 "隔壁（璧）"二字极细极险，记清。（梦觉本"璧"作"壁"）

姓贾名化。

甲戌侧 假话，妙！（蒙府本、戚序本"妙"作"也"；梦觉本同）

字表时飞。

甲戌侧 实非。妙！（蒙府本、戚序本"妙"作"也"；梦觉本同）

别号雨村者。

甲戌侧 "雨村"者，村言粗语也。言以村粗之言，演出一段假话也。（蒙府本、戚序本"村言"后衍出"粗言"二字，"村粗"倒为"粗村"，句末无"也"；梦觉本"粗语"作"俗语"，"假话"作"假话来"）

原系胡州人氏。

甲戌侧 胡诌也。

因他出于末世。

甲戌侧 又写一末世男子。

梦觉双 □写一□□男子。

暂寄庙中安身，每日卖字作文为生，故士隐常与他交接。

甲戌侧 又夹写士隐实是翰林文苑，非守钱虏也。直灌入"慕雅女雅集苦吟诗"一回。

忽家人飞报："严老爷来拜。"

甲戌侧 炎也。炎既来，火将至矣。（蒙府本、戚序本、梦觉本同）

生得仪容不俗，眉目清朗，虽无十分姿色，却亦有动人之处。

甲戌侧 八字足矣。（梦觉本"足"讹为"是"）

甲戌眉 更好。这便是真正情理之文。可笑近之小说中满纸"羞花闭月"等字。这是雨村目中，又不与后之人（后文）相似。（梦觉本脱"小说中"之"中"字，"后之人"作"后文"）

雨村不觉看得呆了。

甲戌侧 今古穷酸色心最重。（蒙府本、戚序本、梦觉本"今古"作"古今"；梦觉本"最"作"尤"）

方欲走时，猛抬头，见窗内有人……更兼剑眉星眼，直鼻权腮。

甲戌侧 是莽、操遗容。（梦觉本同）

甲戌眉 最可笑世之小说中，凡写奸人，则用"鼠耳"、"鹰腮"等语。

"这丫头忙转身回避，心下乃想……不免又回头两次"一段。

甲戌眉 这方是女儿心中意中正（真）文。又最恨近之小说中满纸红拂、紫烟。（梦觉本"正文"作"真文"，"近之"作"近今之"，"小说中"作"小说"）

雨村见他回了头，便自为这女子心中有意于他。

甲戌侧 今古穷酸皆会替女妇心中取中自己。（梦觉本"女妇"作"妇女"，批后多"妙极"二字）

18

却自己步月至庙中来邀雨村。

甲戌侧 写士隐爱才好客。（梦觉本同）

因而口占五言一律云：

自顾风前影，谁堪月下俦。

蟾光如有意，先上玉人楼。

甲戌侧 这是第一首诗。后文香奁闺情皆不落空。余谓雪芹撰此书，中亦为（有）传诗之意。（梦觉本"诗"字残缺，"香奁"前多"多少"，"香"误为"看"，"情"字残缺，无"中"字）

玉在匮（椟）中求善价，钗于奁内待时飞。

甲戌侧 表过黛玉，则紧接上宝钗。

前用二玉合传，今用二宝合传，自是书中正眼。

雨村听了，并不推辞，便笑道："既蒙谬爱，何敢拂此盛情。"

甲戌侧 写雨村豁达气象不俗。（梦觉本同）

时逢三五便团圆。

甲戌侧 是将发之机。

满把晴光护玉栏。

甲戌侧 奸雄心事不觉露出。

"时逢三五"一诗。

甲戌眉 这首诗非本旨，不过欲出雨村，不得不有者。

用中秋诗起，用中秋诗收，又用起诗社于秋日。所叹者三春也，却用三秋作关键。

乃亲斟一斗为贺。

甲戌侧 这个"斗"字莫作升斗之"斗"看，可笑。（此批被后人勾去，下以括号加一行草体朱笔批注："此语批得谬"）

若论时尚之学，晚生也或可去充数沽名。

甲戌侧　四字新而含蓄最广，若必指明，则又落套矣。（梦觉本同）

"当下即命小童进去，速封五十两白银……岂非大快之事耶"一段。

甲戌眉　写士隐如此豪爽，又全无一些粘皮带骨之气相。愧杀近之读书假道学矣。

梦觉双　写士隐如此豪人，□全无一些粘皮骨（带）骨□气。

并不介意，仍是吃酒谈笑。

甲戌侧　写雨村真是个英雄。（梦觉本同）

一觉直至红日三竿方醒。

甲戌侧　是宿酒。（梦觉本同）

使雨村投谒个仕宦之家为寄足之地。

甲戌侧　又周到如此。（梦觉本"如此"误作"之此"）

说读书人不在黄道黑道，总以事理为要，不及面辞了。

甲戌侧　写雨村真令人爽快。（梦觉本同）

士隐命家人霍启抱了英莲。

甲戌侧　妙！祸起也。此因事而命名。（蒙府本、戚序本无"而"字；梦觉本"祸起"讹成"附起"）

"夫妻二人半世只生此女……几乎不曾寻死"一段。

甲戌眉　喝醒天下父母之痴心。

此方人家多用竹篱木壁者多。

甲戌侧　土俗人风。

他岳丈名唤封肃。

大抵也因劫数。

甲戌眉　写出南直召祸之实病。（梦觉本"召"作"致"）

戚序双　风俗。（蒙府本同；梦觉本作"风俗也"）

本贯大如州人氏。

甲戌眉　托言大概如此之风俗也。（蒙府本、戚序本"如此"作"如是"；梦觉本作"言风俗大概如是也"）

今见女婿这等狼狈而来，心中便有些不乐。

甲戌侧　所以大概之人情如是，风俗如是也。（梦觉本无"所以"和"之"字）

且人前人后又怨他们不善过活，只一味好吃懒用（作）等语。

甲戌侧　此等人何多之极。（梦觉本无"何"、"之"二字）

陋室空堂，当年笏满床。

甲戌侧　宁、荣未有之先。

衰草枯杨，曾为歌舞场。

甲戌侧　宁、荣既败之后。

蛛丝儿结满雕梁。

甲戌侧　潇湘馆、紫芸轩等处。

绿纱今又糊在蓬窗上。

甲戌侧　雨村等一干新荣暴发之家。

陋室空堂……绿纱今又糊在蓬窗上。

甲戌眉　先说场面，忽新忽败，忽丽忽朽，已见得反覆不了。（梦觉本同）

说什么脂正浓、粉正香。

甲戌侧　宝钗、湘云一干人。（按：此批实针对"如何两鬓又成霜"句）

如何两鬓又成霜。

甲戌侧　贷（黛）玉、晴雯一干人。（按：此批实针对"昨日黄土陇头送白骨"句）

今宵红灯帐底卧鸳鸯。

甲戌侧 熙凤一干人。（此批实针对"金满箱，银满箱"句）

说什么脂正浓……今宵红灯帐底卧鸳鸯。

甲戌眉 一段妻妾迎新送死，倏恩倏爱，倏痛倏悲，缠绵不了。（梦觉本"送死"作"送故"，"倏恩"误作"倏思"）

金满箱，银满箱。

甲戌侧 甄玉、贾玉一干人。（此批实针对"展眼乞丐人皆谤"句）

金满箱……那知自己归来丧。

甲戌眉 一段石火光阴，悲喜不了。〔一段〕风露草霜，富贵嗜欲，贪婪不了。（梦觉本"风露"前多"一段"二字）

训有方，保不定日后作强梁。

甲戌侧 言父母死后之日。 柳湘莲一干人。

训有方……谁承望流落在烟花巷。

甲戌眉 一段儿女死后无凭，生前空为筹画计算，痴心不了。（梦觉本同）

因嫌纱帽小，致使锁枷扛。

甲戌侧 贾赦、雨村一干人。

昨怜破袄寒，今嫌紫蟒长。

甲戌侧 贾兰、贾菌一干人。

因嫌纱帽小……今嫌紫蟒长。

甲戌眉 一段功名升黜无时，强夺苦争，喜惧不了。（梦觉本无"无时"二字）

乱烘烘，你方唱罢我登场。

甲戌侧 总收。

反认他乡是故乡。

甲戌侧 太虚幻境、青埂峰一并结住。

乱烘烘……反认他乡是故乡。

甲戌眉　总收古今亿兆痴人，共历〔此〕幻场〈此〉幻事，扰扰纷纷，无日可了。（梦觉本"亿兆"误作"无万"，"共历幻场此幻事"作"共历此幻场幻事"）

甚荒唐，到头来都是为他人作嫁衣裳。

甲戌侧　语虽旧句，用于此妥极，是极！　苟能如此，便能了得。（梦觉本同）

《好了歌》解注一段。

甲戌眉　此等歌谣原不宜太雅，恐其不能通俗，故只此便妙极。其说得痛切处，又非一味俗语可到。

士隐便笑一声，"走罢。"

甲戌侧　如闻如见。

甲戌眉　"走罢"二字，真"悬崖撒手"，若个能行。

靖墨眉　"走罢"二字，如见如闻，真"悬崖撒手"，非过来人若个能行。

大轿内抬着一个乌帽猩袍的官府过去。

甲戌侧　雨村别来无恙否？可贺，可贺！（梦觉本仅存"雨"、"无"、"否"三字，余残缺不清）

甲戌眉　所谓"乱烘烘你方唱罢我登场"是也。

也就丢过不在心上。

甲戌侧　是无儿女之情，故有夫人之分。（靖藏本"是无"作"无是"，"故"作"始"）

第二回　贾夫人仙逝扬州城
冷子兴演说荣国府

回前总批

（此回总批己卯本、庚辰本、蒙府本、戚序本、杨藏本、列藏本、舒序本均窜入正文，兹据甲戌本对校。）

甲戌本　此回亦非正文，本旨只（梦觉本作"即"）在冷子兴一人，即俗谓（蒙府本、戚序本无"俗谓"二字；梦觉本"谓"字残缺）"冷中（杨藏本误为"口"，梦觉本二字残缺）出热，无中生有"也。其演说荣府（戚序本作"荣国府"）一篇者，盖因族大人多（梦觉本"族大人"残缺），若从作者笔下一一叙出，尽一二回不能得明（己卯本、杨藏本、列藏本"得明"作"得明白"），则（梦觉本"明则"残缺）成何文字（梦觉本"文字"作"文事"）？故借用（列藏本无"用"）冷字（子）（梦觉本作"子兴"；蒙府本、戚序本"字"作"子"）一人，略出其大半（己卯本、蒙府本、戚序本、列藏本、舒序本"大半"作"文半"；梦觉本无"大"），使阅者心中（梦觉本"使"误作"便"，"者心"残缺），已有一荣府隐隐在心，然后用黛玉、宝钗等两三次皴染（蒙府本"皴"误作"皱"；梦觉本"宝钗"下作"□□□人皴染"），则耀然于心中眼中矣。此即画家三染法也（列藏本"三染法也"作"之三染"；舒序本"耀"误作"跃"；梦觉本"家"下至"法"字残缺）。

24

未写荣府正人，先写外戚，是由远及近，由小至大也（杨藏本"府"下多出一"的"，"远"与"近"互倒）。若使（列藏本无"使"）先叙出荣府，然后一一叙及外戚，又一一未写荣府正人，先写外戚，是由远及近，由小至大也。若是先叙出荣府，然后一一叙及外戚（己卯本、庚辰本、蒙府本、戚序本、杨藏本、列藏本均无"又一一未写荣府正人……然后一一叙及外戚"三十八字。梦觉本"若使"句始作"若使先叙出荣府正人，一一叙及外戚"，亦无上述三十八字），又一一（杨藏本无"一一"）至（梦觉本残）朋友，至奴（梦觉本误作"一"）仆，其死板（己卯本原误作"后"，后朱笔旁改为"板"，杨藏本、列藏本仍误作"后"；庚辰本作"反"）拮（蒙府本误作"技"）据（梦觉本无"拮据"）之笔，岂作《十二钗》人手中之物也（梦觉本"手中之物也"作"手笔哉"）？今（蒙府本误为"令"）先写外戚者，正是（杨藏本作"先"；列藏本无"是"）写荣国一府也（杨藏本无"也"）。故又怕闲文（戚序本"闲文"误为"问反"，蒙府本则作"反致"）瘰瘰（赘累。梦觉本作"累赘"；杨藏本作"瘰瘰"；舒序本作"赘瘰"），开笔（梦觉本作"手"）即写贾夫人已死（蒙府本、戚序本"已死"作"一死"），是特（蒙府本、戚序本无"是特"二字）使黛玉入荣〔府〕（"荣"，各本均作"荣府"）之速也（梦觉本残）。

通灵宝玉于（列藏本作"在"）士隐梦中一出，今〔又〕于（各本均作"今又于"）子兴口中一出，阅者已洞（列藏本"已洞"倒作"洞已"）然（戚序本"洞然"作"豁然"，蒙府本误作"涸然"）矣。然后于黛玉、宝钗（杨藏本误为"玉"）二人目中极精极细（蒙府本、戚序本"极精极细"作"极精细"；梦觉本作"精细"）一描，则（杨藏本作"只"）是文章（杨藏本无"文章"二字）锁合处。盖（杨藏本无

"盖"）不肯一（己卯本原误为"下"，后点去，旁改为"一"；杨藏本作"下"）笔直下，有若放闸之水，然（列藏本误作"龙"，梦觉本作"燃"）信之（杨藏本作"的"）爆（己卯本"爆"作"爆竹"，杨藏本作"炮竹"），使其精华一泄而无余也。究竟此（杨藏本误作"以"）玉原应（杨藏本作"引"；舒序本无）出自钗、黛目中，方有照应。今预从子兴口中（舒序本无"口中"）说出（杨藏本无"出"），实（梦觉本无"实"）虽写而却未写，观其后文可知。

此一回〔文〕（杨藏本"回"下有一"文"字，是也）则是虚敲旁击之文，笔（戚序本、列藏本无"笔"）则是反逆隐回（曲）（回，各本均作"曲"）之笔（梦觉本无"笔则是反逆隐回之笔"句）。

诗云：

一局输赢（赢）料不真，香消茶尽尚逡巡。

欲知目下兴衰兆，须问旁观冷眼人。（梦觉本无此题诗）

甲戌侧 只此一诗便妙极！此等才情，自是雪芹平生所长。余自谓评书，非关评诗也。

甲戌眉 故用冷子兴演说。

那些人只嚷："快请出甄爷来。"

甲戌侧 一丝不乱。

我们也不知什么真假。

甲戌侧 点睛（晴）妙笔。

封肃方回来，欢天喜地。

甲戌侧 出自封肃口内，便省却多少闲文。（按：当针对"原来本府新升的太爷"诸句）

因看见娇杏那丫头买线，所以他只当女婿移住于此。

甲戌侧 侥幸也。 托言当日丫头回顾，故有今日，亦不

26

过偶然侥幸耳，非真实得〔风〕尘中英杰也。非近日小说中满纸红拂、紫烟之可比。

甲戌眉 余批重出。余阅此书，偶有所得，即笔录之。非从首至尾阅过，复从首加批者，故偶有复处。且诸公之批，自是诸公眼界；脂斋之批，亦有脂斋取乐处。后每一阅，亦必有一语半言重加批评于侧，故又有于前后照应之说等批。

又问外孙女儿。

甲戌侧 细。

不妨，我自使番役务必采访回来。

甲戌侧 为葫芦案伏线。（梦觉本同）

甄家娘子听了，不免心中伤感。

甲戌侧 所谓"旧事凄凉不可闻"也。

早有雨村遣人送两封银子，四匹锦缎，答谢甄家娘子。

甲戌侧 雨村已是下流人物，看此，今之如雨村者，亦未有矣。

转托他向甄家娘子要那娇杏作二房。

甲戌侧 谢礼却为此。险哉，人之心也！

巴不得去奉承，便在女儿前一力撺掇成了。

甲戌侧 一语道尽。

令其好生养赡（赡），以待寻访女儿下落。

甲戌侧 找前伏后。 士隐家一段小荣枯至此结住，所谓"真不去，假焉来"也。

梦觉双 士隐家一段小小荣枯至此结〔住〕，所为（谓）"真不去，假焉来"也。

亦是自己意料不到之奇缘。

甲戌侧 注明一笔，更妥当。

谁想他命运两济。

甲戌眉 好极！与英莲"有命无运"四字遥遥相映射。

莲，主也；杏，仆也。今莲反无运，而杏则两全。可知世人原在运数，不在眼下之高低也。此则大有深意存焉。

梦觉双 妙！与英莲"有命无运"四字遥相对照。

偶因一着错。

甲戌侧 妙极！盖女儿原不应私顾外人之谓。

便为人上人。

甲戌侧 更妙！可知守礼俟命者终为饿莩。其调侃寓意不小。

甲戌眉 从来只见集古集唐等句，未见集俗语者。此又更奇之至！

靖墨眉 向只见集古集唐句，未见集俗语者。

且又恃才侮上，那些官员皆侧目而视。

甲戌侧 此亦奸雄必有之理。

致使地方多事，民命不堪。

甲戌侧 此亦奸雄必有之事。

却面上全无一点怨色，仍是喜悦自若。

甲戌侧 此亦奸雄必有之态。（梦觉本同）

将历年做官积的些资本并家小人属送至原籍，安插妥协。

甲戌侧 先云根基已尽，故今用此四字，细甚！

却又自己担风袖月，游览天下胜迹。

甲戌侧 已伏下至金陵一节矣。（梦觉本无"矣"）

这林如海姓林，名海，字表如海。

甲戌侧 盖云学海文林也。总是暗写黛玉。（梦觉本同）

今已升至兰台寺大夫。

甲戌眉 官制半遵古名，亦好。余最喜此等半有半无，半古半今；事之所无，理之必有；极玄极幻，荒唐不经之处。

本贯姑苏人氏。

甲戌侧 十二叙正出之地，故用真。（梦觉本"正"作

"所"）

因当今隆恩盛德，远迈前代。

甲戌眉 可笑近时小说中，无故极力称扬浪子、淫女，临收结时，还必致感动朝廷，使君父同入其情欲之界，明遂其意，何无人心之至。不知被（彼）作者有何好处，有何谢报到朝廷廊庙之上，直将半生淫朽（污），秽渎睿聪，又苦拉君父作一干证护身符，强媒硬保，得遂其淫欲哉？

虽是钟鼎之家，却亦是书香之族。

甲戌侧 要紧二字，盖钟鼎亦必有书香方至美。

只可惜这林家支庶不盛，……没甚亲枝嫡派的。

甲戌侧 总为黛玉极力一写。

虽有几房姬妾。

甲戌侧 带写贤妻。

且又见他聪明清秀。

甲戌侧 看他写黛玉只用此四字。可笑近来小说中满纸"天下无二，古今无双"等字。

便也欲使他读书识得几个字，不过假充养子之意，聊解膝下荒凉之叹。

甲戌眉 如此叙法，方是至情至理之妙文。最可笑者，近〔之〕小说中，满纸班昭、蔡琰、文君、道韫。

幸有两个旧友，亦在此境居住。

甲戌侧 写雨村自得意后之交识也。 又为冷子兴作引。

近因女学生哀痛过伤，本自怯弱多病的，触犯旧症，遂连日不曾上学。

甲戌侧 又一染。

甲戌眉 上半回已终。写仙逝，正为黛玉也，故一句带过，恐闲文有防（妨）正笔。

这日偶至郭外，意欲赏鉴那村野风光。

甲戌眉 大都世人意料此，终不能此；不及彼者，而反及彼。故特书意在村野风光，却忽遇见子兴，一篇荣国繁华气象。

门前有额，题着"智通寺"三字。

甲戌侧 谁为智者，又谁能通？一叹！

靖墨眉 是智者方能通，谁为智者？一叹！

身后有余忘缩手，眼前无路想回头。

甲戌侧 先为宁、荣诸人当头一喝，却是为余一喝。

这两句话，文虽浅，其意则深。

甲戌侧 一部书之总批。

其中想必有个翻过筋斗来的也未可知。

甲戌侧 随笔带出禅机，又为后文多少语录不落空。

只有一个聋肿老僧在那里煮粥。

甲戌侧 是雨村火气。

雨村见了，便不在意。

甲戌侧 火气。

那老僧既聋且昏。

甲戌侧 是翻过来的。

齿落舌钝。

甲戌侧 是翻过来的。

遇聋肿老僧一段。

甲戌眉 毕竟雨村还是俗眼，只能识得阿凤、宝玉、黛玉等未觉之先，却不识得既证之后。

未出宁、荣繁华盛处，却先写一荒凉小境；未写通部入世迷人，却先写一出世醒人。回风舞雪，倒峡逆波，别小说中所无之法。

靖朱眉 雨村聿意（毕竟）还是俗眼，只识得双玉等未觉之先，却不晓既证之后。

30

此人是都中古董行中贸易的，号冷子兴者。

甲戌侧 此人不过借为引绳，不必细写。

二人闲谈慢饮，叙些别后之事。

甲戌侧 好！若多谈则累赘（赘）。

雨村因问近日都中可有新闻没有。

甲戌侧 不突然，亦常问常答之言。

倒是老先生你贵同宗家，出了一件小小的异事。

甲戌侧 雨村已无族中矣，何及此耶？看他下文。

荣国府贾府中，可也不玷辱了先生的门楣了。

甲戌侧 刳小人之心肺，闻小人之口角。

寒族人丁却不少，自东汉贾复以来，支派繁盛，各省皆有。

甲戌侧 此话纵真，亦必谓是雨村欺人语。

子兴叹道。

甲戌侧 叹得怪。

如今这荣国两门也都消疏了，不比先时的光景。

甲戌侧 记清此句。可知书中之荣府已是末世了。

当日宁、荣两宅的人口极多，如何就消疏了。

甲戌侧 作者之意原只写末世。此已是贾府之末世了。

那日进了石头城。

甲戌侧 点晴（睛），神妙！（梦觉本作"点眼妙"）

大门前虽冷落无人。

甲戌侧 好，写出空宅。

就是后一带花园子里。

甲戌侧 "后"字何不直用"西"字？ 恐先生堕泪，故不敢用"西"字。

主仆上下，安富尊荣者尽多，运筹谋画者无一。

甲戌侧 二语乃今古富贵世家之大病。

如今外面的架子虽未甚倒。

甲戌侧 "甚"字好！盖已半倒矣。

谁知这样钟鸣鼎食之家，翰墨诗书之族。

甲戌侧 两句写出荣府。

如今的儿孙竟一代不如一代了。

甲戌眉 文是极好之文，理是必有之理，话则极痛极悲之话。

只说这宁、荣两宅，是最教子有方的。

甲戌侧 一转，有力。

当日宁国公与荣国公是一母同胞弟兄两个。

甲戌侧 演。 源。

宁公居长，生了四个儿子。

甲戌侧 贾蔷、贾菌之祖，不言可知矣。

长子贾代化袭了官。

甲戌侧 第二代。

只剩了次子贾敬袭了官。

甲戌侧 第三代。

如今只一味好道，只爱烧丹炼永（汞）。

甲戌侧 亦是大族末世常有之事，叹叹！

幸而早年留下一子，名唤贾珍。

甲戌侧 第四代。

名叫贾蓉。

甲戌侧 至蓉五代。（梦觉本"蓉"作"此"）

把宁国府竟翻了过来，也没有〔人〕敢来管他。

甲戌侧 伏后文。（梦觉本同）

长子贾代善袭了官。

甲戌侧 第二代。

娶的金陵世勋史侯家的小姐为妻。

甲戌侧 因湘云，故及之。（梦觉本同）

长子贾赦，次子贾政。

甲戌侧 第三代。

如今代善早已去世，太夫人尚在。

甲戌侧 记真，湘云祖姑史氏太君也。（梦觉本同）

遂额外赐了这政老爹一个主事之衔。

甲戌侧 嫡（的）真实事，非妄拥（拟）也。

令其入部习学，如今现已升了员外郎了。

甲戌侧 总是称功颂德。

这政老爹的夫人王氏。

甲戌侧 记清。

不到二十岁就娶了妻，生了子。

甲戌侧 此即贾兰也。至兰第五代。

一病死了。

甲戌眉 略可望者即死，叹叹！

不想次年又生了一位公子，说来更奇。

甲戌眉 一部书中第一人，却如此淡淡带出，故不见后来玉兄文字繁难。

一落胎胞，嘴里便衔下一块五彩晶莹的玉来，上面还有许多字迹。

甲戌侧 青埂顽石已得下落。（梦觉本句末多"矣"）

女儿是水作的骨肉，男人是泥作的骨肉。

甲戌侧 真千古奇文奇情。

梦觉双 千古奇文。

将来色鬼无疑了。

甲戌侧 没有这一句，雨村如何罕然厉色，并后奇奇怪怪之论。

尧、舜、禹……皆应运而生者，蚩尤、共工……皆应劫而生者。

甲戌侧 此亦略举大概几人而言。

正不容邪，邪复妒正。

甲戌侧 譬得好。

上则不能成仁人君子，下亦不能为大凶大恶。

甲戌侧 恰极！是确论。

依你说，成则王侯败则贼了。

甲戌侧 《女仙外史》中论魔道已奇，此又非《外史》之立意，故觉愈奇。

这两年遍游名省，也曾遇见两个异样孩子。

甲戌侧 先虚陪一个。

只金陵城内钦差，金陵省体仁院总裁甄家。

甲戌侧 此衔无考。亦因寓怀而设，置而勿论。

甲戌眉 又一个真正之家，持（特）与假家遥对，故写假则知真。

便在下也和他家来往非止一日了。

甲戌侧 说大话之走狗，毕真。

谁知他家那等显贵，却是富而好礼之家，倒是个难得之馆。

甲戌侧 如闻其声。

甲戌眉 只一句便是一篇家传，与子兴口中是两样。

他说必得两个女儿伴着我读书……不然我自己心里糊涂。

甲戌侧 甄家之宝玉乃上半部不写者，故此处极力表明，以遥照贾家之宝玉。凡写贾宝玉之文，则正为真宝玉传影。

这"女儿"两个字，极尊贵，极清净的，比那阿弥陀佛、元始天尊的这两个宝号还更尊荣无对的呢。

甲戌眉 如何只以释、老二号为譬，略不敢及我先师儒圣等人？余则不敢以顽劣目之。

34

其温厚和平，聪敏文雅，竟又变了一个。

甲戌侧 与前八个字嫡（敌）对。

每打的吃疼不过时，他便"姐姐妹妹"乱叫起来。

甲戌眉 以自古未闻之奇语，故写成自古未有之奇文。此是一部书中大调侃寓意处。盖作者实因鹡鸰之悲，棠棣之威，故撰此闺阁庭帏之传。

只可惜他家几个好姊妹都是少有的。

甲戌侧 实点一笔。余谓作者必有。

元春。

甲戌侧 原也。

现因贤孝才德，选入宫中作女史去了。

甲戌侧 因汉以前例，妙！

迎春。

甲戌侧 应也。

探春。

甲戌侧 叹也。

惜春。

甲戌侧 息也。

其妾后又生了一个，倒不知其好歹。

甲戌侧 带出贾环。

长名贾琏，今已二十来往了，亲上作亲，娶的就是政老爹夫人王氏之内侄女。

甲戌侧 另出熙凤一人。

竟是个男人万不及一的。

甲戌侧 未见其人，先已有照。

甲戌眉 非警幻案下而来为谁。

可知我前言不谬。

甲戌侧 略一总住。

35

说着别人家的闲话，正好下酒，即多几杯何妨。

甲戌侧　盖云此一段话，亦为世人茶酒之笑谈耳。

雨村向窗外看道。

甲戌侧　画。

于是二人起身算还酒账。

甲戌侧　不得谓此处收得索然，盖原非正文也。

雨村兄恭喜了，特来报个喜信的。

甲戌侧　此等套头亦不得不用。

第三回　金陵城起复贾雨村
荣国府收养林黛玉

荣国府收养林黛玉。

甲戌侧　二字触目凄凉之至。

乃是当日同僚一案参革的，号张如圭者。

甲戌侧　盖言如鬼如蜮也，亦非正人正言。（蒙府本、戚序本"正言"作"正旨"）

雨村自是欢喜，忙忙的叙了两句。

甲戌侧　画出心事。

冷子兴听得此言，便忙献计。

甲戌侧　毕肖，赶热灶者。

忙寻邸报看真确了。

甲戌侧　细。（蒙府本、戚序本同）

不知令亲大人现居何职。

甲戌侧　奸险，小人欺人语。

只怕晚生草率，不敢骤然入都。

甲戌侧　全是假，全是诈。

大内兄现袭一等将军之职，名赦，字恩侯；二内兄名政，字存周。

甲戌侧　二名二字皆颂德而来，与子兴口中作证。（蒙府本、戚序本"二名二字"作"二字二名"，"皆"作"俱"）

否〔则〕不但不（有）污尊兄之清操，即弟亦不屑为矣。

甲戌侧　写如海实不（系）写政老，所谓此书有"不写之写"是也。

　　且汝多病，年又极小，上无亲母教养，下无姊妹兄弟扶持。

　　甲戌侧　可怜！　一句一滴血，一句一滴血（泪）之文。

　　黛玉听了，方洒泪拜别。

　　甲戌侧　实写黛玉。

　　雨村另有一只船，带两个小童依附黛玉而行。

　　甲戌侧　老师依附门生，怪道今时以收纳门生为幸。

　　有日到了都中。

　　甲戌侧　繁中减笔。

　　雨村先整了衣冠。

　　甲戌侧　且按下黛玉，以待细写。今故先将雨村安置过一边，方起荣府中之正文也。

　　带了小童。

　　甲戌侧　至此渐渐好看起来也。

　　拿着亲侄的名帖。

　　甲戌侧　此帖妙极！可知雨村的品行矣。（蒙府本、戚序本同）

　　雨村相貌魁伟，言谈不俗，且这贾政最喜读书人，礼贤下士。

　　甲戌侧　君子可欺〔以〕其方也。况雨村正在王莽谦恭下士之时，虽政老亦为所惑，在作者系指东说西也。

　　靖墨眉　君子可欺以其方也。雨村当王莽谦恭下士之时，即政老亦为所惑，作者指东说西。

　　题奏之日，轻轻谋了一个复职候缺。

　　甲戌侧　《春秋》字法。

　　金陵应天府缺出，便谋补了此缺。

38

甲戌侧 《春秋》字法。

择日到任去了，不在话下。

甲戌侧 因宝钗故及之。　一语过至下回。（蒙府本、戚序本文同，两评连写）

且说黛玉自那日弃舟登岸时。

甲戌侧 这方是正文起头处。此后笔墨与前两回不同。（蒙府本、戚序本无"是"字）

这黛玉常听得母亲说过。

甲戌侧 三字细。

生恐被人耻笑了他去。

甲戌侧 写黛玉自幼之心机。（蒙府本、戚序本同）

其街市之繁华，人烟之阜盛，自与别处不同。

甲戌侧 先从街市写来。（蒙府本、戚序本同）

匾上大书"敕造宁国府"五个大字。

甲戌侧 先写宁府，这是由东向西而来。（蒙府本、戚序本"宁府"作"宁国府"）

丫鬟一见他们来了，便忙都笑迎上来说："才刚老太太还念呢，可巧就来了。"

甲戌侧 如见如闻，活现于纸上之笔，好看煞！

于是三四人争着打起帘栊。

甲戌侧 真有是事，真有是事！

只见两个人，搀着一位鬓发如银的老母迎上来。

甲戌眉 此书得力处，全是此等地方，所谓"颊上三毫"也。

心肝儿肉叫着大哭起来。

甲戌侧 几千斤力量写此一笔。　（戚序本同；蒙府本"笔"误窜在"力"下）

当下地下侍立之人无不掩面涕泣。

39

甲戌侧　旁写一笔，更妙！

黛玉也哭个不住。

甲戌侧　自然顺写一笔。

此即冷子兴所云之史氏太君也，贾赦、贾政之母。

按：梦觉本将此正文作双行批，实乃作者自注。

甲戌侧　书中人目太繁，故明注一笔，使观者省眼。

黛玉见贾母一段。

甲戌眉　书中正文之人，却如此写出，却是天生地设章法，不见一丝勉强。

只见三个奶嬷嬷并五六个丫鬟撮（簇）拥着三个姊妹来了。

甲戌侧　声势如现纸上。

甲戌眉　从黛玉眼中写三人。

第一个肌肤微丰。

甲戌侧　不犯宝钗。

温柔沉默，观之可亲。

甲戌侧　为迎春写照。（蒙府本、戚序本、梦觉本同；杨藏本作"此迎春也"）

第二个削肩细腰。

甲戌侧　《洛神赋》中云"肩若削成"是也。

文彩精华，见之忘俗。

甲戌侧　为探春写照。　（戚序本、梦觉本同；蒙府本"探"误作"迎"；杨藏本作"此探春也"）

第三个身量未足，形容尚小。

甲戌眉　浑写一笔更妙，必个个写去则板矣。可笑近之小说中有一百个女子，皆是如花似玉一付（副）脸面。（蒙府本、戚序本"笔"作"个"，无"矣"字；戚序本"近之"作"近来"，蒙府本无"之"字；戚序本"一付脸面"作

40

"只一副脸面"，蒙府本仅多一"只"字）

其钗环裙袄，三人皆是一样的妆饰。

甲戌侧 是极！ 毕肖。（蒙府本、戚序本无前一条）

黛玉忙起身迎上来见礼。

甲戌侧 此笔亦不可少。

不免贾母又伤感起来。

甲戌侧 妙！

说着，搂了黛玉在怀，又呜咽起来。

甲戌侧 为黛玉自此不能别往。（蒙府本、戚序本"为"作"总为"）

众人见黛玉年纪虽小，其举止言谈不俗。

甲戌眉 从众人目中写黛玉。

身体面庞虽怯弱不胜。

甲戌侧 写美人是如此笔伏（仗），看官怎得不叫绝称赏。

甲戌眉 草胎卉质，岂能胜物耶？想其衣裙，皆不得不免（勉）强支持者也。

却有一段自然风流态度。

甲戌侧 为黛玉写照。众人目中只此一句足矣。（蒙府本、戚序本同）

那一年我才三岁时，听得说来了一个癞头和尚。

甲戌侧 文字细如牛毛。

甲戌眉 奇奇怪怪一至于此。通部中假借癞僧跛道二人，点明迷情幻海中有数之人也。非袭《西游》中一味无稽，至不能处便用观世音可比。

戚序双 奇奇怪怪一至于此。通部中假癞僧跛道二人，点明情痴幻海。（蒙府本"部"误作"不"；"情痴幻海"作"送情幻海"，从甲戌本，"送"为"迷"之误）

41

黛玉说癫头和尚一段。

甲戌眉 甄英莲乃付（副）十二钗之首，却明写癫僧一点；今黛玉为正十二钗之贯（冠），反用暗笔。盖正十二钗人或洞悉可知，副十二钗或恐观者惑（忽）略，故写（须）极力一提，使观者万勿稍加玩忽之意耳。

疯疯颠颠，说了这些不经之谈。

甲戌侧 是作书者自注。（蒙府本、戚序本"作"作"做"）

如今还是吃人参养荣丸。

甲戌侧 人生自当自养荣卫。（蒙府本、戚序本"生自"作"参原"）

我这里正配丸药呢。

甲戌侧 为后菖、菱伏脉。（蒙府本、戚序本"菖"误作"葛"；梦觉本同）

一语未了，只听得后院中有人笑声。

甲戌侧 懦笔庸笔何能及此！

我来迟了，不曾迎接远客。

甲戌侧 第一笔，阿凤三魂六魄已被作者拘定了，后文焉得不活桃（跳）纸上？此等〔文字〕非仙助，即（亦）非神助，从何而得此机括耶？

靖墨眉 阿凤三魂已被作者勾走了，后文方得活跳纸上。

甲戌眉 另磨新墨，搦锐笔，特独出熙凤一人。未写其形，先使闻声，所谓"绣幡开遥见英雄俺"也。（戚序本脱"搦""特"二字；蒙府本无"搦"，"出"后描改为"写"）

这来者系谁，这样放诞无礼。

甲戌侧 原有此一想。（蒙府本、戚序本同）

头上戴着金丝八宝攒珠髻，绾着朝阳五凤挂珠钗。

甲戌侧 头。（蒙府本、戚序本同）

项上带着赤金盘螭璎珞圈。

甲戌侧 颈。（蒙府本、戚序本同）

裙边系着豆绿宫绦，双衡比目玫瑰佩。

甲戌侧 腰。（戚序本同；蒙府本窜入正文）

粉面含春威不露，丹唇未启笑先闻。

甲戌侧 为阿凤写照。（戚序本、梦觉本"阿"作"熙"；蒙府本同）

描写王熙凤一段。

甲戌眉 试问诸公，从来小说中可有写形追像至此者？

贾母笑道。

甲戌侧 阿凤一至，贾母方笑，与后文多少"笑"字作偶。（戚序本"阿"作"熙"，"笑字"作"文字"，"偶"作"眼"，蒙府本"笑字"作"文字"，"作"下缺）

他是我们这里有名的一个泼皮破落户儿，南省俗谓作"辣子"，你只叫他"凤辣子"就是。

甲戌侧 阿凤笑声进来，老太君打诨，虽是空口传声，却是补出一向晨昏起居阿凤于太君处承欢应侯（候），一刻不可少之人，看官勿以闲文淡文〔看〕也。

自幼假充男儿教养的，学名叫王熙凤。

甲戌侧 奇想奇文。 以女子曰学名固奇，然此偏有学名的反到（倒）不识字，不曰学名者反若假（彼）。（戚序本"若假"作"若彼"；蒙府本"偏有"窜至"彼"前，作"若偏有彼"）

这熙凤携着黛玉的手，上下细细的打谅了一回。

甲戌侧 写阿凤全部转（传）神第一笔也。

天下真有这样标致人物，我今才算见了。

甲戌侧 这方是阿凤言语。若一味浮词套语，岂复为阿凤哉？

甲戌眉 "真有这样标致人物"出自〔阿〕凤口，黛玉丰姿可知。宜作史笔看。

况且这通身的气派，竟不像老祖宗的外孙女儿，竟是个嫡亲的孙女。

甲戌侧 仍归太君，方不失《石头记》文字，且是阿凤身心之至文。

怨不得老祖宗天天口头心头一时不忘。

甲戌侧 却是极淡之语，偏能恰投贾母之意。（蒙府本、戚序本同）

只可怜我这妹妹这样命苦。

甲戌侧 这是阿凤见黛玉正文。

怎么姑妈偏就去世了。

甲戌侧 若无这几句，便不是贾府媳妇。

我才好了，你倒来招我。

甲戌侧 文字好看之极！

你妹妹远路才来，身子又弱，也才劝住了，快再休提前话。

甲戌侧 反用贾母劝，看阿凤之术亦甚矣。（蒙府本、戚序本"看"作"他"；戚序本"阿"作"熙"；蒙府本"阿"窜至"矣"后）

一面又问婆子们："林姑娘的行李东西可搬进来了，带了几个人来？"

甲戌侧 当家的人车（事）如此，毕肖。

亲为捧茶捧果。

甲戌侧 总为黛玉眼中写出。（戚序本"为"作"从"；蒙府本"为"作"是"）

又见二舅母问他："月钱放完了不曾？"

甲戌侧 不见后文，不见此笔之妙。

44

才刚带着人到后楼上找缎子。

甲戌侧 接闲文，是本意避繁也。

找了这半日，也并没有见昨日太太说的那样。

甲戌侧 却是日用家常实事。

等晚上想着叫人再去拿罢，可别忘了。

甲戌侧 仍归前文，妙，妙！

知道妹妹不过这两日到的，我已预备下了。

甲戌眉 余知此缎阿凤并未拿出，此借王夫人之语机变欺人处耳。若信彼果拿出预备，不独被阿凤瞒过，亦且被石头瞒过了。

等太太回去过了目好送来。

甲戌侧 试看他心机。（蒙府本、戚序本同）

王夫人一笑，点头不语。

甲戌侧 深取（趣）之意。（蒙府本、戚序本同）

黛玉度其房屋院宇，必是荣府中之花园隔断过来的。

甲戌侧 黛玉之心机眼力。（蒙府本、戚序本同）

且院中随处之树木山石皆有。

甲戌侧 为大观园伏脉。 试思荣府园今在西，后之大观园偏写在东，何不畏难之若此？（蒙府本、戚序本"荣府园"作"荣府之园"，且与上评连写）

梦觉双 为大观园伏脉。

邢夫人让黛玉坐了，一面命人到外面书房中请贾赦。

甲戌侧 这一句都（却）是写贾赦，妙在全是指东击西，打草惊蛇之笔。若看其写一人即作此一人看，先生便呆了。

老爷说了，连日身上不好，见了姑娘彼此倒伤心。

甲戌侧 追魂摄魄。（蒙府本、戚序本同）

甲戌眉 余久不作此语矣，见此语未免一醒。

暂且不忍相见。

甲戌侧 若一见时，不独死板，且亦大失情理，亦不能有此等妙文矣。

姊妹们虽拙，大家一处伴着，亦可解些烦闷。

甲戌侧 赦老亦能作此语，叹叹！

恐领赐去不恭。

甲戌侧 得体。

便往东转弯，穿过一个东西的穿堂。

甲戌侧 这一个穿堂，是贾母正房之南者，凤姐处所通者，则是贾母正房之北。（蒙府本、戚序本同）

一边是金蜼彝。

甲戌侧 蜼音垒，周器也。

一边是玻璃盒。

甲戌侧 盒音海，盛酒之大器也。

又有一副对联，乃是乌木联牌，镶着錾银的字迹。

甲戌侧 雅而丽，富而文。

堂前黼黻焕烟霞。

甲戌侧 实贴。（蒙府本、戚序本"贴"作"衬"）

同乡世教弟勋袭东安郡王穆莳拜手书。

甲戌侧 先虚陪一笔。（蒙府本、戚序本同）

原来王夫人时常居坐宴息亦不在这正堂（室），只在这正室东边的三间耳房内，于是老嬷嬷引黛玉进东房门来。

甲戌侧 黛玉由正室一段而来，是为拜见政老耳，故进东房。若见王夫人，直写引至东廊小正室内矣。

其余陈设自不必细说。

甲戌侧 此不过略叙荣府家常之礼数，特使黛玉一识阶级座次耳，余则繁。（戚序本同；蒙府本"礼"误作"里"）

黛玉度其位次，便不上炕，只向东边椅子上坐了。

甲戌侧 写黛玉心意。（蒙府本、戚序本同）

只见穿红绫袄青缎掐牙背心的一个丫鬟走来。

甲戌侧 金乎？玉乎？

桌上磊着书籍茶具。

甲戌侧 伤心笔，堕泪笔。

黛玉心中料定，这是贾政之位。

甲戌侧 写黛玉心到眼到。伧夫但云为贾府叙坐（座）位，岂不可笑？（蒙府本、戚序本无"伧夫"二字；蒙府本脱"位"字）

因见挨炕一溜三张椅子上，也搭着半旧的弹墨椅袱。

甲戌侧 三字有神。此处则一色旧的，可知前正室中亦非家常之用度也。可笑近之小说中，不论何处，则曰商彝周鼎、绣幕珠帘、孔雀屏、芙蓉褥等样字眼。（蒙府本、戚序本"绣幕"作"绣帏"；又戚序本"近之"作"近今"）

甲戌眉 近闻一俗笑语（话）云：一庄农人进京，回家众人问曰："你进京去，可见些个世面否？"庄人曰："连皇帝老爷都见了。"众罕然问曰："皇帝如何景况？"庄人曰："皇帝左手拿一金元宝，右手拿一银元宝，马上稍（捎）着一口袋人参，行动人参不离口。一时要屙屎了，连擦屁股都用的是鹅黄缎子，所以京中掏茅厮（厕）的人都富贵无比。"试思凡稗官写"富贵"字眼者，悉皆庄农进京之一流也。盖此时彼实未身经目睹，所言皆在情理之外焉。（蒙府本、戚序本"庄农"作"庄家"，无"见些个"的"个"，"稍着"仅作"稍"，又无"屙屎了"的"了"，"都用的是"无"用的"，"缎子"作"绫子"，"掏茅厮"作"连掏毛厕"，"写富贵"作"用富贵"，无"庄农进京"之"进京"二字，"盖此时"之"此时"亦无；又"凡稗官"的"凡"，戚序本作"俗"，蒙府本讹作"化"；又蒙府本"彼实"讹作"被实"）

又如，人嘲作诗者亦往往爱说富丽话，故有"胫骨变成金玳瑁，眼睛嵌作碧璃琉”之诮。余自是评《石头记》，非鄙薄前人也。（蒙府本、戚序本“变成”作“便成”，“嵌作”作“变作”，“璃琉”改作“琉璃”，均无“余自是评《石头记》，非鄙薄前人也”句；又蒙府本“嘲”讹作“咽”）

你舅舅今日斋戒去了。

甲戌侧 点缀官（宦）途。（蒙府本、戚序本“官”作“宦”）

再见罢。

甲戌侧 赦老不见，又写政老。政老又不能见，是重不见重，犯不见犯。作者惯用此等章法。

我有一个孽根祸胎。

甲戌侧 四字是血泪盈面，不得已、无奈何而下。四字是作者痛哭。

戚序双 四字是作者痛哭。（蒙府本同）

是这家里的混〔世〕魔王。

甲戌侧 占（与）绛洞花王为对看。

今日因庙里还愿去了。

甲戌侧 是富贵公子。

乃衔玉而诞，顽劣异常。

甲戌侧 与甄家子恰对。（蒙府本、戚序本同）

极恶读书。

甲戌侧 是极恶每日“诗云”“子曰”的读书。（“诗云”本作“诸之”，后为墨笔所改）

甲戌眉 这是一段反衬章法。〔与〕黛玉心用（用心）猜度蠢物等句对着（看）去，方不失作者本旨。

甲戌眉 不（未）写黛玉眼中之宝玉，却先写黛玉心中已毕（早）有一宝玉矣，幻妙之至。只（自）冷子兴口中之后，余已极思欲一见，及今尚未得见，狡猾之至！（蒙府本、

48

戚序本"毕"作"早"，无"一宝玉"的"一"，"只"作"自"，又无"冷子兴"三字，"猾"作"滑"；蒙府本"余已"误作"全已"，无"极思"之"思"，"及今"误作"即令"）

这位哥哥比我大一岁，小名就唤宝玉，虽极憨顽，说在姊妹情中极好的。

甲戌侧 以黛玉道宝玉名，方不失正文。"虽"字是有情字，宿根而发，勿得泛泛看过。

况我来了，自然和姊妹同处，兄弟们自是别院另室的，岂得去沾惹之理。

甲戌侧 又登开一笔，妙妙！

原系同姊妹一处娇养惯了的。

甲戌侧 此一笔收回，是明通部同处原委也。

背地里拿着他的两三个小么儿出气，咕唧一会子就完了。

甲戌侧 这可是宝玉本性真情，前四十九字迥异之批今始方知。盖小人口碑累累如是，是是非非任尔口角，大都皆然。

王夫人忙携了黛玉从后房门……

甲戌侧 后房门。（蒙府本、戚序本同）

由后廊往西。

甲戌侧 是正房后廊也。（蒙府本、戚序本同）

出了角门。

甲戌侧 这是正房后西界墙角门。（蒙府本、戚序本同）

这院门上也有四五个才总角的小厮，都垂手侍立。

甲戌侧 二字是他处不写之写也。

王夫人遂携黛玉穿过一个东西穿堂。

甲戌眉 这正〔是〕贾母正室后之穿堂也，与前穿堂是一带之屋。中一带乃贾母之下室也。记清。（蒙府本、戚序本"这正"作"这是"）

49

便是贾母的后院了。

甲戌侧 写得清，一丝不错。（蒙府本、戚序本同）

见王夫人来了，方安设桌椅。

甲戌侧 不是待王夫人用膳，是恐使王夫人有失侍膳之理（礼）耳。 （蒙府本、戚序本"待王夫人"作"待夫人"，"理"作"礼"）

过一时再吃茶，方不伤脾胃。

甲戌侧 夹写如海一派书气，最妙！ （蒙府本、戚序本同）

黛玉也照样漱了口，然后盥手毕，又捧上茶来，方是吃的茶。

甲戌侧 总写黛玉以后之事，故只以此一件小事略为一表也。（蒙府本、戚序本同）

甲戌眉 今（余）看至此，故想日后以（前所）阅王敦初尚公主，登厕时不知塞鼻用枣，敦辄取而啖之，早为宫人鄙诮多矣。今黛玉若不漱此茶，或饮一口，不无（为）荣婢所诮乎？观此则知黛玉平生之心思过人。（蒙府本、戚序本"今看至此，故想日后以阅"作"余看至此，故想日前所闻"，"今黛玉若"作"若黛玉"；戚序本"早为"作"必为"，"不无"作"不为"；又蒙府本"早"误作"毕"，"塞鼻"误作"黛鼻"）

黛玉道："只刚念了《四书》。"

甲戌侧 好极！稗官专用腹隐五车书者来看。 （戚序本"者来看"作"等语"；蒙府本"者来看"本作"者来书"，后旁改为"等意"）

只听院外一阵脚步响。

甲戌侧 与阿凤之来相映而不相犯。

丫鬟进来笑道："宝玉来了。"

甲戌侧 余为一乐。（蒙府本、戚序本同）

这个宝玉不知是怎生个惫懒人物，懵懂顽劣之童。

甲戌侧 文字不反不见正文之妙，似此应从《国策》得来。（靖藏本作墨笔眉批。无"之妙"和"来"三字）

倒不见那蠢物也罢了。（乃作者批语）

甲戌侧 这蠢物不是那蠢物，却有个极蠢之物相待，妙极！（蒙府本、戚序本"不是"作"却不是"；戚序本"妙极"作"妙哩"，蒙府本则误作"妙里"）

面若中秋之月。

甲戌眉 此非套满月，盖人生有面扁而青白色者，则皆可谓之"秋月"也。用"满月"者不知此意。（戚序本同；蒙府本"白"误作"台"）

色如春晓之花。

甲戌眉 "少年色嫩不坚劳（牢）"，以及"非夭即贫"之语，余犹在心。今阅至此，放声一哭。（戚序本"劳"作"牢"；蒙府本同）

虽怒时而若笑，即瞋视而有情。

甲戌侧 真真写杀！（蒙府本、戚序本同）

黛玉一见，便吃一大惊。

甲戌侧 怪甚！（蒙府本、戚序本同）

倒像在那里见过的一般，何等眼熟到如此。

甲戌侧 正是。想必有（在）灵河岸上三生石畔曾见过。（蒙府本、戚序本"有"作"在"；梦觉本无"想必"和"曾"三字，"有"亦作"在"，句末衍出一"来"字）

后人有《西江月》二词，批这宝玉极恰。

甲戌眉 二词更妙。最可厌野史"貌如潘安，才如子建"等语。

寄言纨袴（绔）与膏粱（梁），莫效此儿形状。

甲戌眉 末二语最要紧。只是纨裤（绔）膏粱（粱），亦未必不见笑我玉卿。可知能效一二者，亦必不是蠢然纨裤（绔）矣。

细看形容，与众各别。

甲戌眉 又从宝玉目中细写一黛玉，直画一美人图。

两湾似蹙非蹙罥烟眉。

甲戌侧 奇眉妙眉，奇想妙想！（蒙府本、戚序本同）

一双似□非□□□□。

甲戌侧 奇目妙目，奇想妙想！（蒙府本、戚序本同）

行动似弱柳扶风。

甲戌侧 至此八句是宝玉眼中。

心较比干多一窍。

甲戌侧 此一句是宝玉心中。

甲戌眉 更奇妙之至！"多一窍"固是好事，然未免偏僻了，所谓过犹不及也。（蒙府本、戚序本无"事"，"然"作"然则"，"不及也"作"不及是也"）

病如西子胜三分。

甲戌侧 此十句定评，直抵一赋。（蒙府本、戚序本无"直抵一赋"句）

宝玉看黛玉一段。

甲戌眉 不写衣裙妆饰，正是宝玉眼中不屑之物，故不曾看见。黛玉之居（举）止容貌，亦是宝玉眼中看，心中评；若不是宝玉，断不能知黛玉终是何等品貌。（蒙府本、戚序本在"病如西子胜三分"句下，无"黛玉之居"的"之"，"断不能"的"能"；又戚序本"居止"作"举止"）

宝玉看罢，因笑道。

甲戌侧 看他第一句是何话。（蒙府本、戚序本同）

甲戌眉 黛玉见宝玉写一"惊"字，宝玉见黛玉写一

52

"笑"字，一存于中，一发乎外，可见文于下笔必推敲的准稳方才用字。

这个妹妹我曾见过的。

甲戌侧 疯话。 与黛玉同心，却是两样笔墨。观此则知玉卿心中有则说出，一毫宿滞皆无。（蒙府本、戚序本脱"则知"的"则"）

然我看着面善，心里就算是旧相识。

甲戌侧 一见便作如是语，宜乎王夫人谓之疯疯傻傻也！

今日只作远别重逢，未为不可。

甲戌侧 妙极，奇语！全作如是等语，〔焉〕怪人谓曰痴狂。（蒙府本、戚序本"怪"作"焉怪"）

贾母笑道："更好，更好……。"

甲戌侧 作小儿语，瞒过世人亦可。

若如此更相和睦了。

甲戌侧 亦是真话。（蒙府本、戚序本同）

又细细打谅一番。

甲戌侧 与黛玉两次打谅一对。（蒙府本、戚序本同）

因问："妹妹可曾读书？"

甲戌侧 自己不读书，却问到（别）人，妙！（蒙府本、戚序本"到"作"别"）

探春便问："何出？"

甲戌侧 写探春。（蒙府本、戚序本同）

除《四书》外，杜撰的太多，偏只我是杜撰不成。

甲戌侧 如此等语，焉得怪彼世人谓之怪，只瞒不过批书者。（蒙府本、戚序本"如此"作"如是"；戚序本"批书者"作"批书人"，蒙府本则误作"批言人"）

又问黛玉："可也有玉没有？"

甲戌侧 奇极怪极，痴极愚极，焉得怪人目为痴哉？（蒙

府本、戚序本同）

黛玉便忖度着：“因他有玉，故问我也有无。”

甲戌眉 奇之至，怪之至，又忽将黛玉亦写成一极痴女子。观此初会二人之心，则可知以后之事矣。（蒙府本、戚序本“奇之至，怪之至”作“奇之至极”，无“亦写”的“亦”字）

宝玉听了，登时发作起痴狂病来，摘下那玉就狠命摔去。

甲戌侧 试问石兄，此一摔比在青峰（埂）峰下萧然坦卧何如？

贾母急的搂了宝玉道：“孽障。”

甲戌侧 如闻其声。恨极语，却是疼极语。（蒙府本、戚序本同）

何苦摔那个命根子。

甲戌侧 一字一千斤重。（蒙府本、戚序本无“重”字）

宝玉满面泪痕泣道。

甲戌侧 千奇百怪，不写黛玉泣，却反先写宝玉泣。（蒙府本、戚序本“百怪”作“百奇”，无“却”和“先”二字，“宝玉泣”误作“宝玉泪”）

宝玉摔玉一段。

甲戌眉 “不是冤家不聚头”第一场也。

想一想竟大有情理，也就不生别论了。

甲戌侧 所谓小儿易哄，余则谓君子可欺以其方云。（戚序本同；蒙府本“余”误作“全”）

宝玉道：“好祖宗。”

甲戌侧 跳出一小儿。（蒙府本、戚序本同）

一个是十岁的丫头，亦是自幼随身的，名唤雪雁。

甲戌侧 杂（新）雅不落套，是黛玉之文章也。（蒙府本、戚序本“杂”作“新”）

54

便将自己身边一个二等的丫头，名唤鹦哥者与了黛玉。

甲戌眉 妙极！此等名号方是贾母之文章。最厌近之小说中，不论何处，满纸皆是红娘、小玉、嫣红、香翠等俗字。（蒙府本、戚序本无"小说中"的"中"字）

并大丫鬟，名唤袭人者陪侍在外大床上。

甲戌侧 奇名新名，必有所出。（蒙府本、戚序本同）

原来这袭人亦是贾母之婢，本名珍珠。

甲戌侧 亦是贾母之文章。前鹦哥已伏下一鸳鸯，今珍珠又伏下一琥珀矣。已（以）下乃宝玉之文章。（蒙府本、戚序本"已下"作"以下"）

遂回明贾母，即更名袭人。这袭人亦有些痴处。

甲戌侧 只如此写又好极。最厌近之小说中满纸"千伶百俐"，"这妮子亦通文墨"等语。（蒙府本、戚序本"如此"误作"知此"，"好极"作"极好"，无"满纸"二字；戚序本"近之"作"近今"；蒙府本"妮子"讹作"呢子"）

林姑娘正在这里伤心。

甲戌侧 可知前批不谬。

自己淌眼抹泪的。

甲戌侧 黛玉第一次哭，却如此写来。（蒙府本、戚序本无"写来"）

倘或摔坏那玉，岂不是因我之过。

甲戌侧 所谓宝玉知己，全用体贴工夫。（靖藏本无"所谓"二字）

黛玉哭一段。

甲戌眉 前文反明写宝玉之哭，今却反如此写黛玉，几被作者瞒过。这是第一次算还，不知下剩还该多少。

听得说，落草时从他口里掏出，上头有现成的穿眼。

甲戌侧 癞僧幻术亦太奇矣。（蒙府本同；戚序本"太"

作"大")

此刻夜深，明日再看不迟。

甲戌侧 总是体贴，不肯多事。

第四回　薄命女偏逢薄命郎
葫芦僧乱判葫芦案

原来这李氏即贾珠之妻。

甲戌侧　起笔写薛家事，他偏写宫哉（裁），是结黛玉，明李纨本末。又在人意料之外。

父名李守中。

甲戌侧　妙！盖云人能以理自守，安得为情所陷哉？

族中男女无有不诵诗读书者。

甲戌侧　未出李纨，先伏下李纹、李绮。

梦觉双　先伏下文李纹、李绮。

女儿无才便有德。

甲戌侧　"有"字改的好。

却只以纺绩井臼为要，因取名为李纨，字宫裁。

甲戌侧　一洗小说巢（窠）臼俱尽，且命名字，亦不见红香翠玉恶俗。

因此这李纨虽青春丧偶，且居处于膏粱（梁）锦绣之中，竟如槁木死灰一般。

甲戌侧　此时处此境，最能越理生事，彼竟不然，实罕见者。

惟知侍亲养子，外则陪侍小姑等针黹诵读而已。

甲戌侧　一段叙出李纨，不犯熙凤。

除老父外，余者也就无庸虑及了。

甲戌侧　仍是从黛玉身上写来。以上了结住黛玉，复找前文。

　　我家小爷原说第三日方是好日子，再接入门。

　　甲戌侧　所谓迟则有变，往往世人因不经之谈误却大事。

　　雨村心中甚是疑怪。

　　甲戌侧　原可疑怪，余亦疑怪。

　　老爷一向加官进禄，八九年来就忘了我了。

　　甲戌侧　语气傲慢，怪甚。

　　老爷真是贵人多忘事，把出身之地竟忘了。

　　甲戌侧　剌（杀）心语，自招其祸，亦因夸能恃才也。

　　雨村听了，如雷震一惊。

　　甲戌侧　余亦一惊，但不知门子何知？尤为怪甚。

　　因想这件生意倒还轻省热闹。

　　甲戌侧　新鲜字眼。

　　遂趁年纪蓄了发，充了门子。

　　甲戌侧　一路奇奇怪怪，调侃世人，总在人意臆之外。

　　原来是故人。

　　甲戌侧　妙称，全是假态。

　　又让坐了好谈。

　　甲戌侧　假极！

　　贫贱之交不可忘，你我故人也。

　　甲戌侧　全是奸险小人态度，活现活跳。

　　难道就没抄一张"护官符"来不成。

　　甲戌侧　可对"聚宝盆"，一笑。　三字从来未见，奇之至！

　　雨村忙问："何为护官符？我竟不知。"

　　甲戌侧　余亦欲问。

　　这还了得，连这〔个〕不知，怎能作得长远。

58

甲戌侧 骂得爽快。

倘若不知，一时触犯了这样的人家，不但官爵，只怕连性命还保不成呢。

甲戌侧 可怜可叹，可恨可气，变作一把眼泪也。

所以绰号叫作"护官符"。

甲戌侧 奇甚趣甚，如何想来？

石头亦曾照样抄写一张，今据石上所抄云。

甲戌侧 忙中闲笔，用得好。

贾不假，白玉为堂金作马。

甲戌侧 宁国、荣国二公之后，共十二（二十）房分。除宁、荣亲派八房在都外，现原籍住者十二房。（己卯本、蒙府本、戚序本、梦觉本、杨藏本和列藏本"十二"作"二十"；己卯本"亲"本作"新"，后朱笔描改，又"住者"作"住着"，列藏本同；梦觉本"住者"作"住者有"；杨藏本无"分"字，"现原籍住者十二房"作"现住原籍十二房"；列藏本"在都外"作"在外"）

阿房宫，三百里，住不下金陵一个史。

甲戌侧 保龄侯尚书令史公之后，房分共十八。都中现任（住）者十房，原籍现居八房。（己卯本"十八"作"十八房"，"现任者"作"现住"；蒙府本、戚序本"十八"作"二十"，"八房"作"十房"；梦觉本"保龄侯"作"保宁侯"，"房分"误作"房公"；杨藏本无"房分"，"十八"作"十八房"，无"者"，"原籍现居八房"作"现居原籍八房"；又蒙府本、戚序本、梦觉本、杨藏本"现任"作"现住"；又列藏本"尚书"误为"尚出"）

丰年好大雪，珍珠如土金如铁。

甲戌侧 隐"薛"字。 紫微（薇）舍人薛公之后，现领内府帑银行商（商），共八房分。（除梦觉本外，诸本无

59

"隐薛字"；己卯本"内府帑银行商（商）"作"内司帑项行商"，无"分"字；蒙府本、戚序本"微"作"薇"，无"分"字；蒙府本、戚序本、杨藏本"内府"作"内库"；戚序本、梦觉本和列藏本"行商（商）"作"行商"；梦觉本和列藏本"内府"作"内司"，杨藏本无"分"字）

东海缺少白玉床，龙王来请金陵王。

甲戌侧 都太尉统制县伯玉（王）公之后，共十二房。都中二房，余〔皆在籍〕。（梦觉本"太尉"误作"太慰"；己卯本、梦觉本、列藏本"二房"作"两房"；己卯本"余"下作"皆在籍"；蒙府本、戚序本、梦觉本、杨藏本和列藏本"玉公"作"王公"；蒙府本、戚序本、梦觉本、列藏本"余"下作"在籍"；杨藏本"都中"下作"现住五房，原籍七房"）（按：以上四条双行批，甲戌以外各本，按贾、史、王、薛顺序排列。己卯本另纸录出，附于此本之前）

雨村犹未看完，忽闻传点人报。

甲戌眉 妙极！若只有此四家，则死板不活；若再有两家，又觉累赘（赘），故如此断法。

甲戌侧 横云断岭法，是板定大章法。

这四家皆连络有亲，一损皆损，一荣皆荣，扶持遮饰，皆有照应的。

甲戌侧 早为下半部伏根。（靖藏本"早"作"四家皆"；梦觉本同）

不但这凶犯躲的方向我知道，一并这拐卖之人我也知道。

甲戌侧 斯何人也。

名唤冯渊。

甲戌侧 真真是冤孽相逢。

长到十八九岁上，酷爱男风，最厌女子。

甲戌侧 最厌女子，仍为女子丧生，是何等大笔！不是写

60

冯渊，正是写英莲。

梦觉双 不是写冯渊，是写英莲。

可巧遇见着拐子卖丫头。

甲戌侧 善善恶恶，多从"可巧"而来，可畏可怕。

立意买来作妾，立誓再不交接男子。

甲戌侧 谚云："人若改常，非病即亡。"信有之乎？

也再不娶第二个了。

甲戌侧 虚写一个情种。

并不为此些些小事值得他一逃走的。

甲戌侧 妙极！人命视为"些些小事"，总是刻画阿呆耳。

老爷，你当被卖之丫头是谁。

甲戌侧 问得又怪。

他就是葫芦庙旁住的甄老爷的小姐，名唤英莲。

甲戌侧 至此一醒。

况且他眉心中原有米粒大小的一点胭脂痣，从胎里带来的。

甲戌侧 宝钗之热，黛玉之怯，悉从胎中带来。今英莲有痣，其人可知矣。

他是被拐子打怕了的，万不敢说。

甲戌侧 可怜！

自为从此得所，谁料天下竟有这等不如意事。

甲戌侧 可怜，真可怜！ 一篇《薄命赋》，特出英莲。

靖墨眉 批书亲见。一篇《薄命赋》，特出英莲。

而且使钱如土。

甲戌侧 世路难行钱作马。

把个英莲拖去，如今也不知死活。

甲戌侧 为英莲留后步。

写英莲、冯渊一段。

甲戌眉 又一首《薄命叹》。英、冯二人一段小悲欢幻景，从葫芦僧口中补出，省却闲文之法也。所谓"美中不足，好事多魔（磨）"，先用冯渊作一开路之人。

雨村评议冯、英二人遭际一段。

甲戌眉 使雨村一评，方补足上半回之题目。所谓此书有繁处愈繁，省中愈〈中〉省；又有不怕繁中繁，只要繁中虚；不畏省中省，只要省中实。此则省中实也。

你说的何尝不是。

甲戌侧 可发一长叹。这一句已见奸雄。全是假。

但事关人命，蒙皇上隆恩，起复委用。

甲戌侧 奸雄。

正当殚心竭力图报之时。

甲戌侧 奸雄。

岂可因私而废法。

甲戌侧 奸雄。

我实不能忍为者。

甲戌侧 全是假。

又曰：趋吉避凶者为君子。

甲戌侧 近时错会书意者多多如此。

雨村低了半日头，方说道。

甲戌侧 奸雄欺人。

薛蟠今已得无名之症，被冯魂追索已死。

甲戌侧 无名之症却是病之名，而反曰无，妙极！（靖藏本"却"作"即"，"妙"作"像"）

雨村笑道："不妥，不妥。"

甲戌侧 奸雄欺人。

果见冯家人口稀疏，不过赖此欲多得些烧埋之费。

甲戌侧 因（用）此三四语收住，极妙！此则重重写来，轻轻抹去也。

雨村便徇情枉法，胡乱判断了此案。

甲戌侧 实注一笔，更好。不过是如此等事，又何用细写。可（所）谓"此书不敢干涉廊庙"者，即此等处也。莫谓写之不到，盖作者立意写闺阁尚不暇，何能又及此等哉？

雨村判薛蟠案一段。

甲戌眉 盖宝钗一家不得不细写者，若另起头绪，则文字死板，故仍只借雨村一人穿插出阿呆兄人命一事，且又带叙出英莲一向之行踪，并以后之归结，是以故意戏用"葫芦僧乱判"等字样撰成半回，略一解颐，略一叹世，盖非有意讥刺仕途，实亦出人之闲文耳。

又注冯家一笔，更妥。可见冯家正不为人命，实赖此获利耳。故用"乱判"二字为题，虽曰"不涉世事"，或亦有微辞耳。但其意实欲出宝钗，不得不做此穿插。故云此等皆非《石头记》之正文。

并京营节度使王子腾。

甲戌侧 随笔带出王家。

雨村又恐他对人说出当日贫贱时的事来，因此心中大不乐业。

甲戌侧 瞧他写雨村如此，可知雨村终不是大英雄。

后来到底寻了个不是，远远的充发了才罢。

甲戌侧 至此了结葫芦庙文字。　又伏下千里伏线。　起用"葫芦"字样，收用"葫芦"字样，盖云一部书皆系葫芦提之意也。此亦系寓意处。

靖墨眉 了结〔葫〕〔芦〕庙文字。又伏下千里伏线。胡（葫）卢（芦）字样起，胡（葫）卢（芦）字样结，盖一部书皆系胡（葫）〔芦〕提之意也，知乎？

且说那买了英莲，打死了冯渊的那薛公子。

甲戌侧 本是立意写此，却不肯特起头绪，故意设出"乱判"一段戏文其中穿插，至此却淡淡写来。

虽也上过学，不过略识几字。

甲戌侧 这句加于老兄，却是实写。

生得肌骨莹润，举止娴雅。

甲戌侧 写宝钗只如此，更（便）妙！

较之乃兄竟高过十倍。

甲戌侧 又只如此写来，更妙！

近因今上崇诗尚礼，征采才能，降不世出之隆恩。

甲戌侧 一段称功颂德，千古小说中所无。

薛蟠见英莲生得不俗，立意买了。

甲戌侧 阿呆兄亦知不俗，英莲人品可知矣。

自为花上几个臭钱，没有不了的。

甲戌侧 是极！人谓薛蟠为呆，余则谓是大彻悟。

在路不计其日。

甲戌侧 更妙！必云程限，则又〈有〉落套。岂暇又记路程单哉？

可知天从人愿。

甲戌侧 写尽五陵心意。

或是在你舅舅家。

甲戌侧 陪笔。

或是你姨爹家。

甲戌侧 正笔。

咱们且忙忙收拾房舍，岂不使人见怪。

甲戌侧 闲语中补出许多前文，此画家之云罩峰尖法也。

你的意思我却知道。

甲戌侧 知子莫如父（母）。

不如你各自住着，好任意施为的。

甲戌侧 寡母孤儿一段，写得毕肖毕真。

靖本侧 寡母孤儿毕有（肖）〔毕〕真。（此条误抄在第五回中）

我带了你妹子去投你姨娘家去。

甲戌侧 薛母亦善训子。

正愁又少了娘家亲戚来往。

甲戌侧 大家尚义，人情大都〔如〕是也。

"贾政便使人上来对王夫人说"一段。

甲戌眉 用政老一段（说），不但王夫人得体，且薛母亦免靠亲之嫌。

咱们东北角上梨香院一所十来间白空闲。

甲戌侧 好香色。

请姨太太就在这里住下，大家亲密些。

甲戌侧 老太君口气，得情。 偏不写王夫人留，方不死板。

又私与王夫人说明，一应日费供给一概免却，方是处常之法。

甲戌侧 作者题（提）清，犹恐看官误认〔与〕今之靠亲投友者一例。

宝钗日与黛玉迎春姊妹等一处。

甲戌眉 金玉如（初）见，却如此写，虚虚实实，总不相犯。

倒也十分乐业。

甲戌侧 这一句衬出后文黛玉之不能乐业，细甚，妙甚！

一面使人打扫出自家的房屋，再移居过去。

甲戌侧 交代结构，曲曲折折，笔墨尽矣。

甚至聚赌嫖娼，渐渐无所不至，引诱着薛蟠比当日更坏了

65

十倍。

甲戌侧 虽说为纨裤（绔）设鉴，其意原只罪贾宅，故用此等句法写来。

贾政训子有方，治家有法。

甲戌侧 八字特洗出政老来，又是作者隐意。

第五回　开生面梦演红楼梦
立新场情传幻境情

　　却说薛家母子在荣府中寄居等事略已表明，此回则暂不能写矣。（"却说"，庚辰诸本作"第四回中既将"）

　　甲戌侧　此等处实又非别部小说之熟套起法。（戚序本无"处"和"又"字）

　　"如今且说林黛玉"一段。

　　甲戌眉　不叙宝钗，反仍叙黛玉，盖前回只不过欲出宝钗，非实写之文耳。此回若仍绪（续）写，则将二玉高搁矣。故急转笔，仍归至黛玉，使荣府正文方不至于冷落也。（蒙府本、戚序本"绪"作"续"；蒙府本"不叙宝钗"误作"不叙实钗"，"仍归至"作"仍归之"）

　　今写黛玉神妙之至，何也？因写黛玉实是写宝钗，非真有意去写黛玉，几乎又被作者瞒过。（蒙府本、戚序本无"实是写"的"写"；蒙府本"实是"误作"实非"）

　　寝食起居，一如宝玉。

　　甲戌侧　妙极！所谓一击两鸣法，宝玉身分可知。（戚序本同；蒙府本脱"玉"字；梦觉本无"宝玉身分可知"）

　　迎春、探春、惜春三个亲孙女倒且靠后。

　　甲戌侧　此句写贾母。（蒙府本、戚序本"句"误作"日"）

　　便是宝玉和黛玉二人之亲密友爱，亦自较别个不同。

甲戌侧 此句妙，细思有多少文章。（蒙府本、戚序本无"妙"字）

不想如今忽然来了一个薛宝钗。

甲戌侧 总是奇峻之笔，写来健跋（拔），似新出之一人耳。（蒙府本、戚序本"写来"误作"写手"，"跋"亦作"跋"）

甲戌眉 此处如此写宝钗，前回中略不一写，可知前回迥非十二钗之正文也。（蒙府本、戚序本"前回"作"前回中"）

欲出宝钗，便不肯从宝钗身上写来，却先款款叙出二玉，陡然转出宝钗，三人方可鼎立，行文之法又亦（一）变体。

梦觉双 欲出宝钗，却先叙二玉，然后转出宝钗，三人方可鼎立，行文之法又一变。

年岁虽大不多，然品格端方，容貌丰美，人多谓黛玉所不及。

甲戌侧 此句定评。想世人目中各有所取也。 按黛玉、宝钗二人，一如姣花，一如纤柳，各极其妙者，然（皆）世人性分甘苦不同之故耳。（蒙府本、戚序本"想世人"下均窜入正文，"姣"作"娇"，无"妙者"之"者"字，"然"作"此乃"；靖藏本作双行批，"然"作"皆"。"皆"是。"此乃"亦"皆"字之讹，一字分为两字）

而且宝钗行为豁达，随分从时，不比黛玉孤高自许，目无下尘。

甲戌侧 将两个行止摄总一写，实是难写，亦实系千部小说中未敢〈说〉写者。 （蒙府本、戚序本"亦实"作"亦是"，"未敢"前多一"所"字，无"说"字）

因此黛玉心中便有些恓郁不忿之意。

甲戌侧 此一句是今古才人同病。如人人皆如我黛玉之为

68

人，方许他炉。　此是黛玉缺处。（戚序本"皆如"作"皆似"，蒙府本作"皆与"；前二句作两条）

宝钗却浑然不觉。

甲戌侧　这还是天性，后文中则是又加学力了。（蒙府本、戚序本无"中"字）

况自天性所禀来的一片愚拙偏僻。

甲戌侧　四字是极不好，却是极妙。只不要被作者瞒过。（蒙府本、戚序本"只不要"作"勿"；蒙府本"却"误作"妙"，"作者"误为"作此"）

并无亲疏远近之别。

甲戌侧　如此反谓愚痴，正从世人意中写也。（蒙府本、戚序本"愚痴"作"愚拙偏癖"）

梦觉双　如此反谓愚痴，盖从世人眼中写出。

既亲密，则不免一时有求全之毁，不虞之隙。

甲戌侧　八字定评，有趣。不独黛玉、宝玉二人，亦可为古今天下亲密人当头一喝。

甲戌眉　八字为二玉一生文字之纲。（靖藏本作墨眉，文同）

戚序双　八字定评，有趣。不独写宝玉、黛玉二人，亦为古今人亲密者作当头棒喝。（蒙府本同）

黛玉又气的独在房中垂泪。

甲戌侧　"又"字妙极，补出近日无限垂泪之事矣。此仍淡淡写来，使后文来得不突然。（蒙府本、戚序本"此"前空一格）

宝玉又自悔语言冒撞，前去俯就。

甲戌侧　"又"字妙极！凡用二"又"字，如双峰对峙，总补二玉正文。（蒙府本、戚序本同）

因东边宁府中花园内梅花盛开。

甲戌侧 元春消息动矣。（蒙府本、戚序本、梦觉本同）

贾母等于早饭后过来，就在会芳园游玩。

甲戌侧 随笔带出，妙。字义可思。（戚序本同；蒙府本"带"作"代"）。

不过皆是宁、荣二府女眷家宴小集，并无别样新文趣事可记。

甲戌侧 这是第一家晏（宴），偏如此草草写。此如晋人倒食甘蔗，渐入佳境一样。（蒙府本、戚序本"晏"作"宴"，"如此"作"为此"，无"此如"之"此"字）

贾母素知秦氏是个极妥当的人。

甲戌侧 借贾母心中定评。（蒙府本、戚序本同）

乃重孙媳中第一个得意之人。

甲戌侧 又夹写出秦氏来。（蒙府本、戚序本"出"移至"来"前）

其故事乃是燃藜图。

甲戌眉 如此画联，焉能入梦？

世事洞明皆学问，人情练达即文章。

甲戌侧 看此联极俗，用于此则极妙。盖作〔者〕正因（为）古今王孙公子劈头先下金针。（蒙府本、戚序本"看"作"按"，"作"后有一"者"字，"正因"作"正为"，"先下"作"下一"）

上月你没看见我那个兄弟来了。

甲戌眉 伏下秦钟，妙！

虽然和宝叔同年，两个人若站在一处，只怕那一个还高些呢。

甲戌侧 又伏下一人。随笔便出，得隙便入，精细之极！（蒙府本、戚序本"一人"作"文"；戚序本"便出"作"便来"；蒙府本"随笔"下作"便得隙便得"，脱一"出"字，

衍出一"得"字)

我怎么没见过，你带他来我瞧瞧。

甲戌侧 侯门少年纨绔活跳下来。（蒙府本、戚序本同）

有一股细细的甜香袭了人来。

甲戌侧 此香名引梦香。

宝玉便愈觉得眼饧骨软，连说好香。

甲戌侧 刻骨吸髓之情景，如何想得来，又如何写得来（出）？（蒙府本、戚序本"写得来"作"写得出"）

有唐伯虎画的《海棠春睡图》。

甲戌侧 妙图！（蒙府本、戚序本"图"作"画"）

嫩寒锁梦因春冷，芳气袭人是酒香。

甲戌侧 艳极，淫极！已入梦境矣。

案上设着武则天当日镜室中设着〔的〕宝镜。

甲戌侧 设譬调侃耳。若真以为然，则又被作者瞒过。（戚序本"侃"误作"谎"；蒙府本、戚序本句末多一"也"）

亲自展开了西子浣过的纱衾，移了红娘抱过的鸳枕。

甲戌侧 一路设譬之文，迥非《石头记》大笔所屑，别有他属，余所不知。

只留下袭人、媚人、晴雯、麝月四个丫鬟为伴。

甲戌侧 一个再见，二新出；三新出，名妙而文；四新出，尤妙。 看此四婢之名，则知历来小说难与并肩。（蒙府本、戚序本无"之"、"肩"二字，分别批在四人名下）

梦觉双 一个再见，二个新出，三个新出，四个新出。（分别批在四人名下）

宝玉在秦氏房中睡去一段。

甲戌眉 文至此，不知从何处想来。

看着猫儿狗儿打架。

甲戌侧 细极！（蒙府本、戚序本同）

犹似秦氏在前，遂悠悠荡荡，随了秦氏至一所在。

甲戌侧 此梦文情固佳，然必用秦氏引梦，又用秦氏出梦，竟不知立意何属。 惟批书人知之。（蒙府本、戚序本无"惟批书人知之"句）

梦觉双 此梦用秦氏引梦，又用秦氏出梦，妙！

真是人迹希逢，飞尘不到。

甲戌侧 一篇《蓬莱赋》。（蒙府本、戚序本同）

强如天天被父母师傅打去。

甲戌侧 一句（百）忙里点出小儿心性。（蒙府本、戚序本"一句忙里"作"百忙中"。"一句"乃"百"之拆写）

春梦随云散。

甲戌侧 开口拿"春"字，最紧要。（蒙府本侧批同）

飞花逐水流。

甲戌侧 二句比也。（蒙府本与上批连写，文同）

何必觅闲愁。

甲戌侧 将通部人一喝。（蒙府本侧批同）

宝玉听了是女子的声音。

甲戌侧 写出终日与女儿厮混，最熟。（蒙府本、戚序本同）

方离柳坞……如斯之美也。

甲戌眉 按此书《凡例》，本无赞赋闲文，前有宝玉二词，今复见此一赋，何也？盖此二人乃通部大纲，不得不用此套。前词却是作者别有深意，故见其妙；此赋则不见长，然亦不可无者也。（蒙府本、戚序本"赞"误作"谱"，无"闲文"、"此二人"之"此"字，又无"前词却是"下诸句；蒙府本"今复见"误作"人复见"）

宝玉见是一个仙姑，喜的忙上来作揖，笑问道："神仙姐姐。"

甲戌侧 千古未闻之奇称，写来竟成千古未闻之奇语，故是千古未有之奇文。

乃放春山遣香洞太虚幻境警幻仙姑是也。

甲戌侧 与首回中甄士隐梦景（境）一照。（蒙府本、戚序本同）

因近来风流冤孽绵缠于此处。

甲戌侧 四字可畏。（蒙府本、戚序本同）

新填《红楼梦》仙曲十二支。

甲戌侧 点题。盖作者自云，所历不过红楼一梦耳。（蒙府本、戚序本同）

便忘了秦氏在何处。

甲戌侧 细极！（蒙府本、戚序本同）

假作真时真亦假，无为有处有还无。

甲戌侧 正恐观者忘却首回，故特将甄士隐梦景（境）重一瀚染。

宝玉入孽海情天后一段。

甲戌眉 菩萨天尊皆因僧道而有，以点俗人，独不许幻造太虚幻境以警情者乎？观者恶其荒唐，余则喜其新鲜。

有修庙造塔祈福者，余今意欲起太虚幻境，以（似）较修七十二司更有功德。

不料早把些邪魔招入膏肓了。

甲戌侧 奇极，妙文！ （蒙府本、戚序本"极"作"趣"）

惟见有处写的是痴情司、结怨司、朝啼司、夜哭司、春感司、秋悲司。

甲戌侧 虚陪六个。 （戚序本同；蒙府本"陪"误作"培"）

抬头看这司的匾上乃是"薄命司"三字。

73

甲戌侧　正文。（蒙府本、戚序本同）

宝玉看了，便知感叹。

甲戌侧　"便知"二字是字法，最为紧要之至。（蒙府本、戚序本无"之至"）

金陵十二钗正册。

甲戌侧　正文，〔点〕题。（蒙府本、戚序本"题"作"点题"）

常听人说金陵极大。

甲戌侧　"常听"二字神理极妙！（蒙府本、戚序本同）

如今单我们家里上上下下就有几百女孩呢。

甲戌侧　贵公子口声。（蒙府本、戚序本"口声"作"的口气"）

寿夭多因诽谤生，多情公子空牵念。

甲戌双　恰极之至！《病补雀金裘》回中与此合看。（蒙府本侧批无"之"字，余同。盖"之"为衍文，"至"属下句）

靖墨眉　恰极！《补裘》回中与此合看。

堪羡优伶有福，谁知公子无缘。

甲戌侧　骂死宝玉，却是自悔。（蒙府本、戚序本同）

根并荷花一茎香。

甲戌侧　却是咏菱妙句。（蒙府本、戚序本无"句"字）

自从两地生孤木。

甲戌侧　折（拆）字法。

可叹停机德。

甲戌侧　此句薛。（蒙府本、戚序本作"乐羊子妻事"）

堪怜咏絮才。

甲戌侧　此句林。（蒙府本、戚序本"林"误作"薛"）

玉带林中挂。

蒙府双 此句林。

金簪雪里埋。

甲戌侧 寓意深远，皆非生（生非）其地之意。（蒙府本、戚序本"皆非生"作"皆是生非"）

宝玉看正册一段。

甲戌眉 世之好事者争传《推背图》之说，想前人断不肯煽惑愚迷，即有此说，亦非常人供谈之物。此回悉借其法，为儿女子数运之机，无可以供茶酒之物，亦无干涉政事，真奇想奇笔。

三春争及初春景。

甲戌侧 显极。

才自精明志自高，生于末世运偏消。

甲戌侧 感叹句，自寓。

清明涕送江边望，千里东风一梦遥。

甲戌侧 好句。

子系中山狼，得志便猖狂。

甲戌侧 好句。

可怜绣户侯门女，独卧青灯古佛旁。

甲戌侧 好句。

一从二令三人木。

甲戌侧 折（拆）字法。（蒙府本、戚序本"折"作"拆"）

势败休云贵，家亡莫论亲。

甲戌侧 非经历过者，此二句则云纸上谈兵；过来人那得不哭。

如冰水好空相妒，枉与他人作笑谈。

甲戌侧 真心实语。

那仙姑知他天分高明，性情颖慧。

甲戌眉 通部中笔笔贬宝玉，人人嘲宝玉，语语谤宝玉，今却于警幻意中忽写出此八字来，真是意外之意（想）。此法亦别书中所无。（蒙府本、戚序本无"忽"字，"之意"作"之想"，"别书"作"他书"）

且随我去游玩奇景。

甲戌侧 是哄小儿语，细甚！（蒙府本、戚序本"语"作"语气"，无"细甚"）

何必在此打这闷葫芦。

甲戌侧 为前文葫芦庙一点。（蒙府本、戚序本同；梦觉本作"点醒"）

宝玉恍恍惚惚，不觉弃了卷册。

甲戌侧 是梦中况景，细极！（蒙府本、戚序本"景"下作"妙"，无"细极"）

更见仙花馥郁，异草芬芳，真好个所在。

甲戌侧 已为省亲别墅画下图式矣。（蒙府本、戚序本同）

必有绛珠妹子的生魂前来游玩。

甲戌侧 绛珠为谁氏，请观者细思首回。（蒙府本、戚序本"为"作"是"，又无"氏"字）

梦觉双 绛珠为谁，观者思之。

何故反引这浊物来污染这清净女儿之境。

甲戌眉 奇笔摅奇文。作书者视女儿珍贵之至，不知今时女儿可知。余为作者痴心一哭，又为近之自弃自败之女儿一恨。

戚序双 奇笔奇文。（蒙府本同）

宝玉听如此说，便唬得欲退不能退，果觉自形污秽不堪。

甲戌侧 贵公子不怒而反退，却是宝玉天外（分）中一段情痴。

76

戚序双　贵公子岂容人如此厌弃，反不怒而反欲退，实实写尽宝玉天分中一段情痴来。若是薛阿呆至此闻是语，则警幻之辈共成齑粉矣。一笑。（蒙府本"一段"作"一断"）

警幻忙携住宝玉的手。

甲戌侧　妙！警幻自是个多情种子。（蒙府本、戚序本无"自"、"个"二字，"多情"误作"与情"）

子孙虽多，竟无一可以继业。

甲戌侧　这是作者真正一把眼泪。

万望先以情欲声色等事警其痴顽。

甲戌侧　二公真无可奈何，开一觉世觉人之路也。

或冀将来一悟，亦未可知也。

甲戌侧　一段叙出宁、荣二公，足见作者深意。（戚序本"二公"作"二公来"；蒙府本同）

名为群芳髓。

甲戌侧　好香。

此茶名曰千红一窟。

甲戌侧　隐"哭"字。（蒙府本、戚序本同）

更喜窗下亦有唾绒，奁间时渍粉污。

戚序本　是宝玉心事。（蒙府本同）

幽微灵秀地。

甲戌侧　女儿之心，女儿之境。（蒙府本、戚序本只作"女儿之心"）

无可奈何天。

甲戌侧　两句尽矣。撰通部大书不难，最难是此等处，可知皆从无可奈何而有。（蒙府本、戚序本作"女儿之境，两句尽矣"）

名为"万艳同杯"。

甲戌侧　与"千红一窟"一对。隐"悲"字。（蒙府本、

戚序本同）

开辟鸿蒙。

甲戌侧 故作顿挫摇摆。（蒙府本、戚序本"摇摆"作"之笔"）

若非个中人。

甲戌侧 三字要紧。不知谁是"个中人"。宝玉即"个中人"乎？然则石头亦"个中人"乎？作者亦系"个中人"乎？观者亦"个中人"乎？

戚序双 三字极妙！不知谁是"个中人"。然则石头亦"个中人"乎？作者与观者亦"个中人"乎？（蒙府本同）

若不先阅其稿，后听其歌，翻成嚼蜡矣。

甲戌眉 警幻是个极会看戏人。近之大老观戏，必先翻阅角本，目睹其词，彼（耳）听彼歌，却从警幻处学来。

戚序双 警幻是个极会看戏人。今之翻剧本看戏者，殆从警幻学来。（蒙府本同）

宝玉揭开，一面目视其文，一面耳聆其歌。

甲戌眉 作者能处，惯于自占地步，又惯于擅起波澜，又惯于故为曲折，最是行文秘诀。（戚序本衍出一"处"字，"站"误作"占"，"擅起"作"陡起"；蒙府本"擅"误作"檀"）

开辟鸿蒙，谁为情种。

甲戌侧 非作者为谁？余又曰：亦非作者，乃石头耳。（蒙府本、戚序本无"又"字；戚序本"耳"作"也"，蒙府本则作"者"）

试遣愚衷。

甲戌侧 "愚"字自谦得妙。（蒙府本、戚序本同）

因此上演出这怀金悼玉的《红楼梦》。

甲戌眉 "怀金悼玉"，大有深意。（蒙府本、戚序本

"大"作"四字")

甲戌侧　读此几句，翻（反）厌近之传奇中必用开场付（副）末等套，瘰（累）瘯（赘）太甚。（蒙府本、戚序本"翻"作"反"，"开场付末等套"作"生旦副末开场"）

"终身误"一段。

甲戌眉　语句泼撒，不负自创北曲。（蒙府本、戚序本文同，然误书于第三支"枉凝眉"之下）

散漫无稽，不见得好处。

甲戌侧　自批驳，妙极！（蒙府本、戚序本同）

因此也不察其原委，问其来历，就暂以此释闷而已。

甲戌眉　妙！设言世人亦应如此法看此《红楼梦》一书，更不必追究其隐寓。（蒙府本、戚序本无"究"、"寓"二字）

须要退步抽身早。

甲戌侧　悲险之至！（蒙府本、戚序本同）

奴去也，莫牵连。

戚序本　探卿声口如闻。（蒙府本同）

襁褓中父母叹双亡。

甲戌侧　意真辞切，过来人见之，不免失声。

好一似霁月光风耀玉堂。

戚序本　堪与湘卿作照。（蒙府本同）

"乐中悲"一段。

甲戌眉　悲壮之极！北曲中不能多得。

气质美如兰，才华复比仙。

甲戌侧　妙卿实当得起。

你道是啖肉食腥膻，视绮罗俗厌。

甲戌侧　绝妙！曲文填词中不能多见。

却不知太高人愈妒，过洁世同嫌。

甲戌侧　至语。

喜冤家

戚序本　"冤家"上加一"喜"字，真新真奇。（蒙府本同）

叹芳魂艳魄，一载荡悠悠。

甲戌侧　题只十二钗，却无人不有，无事不备。（蒙府本、戚序本同）

闻说道，西方宝树唤婆娑，上结着长生果。

甲戌侧　末句，开（关）句，收句。

说甚么天上天桃盛。

戚序本　此休（句）恰甚。（蒙府本同）

反算了卿卿性命。

甲戌侧　警拔之句。（戚序本同；蒙府本"拔"误作"援"）

戚序本　喝醒大众，是极。（蒙府本"众"误作"重"）

家富人宁，终有个家亡人散各奔腾。

甲戌眉　过来人睹此，宁不放声一哭？（蒙府本、戚序本"宁"作"能"，与上评连写；蒙府本"声"误作"生"，"哭"误作"笑"）

一场欢喜忽悲辛，叹人世终难定。

甲戌侧　见得到。（蒙府本、戚序本作"见得到，是极"）

镜里恩情。

甲戌侧　起得妙！

画梁春尽落香尘。

甲戌侧　六朝妙句。（蒙府本、戚序本同）

箕裘颓堕皆从敬。

甲戌侧　深意，他人不解。（蒙府本、戚序本同）

家事消亡首罪宁，宿孽总因情。

甲戌侧　是作者具菩萨之心，秉刀斧之笔，撰成此书，一

80

字不可更，一语不可少。（蒙府本、戚序本"具"误作"见"；戚序本"字"作"句"，"语"作"字"，蒙府本则均作"一句"；戚序本"少"作"改"）

飞鸟各投林。

甲戌侧 收尾愈觉悲惨可畏。

为官的家业凋零，富贵的金银散尽。

甲戌侧 二句先总宁、荣。（蒙府本、戚序本无"先"字，又将曲末"与树倒猢狲散作反照"移至此）

有恩的死里逃生……痴迷的枉送了性命。

甲戌侧 将通部女子一总。（蒙府本、戚序本同）

落了片白茫茫大地真干净。

甲戌侧 又照看葫芦庙。 与"树倒猢狲散"反照。（蒙府本、戚序本"看"误作"管"，"与树倒猢狲散作反照"已见前）

歌毕，还又歌副曲，警幻见宝玉甚无趣味。

甲戌侧 是极！香菱、晴雯辈岂可无？亦不必再。（蒙府本、戚序本"必"作"可"）

警幻见宝玉甚无趣味。

戚序本 自占地步。（蒙府本同）

其鲜艳妩媚，有似乎宝钗；风流袅娜，则又如黛玉。

甲戌侧 难得双兼，妙极！（蒙府本、戚序本作"虽为双兼，极妙"）

皆被淫污纨绔与那些流荡女子悉皆玷辱。

甲戌侧 真极！（蒙府本、戚序本同）

自古来多少轻薄浪子，皆以好色不淫为饰，又以情而不淫作案。

戚序本 "色而不淫"四字，已滥熟于各小说中，今却特贬其说，批驳出矫饰之非，可谓至切至当，亦可以唤醒众

人，勿谓（为）前人之矫词所感（惑）也。（蒙府本同）

是以巫山之会，云雨之欢，皆由既悦其色，复恋其情所致。

甲戌侧 "色而不淫"，今翻案，奇甚！（蒙府本、戚序本"今翻案奇甚"作"今偏翻案"）

吾所爱汝者，乃天下古今第一淫人也。

甲戌侧 多大胆量，敢作如此之文！（靖墨眉无"如"、"之"二字）

戚序双 不见下文，使人一惊。多大胆量，敢如此作文。（蒙府本同）

甲戌眉 绛芸轩中诸事情景，由此而生。（靖朱眉"芸"作"芝"，又无"中"、"情景"三字）

恨不能尽天下之美女供我片时之趣兴。

甲戌侧 说得恳切，恰当之至。

吾辈推之为"意淫"。

甲戌侧 二字新雅。（蒙府本、戚序本同）

惟"意淫"二字，惟心会而不可口传，可神通而不能语达。

甲戌侧 按宝玉一生心性，只不过是"体贴"二字，故曰"意淫"。（靖藏本无"按"、"一生"、"不过"五字，"曰"作"为"）

再将吾妹一人，乳名兼美。

甲戌侧 妙！盖指薛、林而言也。（蒙府本、戚序本同）

留意于孔孟之间，委身于经济之道。

戚序本 说出此二句，警幻亦腐矣，然亦不得不然耳。（蒙府本同）

便秘授以云雨之事。

戚序本 这是情之未（末）了一着，不得不说破。（蒙府本同）

82

未免有儿女之事。

戚序本 如此方免累赘。（蒙府本同）

但见荆榛满地。

戚序本 略露心迹。（蒙府本同）

狼虎成群。

戚序本 凶极，试问观者，此系何处？（蒙府本同）

又无桥梁可通。

甲戌侧 若有桥梁可通，则世路人情犹不算艰难。（蒙府本、戚序本上同，下接"特用'形如槁木，心如死灰'句以消其念，可谓善于读矣"句）

再休前进，作速回头要紧。

甲戌侧 机锋。（蒙府本、戚序本同）

此即迷津也。深有万丈，遥亘千里，中无舟楫可通。

戚序本 可思。（蒙府本同）

如堕落其中，则深负我从前谆谆警戒之语矣。

戚序本 看他忽转笔作此语，则知此后皆是自悔。（蒙府本同）

宝玉别怕，我们在这里。

戚序双 接得无痕迹。历来小说中之梦，未见此一醒。（蒙府本同；梦觉本作"接得无痕"）

好生看着猫儿狗儿打架。

戚序本 细。又是照应前文。（蒙府本同）

又闻宝玉口中连叫："可卿救我。"

甲戌侧 云龙作雨，不知何为龙，何为云，何为雨？

戚序双 奇奇怪怪之文，令人摸头不着。云龙作雨，不知何为龙，何为云，又何为雨矣。（蒙府本"何为龙"作"何为云"，"何为云"作"又何为龙"，无"又何为雨矣"的"又"字）

第六回　贾宝玉初试云雨情
刘姥姥一进荣国府

回前总批

甲戌本　宝玉、袭人亦大家常事耳，写得是已全领警幻意淫之训。

此回借刘妪，却是写阿凤正传，并非泛文；且伏二递（进）三递（进）及巧姐之归着。

此〔回〕刘妪一进荣国府，用周瑞家的，又过下回无痕，是无一笔〔只〕写一人文字之笔。

靖藏本　宝、袭亦大家常事耳，已令（全）领意淫之训。

借刘妪写阿凤正传，非泛文可知；且优（伏）二进三进〔及〕巧姐归着。

遂强袭人同领警幻所训云雨之事。

甲戌侧　数句文完一回题纲文字。

靖本侧　一段云雨之事，完一回提纲文字。

今便如此，亦不为越理（礼）。

甲戌双　写出袭人身分。

宝玉视袭人，更与别个不同。

甲戌双　伏下晴雯。（梦觉本作"伏下晴雯文"）

袭人侍宝玉更为尽职。

甲戌双　一段小儿女之态，可谓追魂摄魄之笔。

暂且别无话说。

84

甲戌双 一句接（结）住上回《红楼梦》大篇文字，另起本回正文。

小小一个人家，因与荣府略有些瓜葛。

甲戌侧 "略有些瓜葛"，是数十回后之正脉也。真千里伏线。

待蠢物。

甲戌双 妙谦，是石头口角。

因贪王家的势利，便连了宗，认作侄子。

甲戌双 与贾雨村遥遥相对。（己卯侧同）

那时只有王夫人之大兄凤姐之父。

甲戌双 两呼两起，不过欲观者自醒。

嫡妻刘氏又生一女，名唤青儿。

甲戌双 《石头记》中公勋世宦之家以及草莽庸俗之族，无所不有，自能各得其妙。

狗儿遂将岳母刘姥姥……

甲戌双 音"老"，出《偕（谐）声字笺》。称呼毕肖。

狗儿未免心中烦虑，吃了几杯闷酒，在家闲寻气恼。

甲戌双 病此病人不少，请来看狗儿。

甲戌眉 自《红楼梦》一回至此，则珍馐中之齑耳，好看煞！

咱们村庄人，那一个不是老老诚诚的，多大碗吃多大的饭。

甲戌侧 能两亩薄田度日，方说的出来。 （靖墨眉无"来"字）

你皆因年小时托着你那老的福。

甲戌双 妙称，何肖之至！

没了钱就瞎生气，成个什么男子汉大丈夫了。

甲戌侧 此口气自何处得来？

甲戌双 为纨绔下针，却先从此等小处写来。（己卯侧同；杨藏本亦同，混入正文，句首加一"批"字）

我又没有收税的亲戚。

甲戌双 骂死。

靖墨眉 骂死世人，可叹可悲。

作官的朋友。

甲戌双 骂死。

当日你们原是和金陵王家……

甲戌双 四字便抵一篇世家传。

想当初我和女儿还去过一遭。

甲戌双 补前文之未到处。（梦觉本无"之"字）

谁知狗儿名利心甚重。

甲戌双 调侃语。

刘姥姥道："嗳哟哟。"

甲戌侧 口声如闻。

这周瑞先时曾和我父亲交过一桩事，我们极好的。

甲戌双 欲赴豪门，先必交其仆，写来一叹。

听见带他进城逛去。

甲戌双 音光，去声，游也。出《偕（谐）声字笺》。

于是刘姥姥带他进城找至宁荣街。

甲戌双 街名，本地风光，妙。

然后徬到角门前。

甲戌侧 徬字〔有〕神理。

坐在大凳上说东谈西呢。

甲戌双 不知如何想来？又为候（侯）门三等豪奴写照。

从这边绕到后街上，后门上问就是了。

甲戌双 有年纪人诚厚，亦是自然之理。

闹烘烘三二十个孩子在那里厮闹。

86

甲戌双 如何想来，合眼如见。

引着刘姥姥进了后门。

甲戌侧 因女眷，又是后门，故容易引人。

你说说，能几年，我就忘了。

甲戌侧 如此口角，从何处出来？

问刘姥姥今日还是路过，还是特来的。

甲戌侧 问的有情理。

若不能，便借重嫂子转致意罢了。

甲戌双 刘婆亦善于权变应酬矣。

心中难却其意。

甲戌双 在今世，周瑞妇算是个怀情不忘的正人。

二则也要现（显）弄自己体面。

甲戌眉 "也要显弄"句，为后文作地步也。陪房本心本意，实事。

姥姥你放心，大远的诚心诚意的来了。

甲戌侧 自是有宠人声口。

岂有个不教你见个真佛去的。

甲戌双 好口角。

我们这里都是各占一枝儿。

甲戌侧 略将荣府中带一带。

我当日就说他不错呢。

甲戌双 我亦说不错。

便唤小丫头子到倒厅上。

甲戌双 一丝不乱。

就只一件，待下人未免太严了些。

甲戌双 略点一句，伏下后文。（梦觉本作"伏下文"）

若迟一步，回事的人也多了，难说话，再歇了中觉，越发没了时候了。

甲戌双 写出阿凤勤劳冗杂，并骄矜珍贵等事来。

甲戌眉 写阿凤勤劳等事，然却是虚笔，故于后文不犯。

先找着了凤姐的一个心腹通房大丫头。

甲戌双 着眼。这也是书中一要紧人，《红楼梦》〔曲〕内虽未见有名，想亦在副册内者也。

靖本双 要紧人，虽未见有名，想亦在副册内者也。

靖朱眉 观警幻情榜，方知余言不谬。

名唤平儿的。

甲戌双 名字真极，文雅则假。

周瑞家的先将刘姥姥起初来历说明。

甲戌双 细，盖平儿原不知此一人耳。

叫他们进来，先在这里坐着就是了。

甲戌双 暗透平儿身分。

小丫头子打起了猩红毡帘。

甲戌双 是冬日。（梦觉本"日"作"天"）

只闻一阵香扑了脸来。

甲戌双 是刘姥姥鼻中。

身子如在云端里一般。

甲戌双 是刘姥姥身子。

满屋里之物都是耀眼争光，使人头悬目眩。

甲戌双 是刘姥姥头目。（梦觉本作"俱从刘姥姥目中看出"）

刘姥姥斯时惟点头咂嘴念佛而已。

甲戌双 六字尽矣，如何想来。

于是来至东边这间屋内，乃是贾琏的女儿大姐儿睡觉之所。

甲戌双 记清。（梦觉本同）

平儿站在炕沿边打量了刘姥姥两眼。

甲戌双 写豪门侍儿。（梦觉本同）

只得问个好。

甲戌双 字法。（梦觉本同）

刘姥姥见平儿遍身绫罗，插金带银，花容玉貌的。

甲戌双 从刘姥姥心目中略一写，非平儿正传。

便当是凤姐儿了。

甲戌双 毕肖。

刘姥姥只听见咯当咯当的响声，大有似乎打箩柜筛面的一般。

甲戌双 从刘姥姥心中意中幻拟出奇怪文字。

杨藏本 小家气象，不免东张西望。（小字单行，句首加一"批"字。"不免东张西望"，各本作"不免东瞧西望的"，均为正文。）

底下又坠着一个秤砣般的一物，却不住的乱幌。

甲戌双 从刘姥姥心中目中设譬拟想，真是镜花水月。

正呆时。

甲戌双 三字有劲。

又若金钟铜磬一般，不防倒唬的展眼，接着又是一连八九下。

甲戌侧 写得出。

甲戌双 细，是巳时。（梦觉本"细"作"想"）

只听远远有人笑声，约有一二十妇人。

甲戌侧 写得侍〔从〕仆妇。

只见门外鏨铜钩上悬着大红撒花软帘。

甲戌侧 从门外写来。

那凤姐儿家常戴着紫貂昭君套……端端正正坐在那里。

甲戌双 一段阿凤房室起居器皿，家常正传，奢侈珍贵好奇贷（货）注脚。写来真是好看。

手内拿着小铜火箸儿拨手炉内的灰。

甲戌侧　至平，实至奇，稗官中未见此笔。

靖墨眉　虽平常而至奇，稗官中未见。

甲戌双　这一句是天然地设，非别文杜撰妄拟者。

凤姐儿也不接茶，也不抬头。

甲戌侧　神情宛肖。

只管拨手炉内的灰，慢慢的问道。

甲戌侧　此等笔墨，真可谓追魂摄魄。

凤姐忙说："周姐姐快搀住，不拜罢……可也不知是什么辈数，不敢称呼。"周瑞家的忙回道："这就是我才回的那个姥姥了。"

甲戌侧　凡三四句一气读下，方是凤姐声口。　凤姐云"不敢称呼"，周瑞家的云"那个姥姥"。

凤姐笑道。

甲戌侧　二笑。

知道的呢，说你们弃厌我们，不肯常来；不知道的那起小人，还只当我们眼里没人似的。

甲戌侧　阿凤真真可畏可恶。

刘姥姥忙念佛道。

甲戌侧　如闻。

凤姐笑道。

甲戌侧　三笑。

说着，又问周瑞家的："回了太太了没有？"

甲戌侧　一笔不肯落空，的是阿凤。

刚问些闲话时，就有家下许多媳妇管事的来回话。

甲戌侧　不落空家务事，却不实写。妙极，妙极！

周瑞家的道："没甚说的便罢，若有话，回二奶奶是和太太一样的。"

90

甲戌侧 周妇系真心为老妪也，可谓得方便。

一面说，一面递眼色儿与刘姥姥。

甲戌侧 何如？余批不谬。

靖墨眉 何如？当知前批不谬。

只得忍耻说道。

甲戌眉 老妪有忍耻之心，故后有招大姐之事，作者并非泛写。且为求亲靠友下一棒喝。

你蓉大爷在那里呢？

甲戌侧 惯用此等横云断山法。

轻裘宝带，美服华冠。

甲戌侧 如（为）纨绔写照。

说上回老舅太太给婶子的那架玻璃炕屏，明日请一个要紧的客，借了略摆一摆就送过来的。

甲戌侧 夹写凤姐，好奖誉。

凤姐笑道。

甲戌侧 又一笑，凡五。

靖墨眉 五笑，写凤姐活跃纸上。

贾蓉忙复身转来，垂手侍立，听何指示。

甲戌眉 传神之笔，写阿凤跃跃纸上。

这里刘姥姥心身方安，方又说道。

甲戌侧 妙！却是从刘姥姥身边目中写来。 度至下回。（梦觉本无"却是"、"身边"四字）

凤姐早已明白了，听他不会说话，因笑止道。

甲戌双 又一笑，凡六。自刘姥姥来，凡笑五次，写得阿凤乖滑伶俐，合眼如立在前。 若会说话之人便听他说了，阿凤利害处正在此。 问看官，常有将挪移借贷已说明白了，彼仍推聋装哑，这人为（比）阿凤若何？呵呵，一叹！

他们今儿既来了，瞧瞧我们，是他的好意思，也不可简慢了他。

甲戌侧 穷亲戚来〔看〕"是好意思"，余又自《石头记》中见了，叹叹！

甲戌眉 王夫人数语，令余几〔欲〕哭出。

靖墨眉 穷亲戚来〔看〕"是好意思"，余又自《石头记》中见了，叹叹！ 数语令我欲哭。

若论亲戚之间，原该不待上门来就该有照应才是……一时想不到也是有的。

甲戌侧 点"不待上门就该有照应"数语，此亦于《石头记》再见话头。

怎好叫你空回去的。

甲戌侧 也是《石头记》再见了，叹叹！ （靖墨眉无"再"字）

只当是没有，心里便突突的。

甲戌侧 可怜，可叹！

后来听见给他二十两，喜的浑身发痒起来。

甲戌侧 可怜，可叹！

再拿一串钱来。

甲戌侧 这样常例亦再见。

凤姐与刘姥姥对话一段。

靖墨眉 如见如闻。此种话头，作者从何想来。应是心花欲开之候。（末句在甲戌本为回后总批）

那蓉大爷才是他的正经侄儿呢，他怎么又跑出这么个侄儿来了。

甲戌双 与前眼色真（针）对，可见文章中无一个闲字。

为财势一哭。

刘姥姥笑道："我的嫂子。"

甲戌侧 赧颜如见。

回后总批

甲戌本 一进荣府一回，曲折顿挫，笔如游龙，且将豪华举止令观者已得大概，想作者应是心花欲开之候。

借刘妪入阿凤正文，写"送宫花"为"金玉初聚"〔作〕引。作者真笔似游龙，变幻难测，非细究至再三再四不记（计）数，那能领会也，叹叹！

靖藏本 借刘妪入阿凤正文，写"送宫花"为"金玉初聚"〔作〕引，真变幻难测。读此等文字，非细究再三再四不计数，不能领会，叹叹！

第七回　送宫花周瑞叹英莲
谈肄业秦钟结宝玉

靖本回前批　他小说中一笔作两三笔者，一事启两事者均曾见之，岂有似"送花"一回间三带四赞（攒）花簇锦之文哉？

便上来回王夫人话。

甲戌侧　不回凤姐，却回王夫人，不交代处，正交代得清趣（楚）。（蒙府本、戚序本"趣"作"楚"）

方知往薛姨妈那边闲话去了。

甲戌侧　文章只是随笔写来，便有流离（丽）生动之妙。（戚序本"离"作"丽"；蒙府本"随笔"误作"随草"）

只见王夫人的丫环名金钏儿者。

甲戌侧　金钏、宝钗互相映射，妙！（戚序本同；蒙府本"互"误作"在"）

和一个才留了头的小女孩儿站立台矶上顽。

甲戌侧　莲卿别来无恙否？（戚序本同；蒙府本"恙"误作"样"）

因向内努嘴儿。

甲戌侧　画。

周瑞家的不敢惊动，遂进里间来。

甲戌双　总用双岐（歧）岔路之笔，令人估料不到之文。（蒙府本、戚序本同）

94

只见薛宝钗。

甲戌侧　自入梨香〔院〕，至此方写。（蒙府本、戚序本"梨香"作"梨香院"；蒙府本"香"前衍出一"花"字）

穿着家常衣服。

甲戌双　好。　写一人换一付（副）笔墨，另出一花样。（蒙府本、戚序本"一花样"作"花样"，两评连写）

甲戌眉　家常爱着旧衣常（裳）是也。

同丫环莺儿正描花样子呢。

甲戌侧　一幅绣窗仕女图，亏想得周到。（戚序本、杨藏本"幅"误作"副"；蒙府本脱"得"字，杨藏本无"周"字）

只怕是你宝玉兄弟冲撞了你不成。

甲戌侧　一人不漏，一笔不板。（蒙府本、戚序本同）

只因我那种病又发了两天，所以且静养两日。

甲戌侧　得空便人。（蒙府本、戚序本同）

甲戌眉　"那种病""那"字，与前二玉"不知因何"二"又"字，皆得天成地设之体；且省却多少闲文，所谓"惜墨如金"是也。

后来还亏了一个秃头和尚。

甲戌侧　奇奇怪怪，真如云龙作雨，忽隐忽见（现），使人逆料不到。（蒙府本、戚序本"见"作"现"，"使人"作"别人"）

我这是从胎里带来的一股热毒。

甲戌侧　凡心偶炽，是以孽火齐攻。

幸而我先天结壮，还不相干。若吃凡药是不中用的。

甲戌侧　浑厚故也。假使颦、凤辈，不知又何如治之？（按："何如"当作"如何"。蒙府本、戚序本"使"作"是"）

不知是那里弄来的，他说发了时吃一丸就好，倒也奇怪，这倒效验些。

甲戌双 卿不知从那里弄来，余则深知。是从放春山采来，以灌愁海水和成，烦广寒〔宫〕玉兔捣碎，在太虚幻境空灵殿上炮制配合者也。（蒙府本、戚序本"余"作"予"，"广寒"作"广寒宫"；杨藏本"弄来"作"弄了来的"，"是从"作"是"，脱"灌"字，"太虚"误作"大虚"，"空灵殿"误作"宝灵屃"）

要春天开的白牡丹花蕊十二两。

甲戌侧 凡用"十二"字样，皆照应十二钗。（蒙府本、戚序本无"应"字，"钗"作"金钗"）

用十二分黄柏煎汤送下。

甲戌双 末用黄柏更妙，可知"甘苦"二字，不独十二钗，世皆同有者。（蒙府本、戚序本"世皆同有者"作"世间皆有者"；杨藏本无"末"字，"更妙"作"更加"，"同有"倒作"有同"）

现就埋在梨花树下。

甲戌侧 "梨香"二字有着落，并未白白虚设。（蒙府本、戚序本"白白虚设"误作"虚虚白设"，杨藏本误作"白白虚说"）

宝钗道："有。"

甲戌侧 一字句。

叫做冷香丸。

甲戌侧 新雅，奇甚！（蒙府本、戚序本同）

吃一丸也就罢了。

甲戌双 以花为药，可是吃烟火人想得出者？诸公且不必问其事之有无，只据此新奇妙文悦我等心目，便当浮一大白。（蒙府本、戚序本"新奇"作"新意"，"浮一大白"作"浮三白读之"；杨藏本"诸公"前多"现此"，"问其事"作"论其事"，"妙文"作"之文"，"我等"误作"我者"，"便当浮一大白"误作"当浮天白"）

见王夫人无话，方欲退出。

甲戌双 行文原只在一二字，便有许多省力处；不得此窍者，便在窗下百般扭捏。（蒙府本、戚序本"便在"误作"便正"，"百般"作"十分"）

薛姨妈忽又笑道。

甲戌双 "忽"字"又"字与"方欲"二字对（映）射。（蒙府本、戚序本"对"作"映"）

说着，便叫香菱。

甲戌双 二字仍从"莲"上起来。盖英莲者，应怜也；香菱者，亦相怜之意。

此是改名之英莲也。（蒙府本、戚序本"从莲上起来"作"从莲上来"；戚序本"此是"作"此"）

奶奶叫我做什么？

甲戌双 这是英莲天生成的口气，妙甚！

下剩六支，送林姑娘两支，那四支给了凤哥儿罢。

甲戌侧 妙文！今古小说中可有如此口吻者。（蒙府本、戚序本同）

宝丫头古怪呢。

甲戌侧 "古怪"二字正是宝卿身分。（蒙府本、戚序本同）

他从来不爱这些花儿粉儿的。

甲戌侧 可知周瑞一回正为宝、菱二人所有，正《石头记》得力处也。（蒙府本、戚序本无"正《石头记》得力处也"句）

金钏道："可不就是他。"

甲戌侧 出名（明）英莲。（蒙府本、戚序本"名"作"明"）

倒好个模样儿，竟有些像咱们东府里蓉大奶奶的品格。

甲戌双 一击两鸣法，二人之美并可知矣。再忽然想到秦可卿，何玄幻之极。假使说像荣府中所有之人，则死板之至，故远远以可卿之貌为譬，似极扯淡，然却是天下必有之情事。（蒙府本、戚序本"为譬"误作"为警"，"却是"误作"都是"；戚序本"何玄幻"作"灵妙"，蒙府本作"文行"，"死板"误作"死扳"；杨藏本"并可知矣"作"可并可知矣"，"可卿"误作"奇卿"，"玄幻"作"奇幻"，"荣府"作"贾府"，脱"板"字，"故"误作"放"，"为譬"误作"为詧"，"扯淡"误作"扯谈"，"情事"作"情也"）

香菱听问，摇头说不记得了。

甲戌双 伤痛之极，亦必如此收住方妙。不然，则又将作出香菱思乡一段文字矣。（蒙府本、戚序本"必亦"作"亦必"，无"矣"字；蒙府本"收住"讹为"收贮"，"香"误作"者"；杨藏本"必亦"作"亦必"，"方妙"误作"妙好"，"又将"作"又"，无"一"字，"矣"作"来"）

令李纨陪伴照管。

甲戌侧 不作一笔逸安之板（笔）矣。（戚序本"逸安"倒作"安逸"，"板"作"笔"，无"矣"字；蒙府本"板矣"作"扳笔"）

迎春的丫头司棋与探春的丫鬟待书。

甲戌双 妙名！贾家四钗之鬟，暗以琴、棋、书、画四字列名，省力之甚，醒目之甚，却是俗中不俗处。

戚序双 妙名，贾家四钗之妙（鬟），暗以琴、棋、书、画四字列名，省力。（蒙府本"省力"作"省力之甚"）

丫鬟们道："在这屋里不是。"

甲戌双 　用画家三五聚散法写来，方不死板。（蒙府本、戚序本无"散"字；蒙府本"用"误作"周"）

只见惜春正同水月庵的小姑子智能儿两个一处玩笑。

甲戌双 　总是得空便入。百忙〔中〕又带出王夫人喜施舍等事，可知一支笔作千百支用。　又伏后文。（戚序本"百忙"作"百忙中"；蒙府本、戚序本无"等"、"可知"三字，"一支笔作千百支用"误作"一笔能令千百笔用"，且二评连写）

甲戌眉 　闲闲一笔，却将后半部线索提动。

列本双 　即馒头庵。（舒序本同，混入正文）

惜春命丫鬟入画来收了。

甲戌双 　曰司棋，曰待书，曰入画，后文补抱琴。　琴、棋、书、画四字最俗，上添一虚字，则觉新雅。（蒙府本、戚序本"抱琴"误作"宝琴"，"则"作"便"，"新雅"后多"许多"二字；蒙府本"待"误作"侍"）

我师傅见过太太，就往于老爷府里去了，叫我在这里等他呢。

甲戌双 　又虚贴（陪）一个于老爷，可知〈所〉尚僧尼者，悉愚人也。　（蒙府本、戚序本"虚贴"作"虚陪"，无"所"字，"悉"作"皆"；蒙府本"于"作"余"）

智能儿摇头儿，说不知道。

甲戌双 　妙！年轻未任（谙）事也。一应骗布施、哄斋供诸恶，皆是老秃贼设局。写一种人，一种人活像（现）。（戚序本"任事"作"谙事"，蒙府本则误作"传事"；蒙府本、戚序本"皆是"作"俱是"，"活像"作"活现"）

是余信管着。

甲戌侧 　明点"愚性"二字。（蒙府本、戚序本同）

余信家的就赶上来和他师傅咕唧了半日，想是就为这事

99

了。

甲戌双　一人不落，一□〔事〕不忽，伏下多少后文，岂真为送花哉？（蒙府本、戚序本"一□不忽"作"一事不忽"）

穿夹道，从李纨后窗下过。

甲戌双　细极！李纨虽无花，岂可失而不写者？故用此顺笔便墨，间三带四，使观者不忽。（蒙府本、戚序本无"失而"；戚序本"间三带四"作"间带出"，蒙府本作"间带"）

连忙摆手儿。

甲戌侧　二字着紧。（蒙府本、戚序本同）

只见奶子正拍着大姐儿睡觉呢。

甲戌侧　总不重犯，写一次有一次的新样文法。（蒙府本、戚序本"总"作"从"，无"的"字，"文法"作"文字"）

奶子摇头儿。

甲戌侧　有神理。（蒙府本、戚序本同）

正问着，只听那边一阵笑声，却有贾琏的声音。接着房门响处，平儿拿着大铜盆出来，叫丰儿舀水进去。

甲戌双　妙文奇想！阿凤之为人，岂有不着意于"风月"二字之理哉？若直以明笔写之，不但唐突阿凤声价，亦且无妙文可赏；若不写之，又万万不可。故只用"柳藏鹦鹉语方知"之法略一皴染，不独文字有隐微，亦且不至污渎阿凤之英风俊骨。所谓此书无一不妙。（蒙府本、戚序本无"着意于"的"于"字，无"无一"的"一"字；戚序本无"若不写之"的"之"字；蒙府本"为人"误作"为文"，"直以"误作"以以"，"皴"误作"皱"，"无一不妙"作"无不妙者也"）

甲戌眉　余素所藏仇十洲《幽窗听莺暗春图》，其心思笔墨已是无双，今见此阿凤一传，则觉画工太板。

转身去了半刻工夫，手里又拿出两支来。

甲戌侧　攒花簇锦文字，故使人耳目眩乱。（戚序本同；蒙府本句末衍出一"乱"字）

给小蓉大奶奶带去。

甲戌侧　忙中更忙，又曰密处不容针，此等处是也。（蒙府本、戚序本无"又曰"二字；蒙府本"更忙"作"又忙"）

说着便到黛玉房中去了。

甲戌双　又生出一小段来，是荣、宁中常事，亦是阿凤正文。若不如此穿插，直用一送花到底，亦太死板，不是《石头记》笔墨矣。（戚序本"荣宁"作"荣府"；蒙府本、戚序本"亦太死板"作"太板"，"不是《石头记》"作"不是此"）

谁知此时黛玉不在自己房中，却在宝玉房中，大家解九连环作戏。

甲戌侧　妙极！又一花样。此时二玉已隔房矣。（蒙府本、戚序本同）

宝玉听说，先便说："什么花？拿来给我。"一面早伸手接过来了。

甲戌侧　瞧他夹写宝玉。（蒙府本、戚序本同）

原来是两支宫制堆纱新巧的假花。

甲戌侧　此处方一细写花形。（蒙府本、戚序本无"一"字）

黛玉只就宝玉手中看了一看。

甲戌侧　妙！看他写黛玉。（蒙府本、戚序本同）

还是单送我一个人的，还是别的姑娘们都有？

甲戌双　在黛玉心中不知有何丘壑？（戚序本"丘"作"邱"；蒙府本同）

黛玉再看了一看，冷笑道："我就知道，别人不挑剩下的

101

也不给我。替我道谢罢。"

甲戌侧 吾实不知黛卿胸中有何丘壑。"再看一看"〈上〉，仿（传）神！（"上"字为旁补。蒙府本、戚序本"卿"作"玉"，"胸中"作"心中"，无"再看一看上仿神"句；戚序本"丘"作"邱"）

黛玉拿宫花一段。

甲戌眉 余问（阅）《送花》一回，薛姨妈云"宝丫头不喜这些花儿粉儿的"，则谓是宝钗正传；又主（出）阿凤、惜春一段，则又知是阿凤正传；今又到颦儿一段，却又将阿颦之天性从骨中一写，方知亦系颦儿正传。小说中一笔作两三笔者有之，一事启两〔三〕事者有之，未有如此恒河沙数之笔也。

就说我和林姑娘打发来问姨娘、姐姐安。

甲戌侧 "和林姑娘"四字着眼。（蒙府本、戚序本同）

就说才从学里来的，也着了些凉。

甲戌眉 余观"才从学里来"几句，忽追思昔日形景，可叹！想纨绔小儿自开口云"学里"，亦如市俗人开口便云"有些小事"，然何常（尝）真有事哉！此掩饰推托之词耳。宝玉若不云"从学房里来凉着"，然则便云"因憨顽时凉着"者哉？写来一笑，继之一叹。

原来这周瑞家的女婿，便是雨村的好友冷子兴。

甲戌侧 着眼。（蒙府本、戚序本同）

今儿甄家。

甲戌侧 又提甄家。（蒙府本、戚序本"提"作"是"）

送了来的东西我已收了。

甲戌侧 不必细说方妙。（蒙府本、戚序本同）

临安伯老太太千秋的礼已经打点了，太太派谁送去？

甲戌侧 阿凤一生尖（奸）处。（蒙府本、戚序本"尖"作"奸"）

102

又来当什么正经事问我。

甲戌双 虚描二事，真真千头万绪。纸上虽一回两回中或有不能写到阿凤之事，然亦有阿凤在彼处手忙心忙矣，观此回可知。（戚序本"二事"作"一事"，蒙府本衍出一"描"字，作"描事"；蒙府本、戚序本"或有不能"作"或不能"，"亦有"作"已有"，句末多一"矣"字）

今日巧，上回宝叔立刻要见见我兄弟，他今儿也在这里。

甲戌眉 欲出鲸卿，却先〔写〕小妯娌闲闲一聚，随笔带出，不见一丝作造（造作）。（靖墨眉脱"欲"字，又无"小"字）

一面便吩咐人好生小心跟着，别委屈着他，倒比不得跟了老太太来就罢了。

甲戌双 "委屈"二字极不通，都（却）是至情，写愚妇至矣。（蒙府本、戚序本"都"作"却"）

比不得咱们家的孩子们，胡（湖）打海摔的惯了。

甲戌双 卿家"胡（湖）打海摔"，不知谁家方珍怜珠惜？此极相矛盾，却极入情，盖大家妇人口吻如此。（蒙府本、戚序本"却极"作"却都极"，"大家妇人"作"大家妇"；戚序本"极相矛盾"作"极自相矛盾"，"如此"作"俱如此耳"，蒙府本作"俱如此也"）

普天下的人我不笑话就罢。

甲戌侧 自负得起。

凤姐啐道："他是哪吒，我也要见一见，别放你娘的屁了。"

甲戌眉 此等处写阿凤之放纵，是为后回伏线。

凤姐喜的先推宝玉，笑道："比下去了。"

甲戌侧 不知从何处想来。（蒙府本、戚序本同）

慢慢问他年纪、读书等事。

甲戌侧 分明写宝玉，却先偏写阿凤。（蒙府本、戚序本同）

方知他学名唤秦钟。

甲戌双 设云秦钟（情种）。古诗云："未嫁先名玉，来时本姓秦。"二语便是此书大纲目，大比托，大讽刺处。（戚序本"秦钟"作"情种"，蒙府本误作"惜种"；蒙府本、戚序本无"二语"，"大比托"作"此话"）

尤氏、凤姐、秦氏等抹骨牌，不在话下。

甲戌双 一人不落，又带出强将手下无弱兵。（蒙府本、戚序本同）

宝玉、秦钟二人随便起坐说话。

甲戌侧 淡淡写来。（蒙府本、戚序本同）

我虽如此比他尊贵。

甲戌双 这一句不是宝玉本意中（心之）语，却是古今历来膏粱（梁）纨绔之意。（蒙府本、戚序本"本意中"作"本心之"）

"富贵"二字，不料遭我荼毒了。

甲戌双 一段痴情，翻"贤贤易色"一句筋斗，使此后朋友中无复再敢假谈道义，虚论情常。（蒙府本、戚序本"使此后"作"便伏此后"；戚序本"虚论情常"作"虚话伦常矣"；蒙府本"假谈"误作"假话淡"）

秦钟自见了宝玉形容出众，举止不浮。

甲戌双 "不浮"二字妙！秦卿目中所取止（正）在此。（按：蒙府本、戚序本正文"不浮"作"不群"，故批语亦同之，"止"作"正"）

更兼金冠绣服，骄婵侈童。

甲戌双 这二句是贬，不是奖。此八字遮饰过多少魑魅纨绮（绔），秦卿目中所鄙者。（戚序本"纨绮"作"纨绔"；

104

蒙府本衍出一"此"字)

可知"贫富"二字限人，亦世间之大不快事。

甲戌双 "贫富"二字中失却多少英雄朋友。（蒙府本、戚序本同）

二人一样的胡思乱想。

甲戌双 作者又欲瞒过中（众）人。（蒙府本、戚序本"中"作"众"）

忽又。

甲戌双 二字写小儿得神。（蒙府本、戚序本同）

宝玉问他读什么书。

甲戌双 宝玉问读书，亦想不到之大奇事。（蒙府本、戚序本同）

秦钟见问，便因实而答。

甲戌双 四字普天下朋友来看。（蒙府本、戚序本同）

我们那里坐去，省得闹你们。

甲戌双 眼见得二人一身一体矣。（蒙府本、戚序本同）

他虽腼腆，却性子左强，不大随和些是有的。

甲戌侧 实写秦钟，双映宝玉。（蒙府本、戚序本同）

只问秦钟近日家务等事。

甲戌双 宝玉问读书已奇，今又问家务，岂不更奇！（戚序本同；蒙府本"今"误作"人"）

再读书一事，也必须有一二知己为伴。

甲戌侧 眼。

秦钟笑道："家父前日在家提起延师一事，也曾提起这里的义学倒好。"

甲戌眉 真是可儿之弟！

宝叔果然度小侄或可磨墨涤砚，何不速速作成，又彼此不致荒废。

甲戌眉 真是可卿之弟！

却又是秦氏、尤氏二人输了戏酒的东道。

甲戌侧 自然是二人输。

谁知焦大醉了，又骂呢。

甲戌双 可见骂非一次矣。（蒙府本、戚序本"见"作"知"）

偏要惹他去。

甲戌侧 便（更）奇。（蒙府本、戚序本同）

凤姐道："我何曾不知这焦大，倒是你们没主意，有这样，何不打发他远远的庄子上去就完了。"

甲戌眉 这是为后协理宁国〔府〕伏线。

先骂大总管赖二。

甲戌双 记清，荣府中则是赖大，又故意综错的妙。（戚序本"综错"作"错综"；蒙府本同）

反和我充起主子来了，不和我说别的还可，若再说别的，咱们白（红）刀子进去，红（白）刀子出来。

甲戌双 是醉人口中文法。 一段借醉奴口角闲闲补出宁、荣往事近故，特为天下世家一笑（哭）。（蒙府本、戚序本"口角闲闲"作"口中闲言"，"往事近故"作"往事故"，"世家"作"世人"；戚序本"笑"下多一"耳"；又蒙府本"宁荣"误作"定荣"）

甲戌侧 忽接此焦大一段，真可惊心骇目，一字〔化〕一泪，一泪化一血珠。

靖墨眉 焦大之醉，伏可卿死。作者秉刀斧之笔，一字一泪，一泪化一血珠。惟批书者知之。

那里承望到如今生下这些畜生来。

甲戌眉 "不如意事常八九，可与人言无二三。"以二句批是假（段），聊慰石兄。

106

正为风流始读书。

甲戌侧　原来不读书即蠹物矣。

第八回　薛宝钗小恙梨香院
贾宝玉大醉绛芸轩

正好发奋。

甲戌侧　未必。

说过日他还来拜老祖宗等语，说的贾母喜悦起来。

甲戌侧　止此便十成了，不必繁文再表，故妙。偷度金针法。

贾母虽年高，却极有兴头。

甲戌侧　为贾母写传。

至晌午贾母便回来歇息了。

甲戌双　叙事有法。若只管写看戏，便是一无见世面之暴发贫婆矣。写"随便"二字，兴高则往，兴败则回，方是世代封君正传。且"高兴"二字又可生出多少文章来。

王夫人本是好清静的。

甲戌双　偏与邢夫人相犯，然却是各有各传。

然后凤姐坐了首席，尽欢至晚。

甲戌侧　细甚，交代毕。

又恐扰的秦氏等人不便。

甲戌侧　全是体贴工夫。

再或可巧遇见他父亲。

甲戌侧　本意正传，实是曩时苦恼，叹叹！（靖朱眉"实是"误作"是实"）

更为不妥，宁可绕远路罢了。

甲戌侧 细甚！

偏顶头遇见了门下清客相公詹光。

甲戌侧 妙！盖沾光之意。（梦觉本作"沾光也，妙"）

单聘仁。

甲戌侧 更妙！盖善于骗人之意。（梦觉本作"善于骗人"）

我的菩萨哥儿，我说作了好梦呢。

甲戌侧 没理没伦，口气毕肖。

老嬷叫住，因问："你二位爷是从老爷跟前来的不是?"

甲戌侧 为玉兄一人，却人人俱有心事，细致。

他二人点头道："老爷在梦坡斋小书房里歇中觉呢。"

甲戌侧 使人起遐思。 妙！梦遇坡〔仙〕之处也。（梦觉本"坡"后有一"仙"字）

不妨事的，一面说，一面走了。

甲戌侧 玉兄知己，一笑。

宝玉和詹光、单聘仁谈话一段。

甲戌眉 一路用淡三色烘染，行云流水之法，写出贵公子家常不迹（即）不离气致。经历过者则喜其写真，未经者恐不免嫌繁。

银库房的总领名唤吴新登。

甲戌侧 妙，盖云无星戥也。（梦觉本同）

仓上的头目名唤戴良。

甲戌侧 妙，盖云大量也。（梦觉本同）

独有一个买办，名唤钱华的。

甲戌双 亦钱开花之意。随事生情，因情得文。

梦觉双 亦钱开花之意。

靖墨眉 沾光、善骗人、无星戥，皆随事生情，调侃世人。

前儿在一处看见二爷写的斗方，字法越发好了，多早晚赏我们几张贴贴。

甲戌眉 余亦受过此骗，今阅至此，赧然一笑。此时有三十年前向余作此语之人在侧，观其形，已皓首驼腰矣。乃使彼亦细听此数语，彼则潜（潸）然泣下，余亦为之败兴。

靖墨眉 余亦受过此骗，阅此一笑。三十年前作此语之人，观其形，已皓首驼腰矣。使彼亦细听此语，彼则潸然泣下，余亦为之败兴。

众人待他过来，方都各自散了。

甲戌双 未入梨香院，先故作若许波澜曲折。瞧他无意中又写出宝玉写字来，固是愚弄公子之闲文，然亦是暗逗宝玉历来文课事。不然，后文岂不太突〔然〕？

闲言少述。

甲戌双 此处用此句最当。

只见吊着半旧的红绸软帘。

甲戌侧 从门外看起，有层次。

罕言寡语，人谓藏愚；安分随时，自云守拙。

甲戌双 这方是宝卿正传。与前写黛玉之传一齐参看，各极其妙，各不相犯，使〈其〉人难左右其于毫末。（梦觉本"方"作"才"，无末句）

靖墨眉 十六字乃宝卿正传，参看前写黛玉传，各不相犯，令人难左右其于毫末。

甲戌眉 画神鬼易，画人物难；写宝卿正是写人之笔，若与黛玉并写更难。今作者写得一毫难处不见，且得二人真体实传，非神助而何？

宝钗抬头。

甲戌侧 与宝玉迈步针对。

只见宝玉进来。

甲戌双 此则（种）神情尽在烟飞水逝之间，一展眼便失于千里矣。

一面又问老太太、姨妈安，别的姊妹们都好。

甲戌侧 这是口中如此。

一面看宝玉。

甲戌侧 "一面"二，口中、眼中神情俱到。

成日家说你的这玉，究竟未曾细细的赏鉴，我今儿倒要瞧瞧。

甲戌双 自首回至此，回回说有通灵玉一物。余亦未曾细细赏鉴，今亦欲一见。

宝钗托于掌上。

甲戌双 试问石兄，此一托比在青埂峰下猿啼虎啸之声何如？（靖朱眉脱"石兄"、"峰"、"猿"、"虎"、"之"六字）

梦觉双 试问石兄，此一托此（比）在清（青）埂峰下何如？

甲戌眉 余代答曰："遂心如意。"（靖墨眉"曰"作"云"）

只见大如雀卵。

甲戌侧 体。（梦觉本同）

灿若明霞。

甲戌侧 色。（梦觉本同）

莹润如酥。

甲戌侧 质。（梦觉本同）

五色花纹缠护。

甲戌侧 文。（梦觉本同）

这就是大荒山中青埂峰下的那块顽石的幻相。

甲戌侧 注明。（梦觉本同）

失去幽灵真境界，幻来亲就臭皮囊。

甲戌侧　二语可入道，故前引庄叟秘诀。

好知运败金无彩，堪叹时乖玉不光。

甲戌侧　又夹入宝钗，不是虚图对的工。

二语虽粗，本是真情。然此等诗只宜如此。为天下儿女一哭。

靖墨眉　伏下文，又夹入宝钗，不是虚图对的工。

白骨如山忘姓氏，无非公子与红妆。

甲戌侧　批得好！末二句似与题不切，然正是极贴切语。

"今亦按图画于后，但其真体最小……等语之谤"一段。

甲戌眉　又忽作此数语，以幻弄成真，以真弄成幻，真真假假，姿（恣）意游戏于笔墨之中，可谓狡滑之至。　作人要老诚，作文要狡滑。

宝钗看毕。

甲戌双　余亦想见其物矣。前回中总用草蛇灰线写法，至此方细细写出，正是大关节处。

又从翻过正面来细看。

甲戌侧　可谓真奇之至！

靖墨眉　前回中总用草蛇灰线写法，至此方细细写出，是大关节处，奇之至！（按：从甲戌本看，末句是另一条批语）

口内念道："莫失莫忘，仙寿恒昌。"

甲戌侧　是心中沉音（吟）神理。（梦觉本"音"作"吟"）

"宝钗看玉"一段。

甲戌眉　《石头记》立誓一笔不写一家文字。

你不去倒茶，也在这里发呆作什么。

甲戌双　请诸公掩卷合目，想其神理，想其坐立之势，想宝钗面上口中，真妙！

112

我听这两句话倒像和姑娘的项圈上的两句话是一对儿。

甲戌双 又引出一个金项圈来，莺儿口中说出方妙。

梦觉双 又引出一个金项圈来，却在侍女口中流（说）出，妙。

原来姐姐那项圈上也有八个字。

甲戌双 补出素日眼中虽见而实未留心。（梦觉本"眼中虽见"作"眼虽见"）

甲戌眉 恨颦儿不早来听此数语，若使彼闻之，不知又有何等妙论趣语，以悦我等心臆。（按："论"为墨笔描改）

不然沉甸甸的有什么趣儿。

甲戌双 一句骂死天下浓妆艳饰，富贵中之脂妖粉怪。

一面说，一面解排扣。

甲戌侧 细。

将那珠宝晶莹黄金灿烂的璎珞掏将出来。

甲戌双 按璎珞者，头（颈）饰也。想近俗即呼为项圈者是矣。

不离不弃。

己卯双 "不离不弃"与"莫失莫忘"相对，所谓愈出愈奇。（梦觉本"相对"作"一对"，无"所谓愈出愈奇"句）

芳龄永继。

甲戌侧 合前读之，岂非一对？

己卯双 "芳龄永继"又与"仙寿恒昌"一对，请合而读之。问诸公历来小说中可有如此可巧奇妙之文，以换新眼目？

梦觉侧 又与"仙寿恒昌"一对。

姐姐这八个字倒真与我的是一对。

甲戌双 余亦谓是一对，不知干支中四注八字可与卿亦对

113

否？（梦觉本"干支"倒作"支干"，"四注"作"四柱"）

宝钗不待说完，便嗔他不去倒茶。

甲戌眉 花看平（半）开，酒饮微醉，此文字是也。

一面又问宝玉从那里来。

甲戌侧 妙神妙理，请观者自思。

姐姐熏的是什么香？我竟从未闻见过这味儿。

甲戌侧 不知比"群芳髓"又何如？（梦觉本无"又"字）

我最怕熏香，好好的衣服熏的烟燎火气的。

甲戌侧 真真骂死一干浓妆艳饰鬼怪。

是我早起吃了丸药的香气。

甲戌侧 点冷香丸。

好姐姐，给我一丸尝尝。

甲戌双 仍是小儿语气。究竟不知别个小儿〔亦如此，还是〕只宝玉如此。（邓遂夫于"别个小儿"后补"亦如此，还是"五字）

忽听外面人说，林姑娘来了。

甲戌侧 紧处愈紧，密不容针之文。

林黛玉已摇摇的走了进来。

甲戌侧 二字画出身。

嗳哟，我来的不巧了。

甲戌侧 奇文，我实不知颦儿心中是何丘壑。

如此间错开了来着，岂不天天有人来了。

甲戌侧 强词夺理。

也不至于太热闹了。

甲戌侧 好点缀。

姐姐如何反不解这意思。

甲戌双 吾不知颦儿以何物为心为齿，为口为舌，实不知

114

胸中有何丘壑。

宝玉因见他外面罩着大红羽缎对衿褂子。

甲戌侧 岔开文字。 〔避〕繁章法，妙极，妙极！

是不是我来了，你就该去了？

甲戌侧 实不知有何丘壑。

这里薛姨妈已摆了几样细巧茶果留他们吃茶。

甲戌侧 是溺爱，非势力（利）。

宝玉因夸前日在那府里珍大嫂子的好鹅掌鸭信。

甲戌双 为前日秦钟之事恐观者忘却，故忙中闲笔，重一缢（渲）染。

薛姨妈听了，忙也把自己糟的取了些来与他尝。

甲戌侧 是溺爱，非夸富。

薛姨妈便命人去灌了些上等的酒来。

甲戌侧 愈见溺爱。

甲戌眉 余最恨无调教之家，任其子侄肆行哺啜，观此则知大家风范。

姨太太不知道，他性子又可恶，吃了酒更弄性。

甲戌侧 补出素日。

何苦我白赔在里面。

甲戌侧 浪酒闲茶，原不相宜。（梦觉本同）

薛姨妈笑道："老货。"

甲戌侧 二字如闻。

这可使不得，吃了冷酒写字手打颤儿。

甲戌侧 酷肖。

宝钗笑道："宝兄弟，亏你每日家杂学旁收的。"

甲戌侧 着眼。若不是宝卿说出，竟不知玉卿日就何业。

甲戌眉 在宝卿口中说出玉兄学业，是作〔者〕微露卸春挂（褂）之萌耳。是书勿看正面为幸。

从此还不快不要吃那冷的呢。

甲戌双 知命知身，识理识性，博学不杂，庶可称为佳人。可笑别小说中一首歪诗，几句淫曲，便自佳人相许，岂不丑杀？

宝玉听这话有情理。

甲戌双 宝玉亦听的出有情理的话来，与前问读书、家务，并皆大奇之事。

黛玉磕着瓜子儿，只抿着嘴笑。

甲戌侧 实不知其丘壑。自何处设想而来？

可巧黛玉的小丫鬟雪雁走来。

甲戌侧 又用此二字。

难为他费心，那里就冷死了我。

甲戌侧 吾实不知何为心，何为齿、口、舌。

紫娟姐姐。

甲戌侧 鹦哥改名已（矣）。（邓氏改作"也"）

甲戌双 又顺笔带出一个妙名来，洗尽春花、腊梅等套。

怎么他说了你就依，比圣旨还快呢。

甲戌双 要知尤物方如此，莫作世俗中一味酸妒狮吼辈看去。

也无回覆之词，只嘻嘻的笑了两阵罢了。

甲戌侧 这才好，这才是宝玉。

宝钗素知黛玉是如此惯了的，也不去睬他。

甲戌侧 浑厚天成，这才是宝钗。

不说丫头们太小心过余，还只当我素日是这等轻狂惯了呢。

甲戌双 用此一解，真可拍案叫绝！足见其以兰为心，以玉为骨，以莲为舌，以冰为神，真真绝倒天下之裙钗矣。

宝玉正在心甜意洽之时，和宝、黛姊妹说说笑笑的。

116

甲戌双 试问石兄，皆（比）当日青埂峰猿啼虎啸之声何如？

你可仔细，老爷今儿在家，隄防问你的书。

甲戌侧 不人耳之言是也。

甲戌双 不合提此话。这是李嬷嬷激醉了的，无怪乎后文……一笑。（梦觉本"李嬷嬷"作"李妪"）

慢慢的放下酒，垂了头。

甲戌双 画出小儿愁蹙之状，楔紧后文。

别扫大家的兴，舅舅若叫你，只说姨娘留着呢。

甲戌侧 二字指贾政也。

这个妈妈，他吃了酒，又拿我们来醒脾了。

甲戌侧 这方是阿颦真意对玉卿之文。

林姐儿，你不要助着他了。

甲戌侧 如此之称似不通，却是老妪真心道出。

李嬷嬷听了，又是急，又是笑。

甲戌侧 是认不的真，是不忍认真，是爱极颦儿，疼煞颦儿之意。

宝钗也忍不住笑着，把黛玉腮上一拧。

甲戌侧 我也欲拧。

真真这个颦丫头的一张嘴，叫人恨又不是，喜欢又不是。

甲戌侧 可知余前批不谬。（靖墨眉同）

薛姨妈一面又说："别怕别怕。我的儿，来了。"

甲戌侧 是接前老爷问书之语。（梦觉本同）

姨妈陪你吃两杯，可就吃饭罢。

甲戌侧 二语不失长上之体，且收拾若干文〔字〕，千斤力量。

这里虽还有三四个婆子，都是不关痛痒的。

甲戌侧 写的到。

117

吃了半碗饭碧粳粥。

甲戌侧 美粥名。

你走不走？

甲戌侧 妙问。

宝玉乜斜倦眼道。

甲戌侧 醉意。

你要走，我和你一同走。

甲戌侧 妙答。 此等话，阿颦心中最乐。

小丫头忙捧过斗笠来。

甲戌侧 不漏。

难道没见过别人戴过的。

甲戌侧 别人者，袭人、晴文（雯）之辈也。（靖墨眉"袭人晴文"作"袭 晴"；梦觉本"文"作"雯"）

好了，披上斗篷罢。

甲戌双 若使宝钗整理，颦卿又不知有多少文章。（梦觉本"多少"作"许多"）

知是薛姨妈处来，更加欢喜。

甲戌侧 收的好极，正是写薛家母女。

遂问众人，李奶子怎么不见。

甲戌侧 细。

众人不敢直说家去了。

甲戌侧 有是事，大有是事！

只见笔墨在案。

甲戌侧 如此找前文最妙，且无逗笋（榫）之迹。

哄的我们等了一日，快来给我写完这些墨才罢。

甲戌侧 〔娇〕憨活现，余双圈不及。 补前文之未到。

我生怕别人贴坏了。

甲戌侧 全是体贴一人。

118

我亲自爬高上梯的贴上。

甲戌侧 可儿可儿!

这会子还冻的手僵冷的呢。

甲戌侧 可儿可儿!

甲戌双 写晴雯是晴雯走下来,断断不是袭人、平儿、莺儿等语气。

宝玉听了笑道。

甲戌侧 是醉笑。

同仰首看门斗上新书的三个字。

甲戌侧 究竟不知是三个什么字,妙!

甲戌眉 是不作词幻(开门)见山文字。

里间门斗上新贴了三个字,写〔着〕"绛芸轩"。

甲戌侧 出题。妙!原来是这三字。

明儿也替我写一个匾。

甲戌侧 滑贼。

又问:"袭人姐姐呢?"

甲戌侧 断不可少。

晴雯向里间炕上努嘴。

甲戌侧 画。

宝玉笑道:"好,太渥早了些。"

甲戌侧 绛芸轩中事。

他就叫人拿了家去了。

甲戌双 奶母之倚势亦是常情,奶母之昏愦亦是常情;然特于此处细写一回,与后文袭卿之酥酪遥遥一对,足见晴卿不及袭卿远矣。余谓晴有林风,袭乃钗副,真真不错。

众人笑说:"林妹妹早走了,还让呢。"

甲戌侧 三字是接上文口气而来,非众人之称。　醉态逼真。

甲戌眉 写颦儿去，如此章法，从何设想，奇笔奇文！

忽又想起早起茶来。

甲戌双 偏是醉人搜寻的出，细事，亦是真情。

早起溦了一碗枫露茶。

甲戌侧 与"千红一窟"遥映。

那茶是三四次后才出色的，这会子怎么又溦了这个来。

甲戌侧 所谓闲茶是也，与前浪酒一般起落。

梦觉双 可谓闲茶，与前浪酒相照。

那会子李奶奶来了，他要尝尝，就给他吃了。

甲戌侧 又是李嬷，事有凑巧，如此类是。

宝玉听了，将手中的茶杯只顺手往地下一掷。

甲戌侧 是醉后，故用二字，非有心动气也。

他不过是仗着我小时候吃过他几日奶罢了。

甲戌侧 真醉了。

撵了出去，大家干净。

甲戌侧 真真大醉了。

宝玉醉后掷杯一段。

甲戌眉 按《警幻情讲（榜）》，宝玉系"情不情"。凡世间之无知无识，彼俱有一痴情去体贴。今加"大醉"二字于石兄，是因问包子问茶顺手掷杯，问茜雪撵李嬷，乃一部中未有第二次事也。袭人数语，无言而止，石兄真大醉也。余亦云实实大醉也。〔虽〕难辞碎（醉）闹，非薛蟠纨绔辈可比。

早有贾母遣人来问是怎么了。

甲戌侧 断不可少之文。

袭人忙道："我才倒茶来，被雪滑倒了，失了手砸了钟子。"

甲戌侧 现成之至，瞧他写袭卿为人。

你立意要撵他也好，我们也都愿意出去。

120

甲戌侧　二字奇，使人一惊。

只觉口齿绵缠，眉眼愈加锡（饧）涩。

甲戌侧　二字带出平素形象。

用自己的手帕包好塞在褥下，次日带时，便冰不着脖子。

甲戌双　试问石兄，此一渥比青埂峰下松风明月如何？

只悄悄的打听睡了，方放心散去。

甲戌双　交待清楚。"塞玉"一段，又为"误窃"一回伏线。晴雯、茜雪二婢，又为后文先作一引。

甲戌眉　偷度金针法，最巧。

次日醒来。

甲戌双　以上已完正题。以下是后文引子，前文之余波。此回收法与前数〔回〕不同矣。

贾母见秦钟形容标致，举止温柔，堪陪宝玉读书。

甲戌侧　骄（娇）养如此，溺爱如此。（按："养"为墨笔描改）

贾母又与了一个荷包并一个金魁星。

甲戌眉　作者今尚记金魁星之事乎？抚今思昔，肠断心摧。（靖墨眉同。"摧"误作"催"）

别跟着那起不长进的东西学。

甲戌侧　总伏后文。

回去禀知他父秦业。

甲戌双　妙名！业者，孽也。盖云情因孽而生也。

现任营缮郎。

甲戌双　官职更妙，设云因情孽而缮此一书之意。

谁知儿子又死了。

甲戌侧　一顿。

只剩女儿，小名唤可儿。

甲戌双　出名秦氏，究竟不知系出何氏，所谓"寓褒贬，

121

别善恶"是也。秉刀斧之笔，具菩萨之心，亦甚难矣。　如此写出可见（儿）来历，亦甚苦矣。又知作者是欲天下人共来哭此"情"字。

甲戌眉　写可儿出身自养生堂，是褒中贬；后死封袭（龙）禁尉，是贬中褒。灵巧一至于此。

长大时生得形容袅娜，性格风流。

甲戌侧　四字便有隐意。《春秋》字法。

正思要和亲家去商议。

甲戌侧　指贾珍。

现今司塾的是贾代儒，乃当今之老儒。

甲戌侧　随笔命名，省事。

那贾府上上下下都是一双富贵眼睛。

甲戌侧　为天下读书〔人〕一哭，寒素人一哭。

又恐误了儿子的终身大事。

甲戌侧　原来读书是"终身大事"。

恭恭敬敬封了二十四两赟见礼。

甲戌侧　四字可思。近之鄙薄师傅者来看。

甲戌双　可知"宦囊羞涩"与"东併（拼）西凑"等〔字〕样，是特为近日守钱虏而不使子弟读书之辈一大哭。

然后听宝玉上学之日，好一同入塾。

甲戌双　不想浪酒闲茶一段，金玉旖旎（旎）之文后，忽用此等寒瘦古拙之词收住，亦行文之大变体处。《石头记》多用此法，历观后文便知。

早知日后闲争气，岂肯今朝错读书。

甲戌侧　这是隐语微词，岂独指此一事哉？　余则为（谓）读书正为争气，但此争气与彼争气不同，写来一笑。

122

第九回　恋风流情友入家塾
起嫌疑顽童闹学堂

原来宝玉急于要和秦钟相遇。

戚序双　妙，不知是怎样相遇？（蒙府本同）

坐在炕沿上发闷。

戚序双　神理可思。忽又写小儿学堂中一篇文字，亦别书中之未有。（蒙府本同）

因笑问道："好姐姐。"

戚序双　开口断不可少此三字。　（蒙府本"此"误作"之"）

这就是我的意思，你可要体谅着些。

戚序双　书正语，细嘱一番。盖袭卿心中明知宝玉他并非真心奋志之人，袭人自别有说不出来之话。（蒙府本"之人"作"之意"，句末"话"作"语"）

偏生这日贾政回家的早。

戚序双　若俗笔则又云不在家矣。试思若再不见，则成何文字哉？所谓不敢作安逸苟且塞责文字。（蒙府本同）

你如果再提上学两字，连我也羞死了。

戚序双　这一句才补出已往许多文字，是严父之声。（蒙府本同）

仔细站脏了我这地，靠脏了我的门。

戚序双　画出宝玉的俯首挨壁之形象来。（蒙府本同）

贾母正和他说话儿呢。

戚序双 此处便写贾母爱秦钟一如其孙，至后文方不突然。（蒙府本同）

宝玉忽想起未辞黛玉。

戚序双 妙极，何顿挫之至！余已忘却，至此心神一畅，一丝不走。（蒙府本"不走"作"不漏"）

唠叨了半日，方撤身去了。

戚序双 如此总一句，更妙！（蒙府本同）

你怎么不去辞辞宝姐姐。

戚序双 必有是语方是黛玉，此又系黛玉平生之病。（蒙府本同）

入家塾一段。

靖墨眉 此岂是宝玉所乐为者？然不入家塾，则何能有后回试才、结社文字。作者从不作安逸苟且文字，于此可见。

此以俗眼读《石头记》也。作者之意，又岂是俗人所能知？余谓《石头记》不得与俗人读。

秦钟在荣府便熟惯了。

戚序双 交待的清。（蒙府本"清"作"彻"）

宝玉终是不能安分守己的人。

戚序双 写宝玉总作如此笔。（蒙府本同）

靖墨眉 安分守己也不是宝玉了。

就有龙蛇混杂，下流人物在内。

戚序双 伏一笔。 （蒙府本同；杨藏本"伏"作"伏下"）

宝玉又是天生成惯能作小服低，赔身下气，性情体贴，话语缠绵。

戚序双 凡四语十六字，上用"天生成"三字，真正写尽古今情种人也。（蒙府本同）

124

都背地里你言我语，淫污之谈布满书房内外。

戚序双 伏下文阿呆争风一回。（蒙府本"回"误作"面"）

被他哄上手的，也不消多记。

戚序双 先虚写几个淫浪蠢物，以陪下文，方不孤不板。（蒙府本同）

更又有两个多情的小学生。

戚序双 此处用"多情"二字方妙。（蒙府本同）

亦不知那一房的亲眷，亦未考真名姓。

戚序双 一并隐其姓名，所谓具菩提之心，秉刀斧之笔。（蒙府本同）

一个叫香怜，一个叫玉爱，虽都有窃慕之心，将不利于孺子之意。

戚序双 诙谐得妙，又似李笠翁书中之趣语。（蒙府本同）

或设言托意，或咏桑寓柳，遥以心照，却外面自为避人眼目。

戚序双 小儿之态活现，掩耳偷铃者亦然，世人亦复不少。（蒙府本"世人"误作"世之"）

都背后挤眼弄眉，或咳嗽扬声。

戚序双 又画出历来学中一群顽皮来。（蒙府本同）

将学中之事，又命长孙贾瑞掌管。

戚序双 又出一贾瑞。（蒙府本同）

秦钟先问他："家里的大人可管你交朋友不管?"

戚序双 妙问，真真活跳出两个小儿来。（蒙府本同）

靖墨眉 前有幻境遇可卿，今又出（书）学中小儿淫浪之态，后文更放笔写贾瑞正照。看书人细心体贴，方许你看。（毛国瑶的辑录中未指明所批正文为何）

125

一语未了，只听背后咳嗽了一声。

戚序双　太急了些，该再听他二人如何结局。正所谓小儿之态也，酷肖之极。（蒙府本同）

二人唬的回头看时，原来是窗友名金荣者。

戚序双　妙名！盖云有金自荣，廉耻何益哉？（蒙府本同）

只怨香、玉二人不在薛蟠前提携他了。

戚序双　无耻小人，真有此心。（蒙府本同）

原来此人名唤贾蔷。

戚序双　新而艳，得空便入。（蒙府本同）

这贾蔷外相既美。

戚序双　亦不免招谤，难怪小人之口。（蒙府本同）

上有贾珍溺爱。

戚序双　贬贾珍最重。（蒙府本同）

下有贾蓉匡助。

戚序双　贬贾蓉次之。（蒙府本同）

心中且又忖度一番。

戚序双　这一忖度方是聪明人之心机，写得最好看，最细致。（蒙府本"忖度"作"忖夺"）

倘或我一出头，他们告诉了老薛。

戚序双　先曰"薛大叔"，次曰"老薛"，写尽骄侈纨绔。（蒙府本"绔"作"裤"）

悄悄把跟宝玉的书童名唤茗烟者……

戚序双　又出一茗烟。（蒙府本同）

如此这般调拨他几句。

戚序双　如此便好，不必细述。（蒙府本同）

便夺手要去抓打宝玉、秦钟。

戚序双　好看之极！（蒙府本同）

早见一方瓦砚飞来。

戚序双 好看好笑之极！（蒙府本同）

这贾菌又系荣府近派玄孙。

戚序双 先写一宁派，又写一荣派，互相错综得妙。（蒙府本"错综"作"综错"）

极是个不怕人，爱淘气的。

戚序双 要知没志气小儿必不会淘气。（蒙府本同）

溅了一书墨水。

戚序双 这等忙，有此闲处用笔。（蒙府本同）

好囚攘的们，这不都动了手了么。

戚序双 好听煞！（蒙府本同）

也便抓起砖砚来要飞。

戚序双 先瓦砚，次砖砚，转换得妙极。（蒙府本无"极"字）

好兄弟，不与咱们相干。

戚序双 是贾兰口气。（蒙府本同）

他便两手抱起书匣子来，照这边抢了来。

戚序双 先"飞"后"抢"，用字得神，好看之极！（蒙府本同）

又把宝玉的一碗茶也砸得碗碎茶流。

戚序双 好看之极！不打着别个，偏打着二人，亦想不到文章也。此书此等笔法，与后文踢着袭人，误打平儿是一样章法。（蒙府本同）

小妇养的，动了兵器了。

戚序双 好听之极，好看之极！（蒙府本同）

这个如此说，那个如彼说。

戚序双 妙！如闻其声。（蒙府本同）

李贵且喝骂了茗烟等四人一顿。

戚序双 处治的好。（蒙府本同）

贾瑞道："我吆喝着都不听。"

靖墨眉 声口如闻。

戚序双 如闻。（蒙府本同）

当着老太太问他，岂不省事。

戚序双 又以贾母欺压，更妙！（蒙府本同）

第十回　金寡妇贪利权受辱
张太医论病细穷源

再向秦钟他姐姐说说，叫他评评这个理。

靖本侧　这个理怕不能评。

进去见了贾珍的妻尤氏，也未敢气高，殷殷勤勤叙过寒温，说了些闲话。

靖墨眉　不知心中作何想。

早吓的都丢在爪洼国去了。

靖墨眉　吾为趋炎附势、仰人鼻息者一叹。

第十一回　庆寿辰宁府排家宴
见熙凤贾瑞起淫心

按　此回无批语。

又　庚辰本误将第十三回回前批误抄或误装于此回回前批语页。

第十二回　王熙凤毒设相思局
贾天祥正照风月鉴

凤姐急命："快请进来。"

庚辰侧　立意追命。

凤姐满面陪笑。

庚辰侧　如蛇。

贾瑞笑道。

庚辰双　如闻其声。（己卯本、蒙府本、戚序本同）

嫂子这话说错了，我就不这样。

庚辰双　渐渐入港。（己卯本、蒙府本、戚序本同）

像你这样的人能有几个呢？十个里也挑不出一个来。

庚辰眉　勿作正面看为幸。　畸笏。（靖墨眉"勿作"作
"千万勿作"，署名作"畸笏老人"）

如今见嫂子最是个有说有笑，极疼人的。

庚辰双　奇妙！（己卯本、蒙府本、戚序本同）

我怎么不来，死了也愿意。

庚辰侧　这到（倒）不假。

谁知竟是两个糊涂虫。

庚辰侧　反文，着眼。

凤姐笑道："你该走了。"

庚辰双　叫去正是叫来也。（己卯本、蒙府本、戚序本
同）

悄悄的在西边穿堂儿等我。

庚辰眉　先写穿堂，只知房舍之大，岂料有许多用处。

心内以为得手。

庚辰侧　未必。

忽听咯噔一声，东边的门也倒关了。

庚辰侧　平平略施小计。

一夜几乎不曾冻死。

庚辰眉　可为偷情〔者〕一戒。（靖墨眉"偷情"作"偷情者"）

那代儒素日教训最严。

庚辰眉　教训最严，奈其心何？一叹！（靖墨眉同）

只料定他在外非饮即赌，嫖娼宿妓。

庚辰侧　展转灵活，一人不放，一笔不肖。

那里想到这断（段）公案。

庚辰侧　世人万万想不到，况老学究乎？

代儒道："自来出门，非禀我不敢擅出，如何昨日私自去了。"

庚辰眉　处处点父母痴心，子孙不肖。此书系自愧而成。（靖墨眉"点"作"点出"，"系"作"纯系"）

其苦万状。

庚辰双　祸福无门，惟人自召。（己卯本"召"原作"招"，后朱笔圈去"扌"；戚序本同；蒙府本"召"作"招"）

此时贾瑞前心犹是未改。

庚辰侧　四字是寻死之根。

再想不到是凤姐捉弄他。

庚辰眉　苦海无边，回头是岸。若个能回头也，叹叹！
壬午春，畸笏。

132

凤姐因见他自投罗网。

庚辰侧 可谓因人而使。

少不得再寻别计，令他知改。

庚辰侧 四字是作者明阿凤身分，勿得轻轻看过。

可别冒撞了。

庚辰双 伏的妙。（己卯本、蒙府本、戚序本、梦觉本同）

谁可哄你，你不信就别来。

庚辰侧 紧一句。

来来来，死也要来。

庚辰双 不差。（己卯本、蒙府本、戚序本、梦觉本同）

贾瑞料定晚间必妥。

庚辰侧 未必。

凤姐在这里便点兵派将，设下圈套。

庚辰侧 四字用得新，必有新文字好看。

偏生家里亲戚又来了。

庚辰双 专能忙中写闲，狡猾之甚。（己卯本同；蒙府本、戚序本"甚"作"极"）

只见黑魆魆的来了一个人。

庚辰侧 真到了。

那人只不作声。

庚辰侧 好极！

忽见灯光一闪。

庚辰侧 将到矣。

贾瑞一见，却是贾蓉。

庚辰双 奇绝！（己卯本、蒙府本、戚序本、梦觉本同）

真燥（臊）的无地可入。

庚辰侧 亦未必真。

133

如今琏二婶已经告到太太跟前。

庚辰侧　好题目。

说你无故调戏他。

庚辰眉　调戏还有故？一笑。

靖墨眉　调戏尚有故乎？

太太气死过去。

庚辰侧　好大题目。

贾瑞道："如何落纸呢。"

庚辰侧　也知写不得。一叹！

纸笔现成拿来。

庚辰侧　二字妙。

如今要放你，我就担着不是。

庚辰双　又生波澜。（己卯本、蒙府本、戚序本同）

仍息了灯。

庚辰双　细。（己卯本、蒙府本、戚序本同）

你只蹲着别哼一声，我们来再动。

庚辰侧　未必如此收场。

贾瑞掌不住，嗳哟了一声，忙又掩住口。

庚辰双　更奇。（己卯本、蒙府本、戚序本同）

满头满脸浑身皆是尿屎，冰冷打战。

庚辰侧　全（余）料必〔有〕新奇改恨（悔）文字收场，方是《石头记》笔力。

庚辰眉　瑞奴实当如是报之。

此一节可入《西厢记》批评内十大快中。　畸笏。（靖墨眉无"一"字）

再想想凤姐的模样儿。

庚辰侧　欲根未断。

自此满心想凤姐。

134

庚辰眉 此刻还不回头，真自寻死路矣。

更兼两回冻恼奔波。

庚辰双 写得历历病源，如何不死？（己卯本同；蒙府本、戚序本句末多一"呢"）

因此三五下里夹攻。

庚辰侧 所谓步步紧。

诸如此症，不上一年都添全了。

庚辰侧 简捷之至。

吃了有几十斤下去，也不见个动静。

庚辰双 说得有趣。（己卯本、蒙府本、戚序本同）

王夫人命凤姐秤二两给他。

庚辰双 王夫人之慈若是。（己卯本同；蒙府本、戚序本"慈"作"心慈"）

救人一命，也是你的好处。

庚辰双 夹写王夫人。（己卯本、蒙府本、戚序本同）

只说都寻了来，共凑了有二两送去。

庚辰双 然便有二两独参汤，贾瑞固亦不能微好，又岂能望好？但凤姐之毒何如是，瑞之自失也。

己卯双 然便有二两独参汤，贾瑞固亦不能好，但凤姐之毒何如是耶？终是瑞之自失。（蒙府本、戚序本"不能好"作"不好"）

忽然这日有个跛足道人。

庚辰双 自甄士隐随君一去，别来无恙否？（己卯本无"一"字；蒙府本、戚序本、梦觉本同）

直着声叫喊。

庚辰双 如闻其声，吾不忍听也。（己卯本同；蒙府本、戚序本"听也"作"听了"）

一面在枕上叩首。

庚辰双 如见其形，吾不忍看也。（己卯本、蒙府本同；戚序本"看也"作"看了"）

贾瑞一把拉住，连叫："菩萨救我。"

庚辰双 人之将死，其言也哀，作者如何下笔？（己卯本同；蒙府本、戚序本无末句）

从搭连中。

庚辰双 妙极！此搭连犹是士隐所抢背者乎？（己卯本"抢"误作"舍"；蒙府本、戚序本、梦觉本同）

取出一面镜子来。

庚辰双 凡看书人从此细心体贴，方许你看，否则此书哭矣。（己卯本"看书人"作"看书者"，蒙府本、戚序本作"看书"；蒙府本无"此书"的"此"字）

两面皆可照人。

庚辰双 此书表里皆有喻也。（己卯本、蒙府本、戚序本同）

镜把上面錾着"风月宝鉴"四字。

庚辰双 明点。（己卯本、蒙府本、戚序本同）

这物出自太虚玄（幻）境空灵殿上，警幻仙子所制。

庚辰双 言此书原系空虚幻设。（己卯本、蒙府本、戚序本同）

庚辰眉 与《红楼梦》呼应。

专治邪思妄动之症。

庚辰双 毕真。（己卯本、蒙府本同；戚序本"毕"作"逼"）

有济世保生之功。

庚辰双 毕真。（己卯本、蒙府本同；戚序本"毕"作"逼"）

单与那些聪明杰俊、风雅王孙等看照。

庚辰双　所谓无能纨袴（袴）是也。（己卯本、蒙府本、戚序本"袴"作"袴"）

千万不可照正面。

庚辰侧　谁人识得此句。

庚辰双　观者记之，不要看这书正面方是会看。（己卯本、蒙府本、戚序本同）

只照他的背面。

庚辰双　记之。（己卯本、蒙府本、戚序本同）

只见一个骷髅立在里面。

庚辰双　所谓"好知青冢骷髅骨，就是红楼掩面人"是也。作者好苦心思。（己卯本、蒙府本同；戚序本"好知"作"须知"）

只见凤姐站在里面招手叫他。

庚辰侧　可怕是"招手"二字。

庚辰双　奇绝！（己卯本、蒙府本、戚序本同）

贾瑞心中一喜，荡悠悠的觉得进了镜子。

庚辰双　写得奇峭，真好笔墨。（己卯本、蒙府本、戚序本同）

拿铁锁把他套住，拉了就走。

庚辰双　所谓醉生梦死也。（己卯本同；蒙府本、戚序本"所谓"作"真"）

让我拿了镜子再走。

庚辰双　可怜！大众齐来看此。（己卯本、蒙府本、戚序本同）

大骂道士，是何妖镜。

庚辰双　此书不免腐儒一谤。（己卯本、蒙府本、戚序本同）

若不早毁此物。

庚辰双　凡野史俱可毁，独此书不可毁。（己卯本、蒙府本、戚序本同）

遗害于世不小。

庚辰双　腐儒。（己卯本、蒙府本、戚序本同）

你们自己以假为真，何苦来烧我。

庚辰双　观者记之。（己卯本、蒙府本、戚序本同）

寄灵于铁槛寺。

庚辰双　所谓"铁门限"是也。先安一开路〈道〉之人，以备秦氏仙枢有方也。（己卯本同，无"道"字；蒙府本、戚序本亦无之）

梦觉双　所谓铁门限是也。为秦氏停枢作引子。

回后总批

庚辰本　此回忽遗代（黛）玉去者，正为下回可儿之文也。若不遗去，只写可儿、阿凤等人，却置黛玉于荣府，成何文哉？固（故）必遣去，方好放笔写秦，方不脱发（节）。况黛玉乃书中正人，秦为陪客，岂因陪而失正耶？后大观园方是宝玉、宝钗、黛玉等正经文字，前皆系陪衬之文也。

第十三回　秦可卿死封龙禁尉
王熙凤协理宁国府

回前总批

甲戌本　贾珍尚奢，岂有不请父命之理？因敬□□□要紧，不问家事，故得姿（恣）意放为。

若明指一州名，似落《西游》□□□□□□□地，不待言可知，是光天□□□□□□□□矣。不云国名更妙，□□□□□□□□□□义之乡也。直与□□□□□□□。

今秦可卿托□□□□□□□□□理宁府亦□□□□□□□□□□□□□□风□□□□□□□□□□□□□□□□在（死）封龙禁尉，写乃褒中之贬；隐去天香楼一节，是不忍下笔也。

庚辰本　此回可卿〔托〕梦阿凤，盖作者大有深意存焉。可惜生不逢时，奈何奈何！然必写出自可卿之意也，则又有他意寓焉。

荣、宁世家，未有不尊（遵）家训者，虽贾珍当（尚）奢，岂明逆父哉？故写敬老不管，然后姿（恣）意，方见笔笔周到。

诗曰：一步行来错，回头已百年。古今《风月鉴》，多少泣黄泉。（按：上述三条总评庚辰本误入第十一回回前）

靖藏本　此回可卿〔托〕梦阿凤，作者大有深意。惜已为末世，奈何奈何！

贾珍虽奢淫，岂能逆父哉？特因敬老不管，然后恣意，足为世家之戒。

"秦可卿淫丧天香楼"，作者用史笔也。老朽因有（其）魂托凤姐贾家后事二件，岂是安富尊荣坐享人能想得到者？其言其意，令人悲切感服，姑赦之。因命芹溪删去"遗簪"、"更衣"诸文。是以此回只十页，删去天香楼一节，少去四五页也。

一步行来错，回头已百年。请观《风月鉴》，多少泣黄泉。（按：上述四评原连写。又"秦可卿淫丧天香楼⋯⋯因命芹溪删去"，在甲戌本为回后总评；"是以此回只十页"三句，在甲戌本为回末眉批）

就胡乱睡了。

甲戌侧 "胡乱"二字奇。（己卯本、庚辰本、蒙府本、戚序本同）

屈指算行程该到何处。

甲戌侧 所谓"计程今日到梁州"是也。（己卯本、庚辰本、蒙府本、戚序本同）

非告诉婶子，别人未必中用。

甲戌侧 一语贬尽贾家一族空顶冠束带者。（己卯本、庚辰本、蒙府本、戚序本同）

婶婶，你是个脂粉队内的英雄。

庚辰侧 称得起。

一日倘或乐极悲生。

甲戌侧 "倘或"二字酷肖妇女口气。（庚辰眉"肖"误作"有"）

若应了那句"树倒猢狲散"的俗语。

甲戌眉 "树倒猢狲散"之语，全（今）犹在耳，屈（屈）指三十五年矣。□□〔哀哉〕伤哉，宁不恸杀！（庚辰

140

眉"全"墨笔点去，改作"今"，"曲"正作"屈"，"三十五"作"卅五"，"伤"前多"哀哉"二字，"恸"作"痛"）

但有何法可以永保无虞。

甲戌侧 非阿凤不明，盖今古名利场中患失之同意也。（庚辰侧"今古"作"古今"）

可卿托梦凤姐早为后虑一段。

甲戌眉 语语见道，字字伤心。读此一段，几不知此身为何物矣。 松斋。（庚辰眉同）

天机不可泄漏。

甲戌侧 伏的妙。（己卯本、庚辰本、蒙府本、戚序本同）

三春去后诸芳尽，各自须寻各自门。

甲戌侧 此句令批书人哭死。（庚辰侧"句"误作"白"）

甲戌眉 不必看完，见此二句即欲堕泪。 梅溪。（庚辰眉同）

只听得二门上传事云牌连叩四下。

甲戌双 正是丧音。（作正文，乃作者自注。己卯本、庚辰本、蒙府本、戚序本皆删去，他本同）

彼时合家皆知，无不纳罕，都有些疑心。

甲戌眉 九个字写尽天香楼事，是不写之写。（靖双行后署名"常（棠）村"）

庚辰眉 可从此批。

靖朱眉 可从此批。通回将可卿如何死故隐去，是余大发慈悲也，叹叹！ 壬午季春，畸笏叟。（按："通回"下与庚辰本回后总评类同，时间更明确，且多出署名）

想他素日怜贫惜贱，慈老爱幼之恩。

庚辰侧 八字乃为上人之当铭于五衷。（邓校于"之"后补"圭臬"）

141

"那长一辈的"一段。

庚辰眉　松斋云：好笔力，此方是文字佳处。

莫不悲嚎痛哭之人。

庚辰侧　老健。

剩得自己孤恓，也不和人顽耍。

甲戌侧　与凤姐反对。　淡淡写来，方是二人自幼气味相投，可知后文皆非实（突）然文字。（己卯本、庚辰本、蒙府本、戚序本"实"作"突"）

梦觉双　与凤姐反对。

只觉心中似戳了一刀的，不忍哇的一声，喷出一口血来。

甲戌侧　宝玉早已看定，可继家务事者，可卿也；今闻死了，大失所望，急火攻心，焉得不有此血？为玉一叹。

不用忙，不相干，这是急火攻心，血不归经。

甲戌侧　如何自己说出来了？

庚辰侧　又淡淡抹去。

庚辰眉　如在〔目前〕。总是淡描轻写，全无痕迹，方见得有生一（以）来天分中自然所赋之性如此，非因色所感也。

里面哭声摇山振岳。

甲戌侧　写大族之丧，如此起绪。（己卯本、庚辰本、蒙府本、戚序本同）

谁知尤氏正犯了胃疼旧疾，睡在床上。

甲戌侧　妙！非此何以出阿凤？（己卯本、庚辰本、蒙府本、戚序本同）

庚辰侧　紧处愈紧，密处愈密。

庚辰眉　所谓曾（层）峦叠翠之法也。野史中从无此法，即观者到此，亦为（谓）写秦氏未必全到，岂料更又写一尤氏哉？

彼时贾代儒带领……

142

庚辰侧 将贾族约略一总，观者方不惑。

贾珍哭的泪人一般。

甲戌侧 可笑，如丧考妣。此作者刺心笔也。

贾珍拍手道："如何料理，不过尽我所有罢了。"

庚辰侧 淡淡一句，勾出贾珍多少文字来。

只见秦业、秦钟并尤氏的几个眷属。

甲戌侧 伏后文。（己卯本、庚辰本、蒙府本、戚序本、梦觉本同。下文"尤氏姊妹"各本均作正文，实为批语，全批当作"伏后文尤氏姊妹"）

另设一坛于天香楼上。

甲戌侧 删却。是未删之笔。（靖朱眉"笔"作"文"）

靖朱眉 何必定用"西"字，读之令人酸笔（鼻）。（按：靖藏本"天香楼"作"西帆楼"）

因自为早晚就要飞升，如何肯又回家染了红尘，将前功尽弃呢。

庚辰侧 可笑可叹。古今之儒中途多惑老佛。王隐梅云："若能再加东坡十年寿，亦能跳出这圈子来。"斯言信矣。

我们木店里有一副叫作什么樯木。

甲戌眉 樯者，舟具也。所谓人生若泛舟而已，宁不可叹！（己卯本、庚辰本同，"泛"作"汎"）

出在潢海铁网山上。

甲戌侧 所谓迷津易堕，尘网难逃也。（己卯本、庚辰本、蒙府本、戚序本同）

什么价不价，赏他们几两工银就是了。

甲戌侧 的是阿呆兄口气。（庚辰侧"兄"误作"儿"）

此物恐非常人可享者。

甲戌侧 政老有深意存焉。（庚辰侧同）

殓以上等杉木也就是了。

甲戌侧 夹写贾政。（己卯本、庚辰本、蒙府本、戚序本同）

"贾珍笑问价值几何"一段。

甲戌眉 写个个皆知（到），全无安逸之笔，深得《金瓶》壶（壶）奥。（庚辰眉"知"作"到"，又缺"瓶"字）

名唤瑞珠者，见秦氏死了，他也触柱而亡。

甲戌侧 补天香楼未删之文。

靖朱眉 是亦未删之文。

那宝珠按未嫁女之丧，在灵前哀哀欲绝。

甲戌侧 非恩惠爱人，那能如是？惜哉可卿，惜哉可卿！

都各遵旧制行事，自不敢紊乱。

甲戌侧 两句写尽大家。（己卯本、庚辰本、蒙府本、戚序本同）

贾珍因想着贾蓉不过是个黉门监。

庚辰 又起波澜，却不突然。

灵幡经榜上写时不好看，便是执事也不多，因此心下甚不自在。

甲戌侧 善起波澜。（己卯本、庚辰本、蒙府本、戚序本同）

早有大明宫掌宫内相戴权。

甲戌侧 妙，大权也。（己卯本、庚辰本、蒙府本、戚序本同）

贾珍忙接着，让至逗蜂轩。

甲戌侧 轩名可思。（己卯本、庚辰本、蒙府本、戚序本同）

戴权会意，因笑道："想是为丧礼上风光些。"

甲戌侧 得！内相机括之快如此。

看着他爷爷的分上胡乱应了。

144

甲戌侧 忙中写闲。（己卯本、庚辰本、蒙府本、戚序本同）

既是咱们的孩子要捐。

甲戌侧 奇谈，画尽阉官口吻。（己卯本、庚辰本、蒙府本、戚序本同）

原来是忠靖侯史鼎的夫人来了。

甲戌侧 史小姐湘云消息也。

庚辰本 伏史湘云。（窜入正文，己卯本同。又庚辰本书眉有墨批云："伏史湘云应系注解。"）

戚序双 伏史湘云一笔。（蒙府本同）

梦觉本 伏下文史湘云。（"史湘云"窜入正文）

宁国府街上一条白漫漫。

庚辰侧 就简去繁。

人来人往。

甲戌侧 是有服亲友并家下人丁之盛。（己卯本、庚辰本、蒙府本、戚序本"友"作"朋"）

花簇簇，官去官来。

甲戌侧 是来往祭吊之盛。（己卯本、庚辰本、蒙府本、戚序本同）

贾门秦氏恭人之丧。

庚辰眉 贾珍是乱费，可卿却实如此。

四大部州至中之地，奉天永运太平之国。

庚辰眉 奇文！若明指一州名，似若（落）《西游》之套，故曰"至中之地"，不待言可知是光天化日，仁风德雨之下矣。不亡（云）国名更妙，可知是尧街舜巷、衣冠礼义之乡矣。直与第一回呼应相接。（此批与甲戌本回前总评重出，可补甲戌本之阙文）

因宝玉在侧，问道："事事都算安（妥）贴了，大哥哥还

145

愁什么？"

甲戌侧 余正思如何高搁起玉兄了。

我荐一个人与你，权理这一个月的事。

甲戌侧 荐凤姐须得宝玉，俱龙华会上人也。

吓的众婆娘唿的一声，往后藏之不迭。

甲戌侧 数（素）日行止可知。作者自是笔笔不空，批者亦字字留神之至矣。

庚辰侧 素日行止可知。

独凤姐款款站了起来。

庚辰侧 又写凤姐。

贾珍一面扶拐，扎挣着要蹲身跪下请安道乏。

庚辰侧 一丝不乱。

靖朱眉 刺心之笔。

我看里头着实不成个体统，怎么屈尊大妹妹一个月。

庚辰侧 不见突然。

在这里料理料理，我就放心了。

庚辰侧 阿凤此刻心痒矣。

他一个小孩子家，何曾经过这样事。

庚辰侧 三字愈令人可爱可怜。

从小儿大妹妹顽笑着就有杀法（伐）决断。

庚辰侧 阿凤身分。

说着滚下泪来。

庚辰侧 有笔力。

王夫人悄悄的道："你可能么？"凤姐道："有什么不能的，外面的大事已经大哥哥料理清了。"

庚辰侧 王夫人是悄言，凤姐是响应，故称"大哥哥"。已得三昧矣。

便是我有不知道的，问问太太就是了。

146

甲戌侧 胸中成见已有之语。

凤姐笑道："不用。"

甲戌侧 二字句，有神。（己卯本"句"为朱笔后补；庚辰本、蒙府本、戚序本同）

"因想头一件……"一段。

甲戌眉 旧族后辈受此五病者颇多，余家更甚。三十年前事见书于三十年后，今（令）余想（悲）恸，血泪盈〔面〕。（靖墨眉两处"三十年"均作"卅年"，"前事见书"讹作"间事见知"，末句作"令余悲痛血泪盈面"）

庚辰眉 读五件事未完，余不禁失声大哭。三十年前作书人在何处耶？（靖朱眉"三十年"作"卅年"）

不知凤姐如何处治，且听下回分解。

甲戌眉 此回只十页，因删去"天香楼"一节，少却四五页也。（与靖藏本回前批部分重出。靖藏本是也）

回后总批

甲戌本 "秦可卿淫丧天香楼"，作者用史笔也。老朽因有（其）魂托凤姐贾家后事二件，嫡（岂）是安富尊荣坐享人能想得到处。其事虽未漏，其言其意则令人悲切感服，姑赦之，因命芹溪删去。（与靖藏本回前总评重出，略有差异）

庚辰本 通回将可卿如何死故隐去，是大发慈悲心也，叹叹！　壬午春。（与靖藏本眉批重出，各有异同）

147

第十四回　林如海捐馆扬州城
贾宝玉路谒北静王

回前总批

甲戌本（回目前）　凤姐用彩明，因自识字不多，且彩明系未冠之童。（庚辰眉、靖墨眉稍异，详见下）

写凤姐之珍贵。写凤姐之英气。写凤姐之声势。写凤姐之心机。写凤姐之骄大。（庚辰眉排列顺序、文字稍异，详见下）

昭儿回，并非林文、琏文，是黛玉正文。

牛，丑也。清属水，子也。柳折（拆）卯字。彪折（拆）虎子（字），寅字寓焉。陈即辰。翼火为蛇，巳字寓焉。马，午也。魁折（拆）鬼字，鬼金羊，未字寓焉。侯、猴同音，申也。晓鸣，鸡也，酉字寓焉。石即豕，亥字寓焉。其祖回（曰）守业，即守夜也，犬字寓焉。此所谓十二支寓焉。（庚辰本为"有镇国公牛清之孙……不可枚数"一段眉批，"虎子"作"虎字"（宝盖似后添），"鬼"作"鬼字"，"侯"误作"候"，"祖回"作"祖曰"，"此所谓"作"所谓"，"守夜"作"守镇"。靖本为回后总评，其文如下："牛，丑。清，水。柳乃卯也。彪拆虎字，寅也。陈即辰。翼大（火）为蛇，寓己（巳）字。马，午也。魁即鬼，鬼金羊，寓未字。侯，申也。晓鸣，鸡也，寓酉字。豕即石（石即豕），亥字寓焉。守业，犬也。所谓十二支寓焉。"）

148

路谒北静王，是宝玉正文。

不要把老脸面丢了。

庚辰侧 此是都总管的话头。

论理我们里面也须得他来整治整治。

庚辰侧 伏线在二十板之误差妇人。（"误差"连读，"差"读 chāi）

凤姐即命彩明钉造簿册。

甲戌眉 宁府如此大家，阿凤如此身分，岂有使贴身丫头与家里男人答话交事之理呢？此作者忽略之处。（庚辰眉"使"误作"便"）

庚辰墨眉 彩明系未冠小童，阿凤便于出入使令者。老兄并未前后看明是男是女，乱加批驳，可笑。（疑此非出脂砚斋之手）

庚辰眉 且明写阿凤不识字之故。 壬午春。

靖墨眉 用彩明因自身识字不多，且彩明系未冠之童故也。（靖本作墨眉，是；甲戌本已见于回前总评，文小异）

大概点了一点数目、单册。

甲戌侧 已有成见。

只在窗外听觑。

甲戌侧 传神之笔。（庚辰侧同）

我就说不得要讨你们嫌了。

甲戌侧 先站（占）地步。（庚辰侧同）

再不要说你们这府里原是这样的。

甲戌侧 此话听熟了，一叹。（庚辰侧同）

这如今可要依着我。

甲戌侧 宛转得妙！（庚辰侧同）

按名一个一个的唤进来看视。

庚辰侧 量才而用之意。

说不得咱们大家辛苦这几日。

甲戌侧 是协理口气，好听之至！

庚辰侧 所谓先礼而后宾（兵）是也。

事完你们家大爷自然赏你们。

庚辰侧 滑贼，好收煞！

自己每日从那府里煎了各色细粥、精致小菜，命人送来劝食。

庚辰眉 写凤之心机。

贾珍也另外吩咐每日送上等菜到抱厦内，单与凤姐。

庚辰眉 写凤之珍贵。

那凤姐不畏勤劳，天天于卯正二刻就过来点卯理事。

庚辰眉 写凤之美（英）勇。

独在抱厦内起坐，不与众妯娌合群，便有堂客来往，也不迎会。

庚辰眉 写凤之骄大。

这日正五七正五日上，那应赴僧正开方破狱，传灯照亡，参阎君，拘都鬼，延请地藏王，开金桥，引幢幡；那道士们正伏章申表，朝三清，叩玉帝；禅僧们行香，放焰口，拜水忏；又有十三众青年尼僧，搭绣衣，靸红鞋，在灵前默诵接引诸咒，十分热闹。

庚辰眉 如此写得可叹可笑。

早有人端过一张大圈椅来放在灵前，凤姐坐了，放声大哭。

庚辰侧 谁家行事，宁不堕泪？

只有迎送亲客上的一人未到。

庚辰侧 须得如此，方见文章妙用。余前批非谬。

凤姐冷笑道。

甲戌侧 凡凤姐恼时，偏偏用"笑"字，是章法。（己卯

150

本、庚辰本、蒙府本、戚序本同）

原来是你。

庚辰侧 四字有神，是有名姓上等人口气。

正说着，只见荣国府中的王兴媳妇来了。

庚辰侧 偏用这等闲文间住。

只见荣国府中的王兴的媳妇来了，在前面探头。

甲戌侧 惯起波澜，惯能忙中写闲，又惯用曲笔，又惯综错，真妙！（己卯本、庚辰本、蒙府本同；戚序本"综错"作"错综写"）

凤姐且不发放这人。

庚辰侧 的是凤姐作仿（为）。

领牌取线，打车轿网络。

庚辰侧 是丧事中用物，闲闲写却。

这两件开销错了，再算清来取。

庚辰侧 好看煞，这等文字。

凤姐因见张材家的在旁。

庚辰侧 又一顿挫。

一面又命念那一个，是为宝玉外书房完竣支买纸料糊裱。

庚辰侧 却从闲中又引出一件关系文字乎（来）。

明儿他也睡迷了，后儿我也睡迷了。

甲戌侧 接上文，一点痕迹俱无，且是仍与方才诸人说话神色口角。

庚辰侧 接得紧，且无痕迹。是山断云连法也。

又见凤姐眉立。

庚辰侧 二字如神。

那抱愧被打之人含羞去了。

甲戌侧 又伏下文，非独为阿凤之威势费此一段笔墨。（己卯本、庚辰本同；蒙府本、戚序本"一段"误移至"非独为"后；梦觉本只作"又伏下文"）

自此兢兢业业，执事保全，不在话下。

庚辰侧 收什（拾）得好！

如今且说宝玉。

庚辰侧 忙中闲笔。

咱们去了，他岂不烦腻。

甲戌侧 纯是体贴人情。（己卯本、庚辰本、蒙府本、戚序本同）

好长腿子，快上来罢。

庚辰侧 家常戏言，毕肖之至！

这边同那些浑人吃什么。

甲戌侧 奇称，试问谁是清人？（己卯本、庚辰本、蒙府本、戚序本同）

那媳妇笑道："何尝不是忘了。"

甲戌侧 此妇亦善迎合。

庚辰侧 下人迎合凑趣，必（毕）真。

倘或别人私弄一个，支了银子跑了怎样。

庚辰侧 小人语。

怎么咱们家没人来领牌子做东西。

庚辰侧 写不理家务公子之语。

人家来领的时候，你还做梦呢。

庚辰侧 言其（其言）是也。

你们这夜书多早晚才念呢。

庚辰侧 补前文之未到。

宝玉听说，便猴向凤姐身上要牌。

庚辰侧 诗中知有炼字一法，不期于《石头记》中多得其妙。

苏州去的人昭儿来了。

甲戌侧 接得好！（己卯本、庚辰本、蒙府本、戚序本同）

林姑老爷是九月初三日巳时没的。

甲戌眉 颦儿方可长居荣府之文。（庚辰眉"文"误作"交"）

二爷带了林姑娘同送林姑老爷的灵到苏州。

庚辰侧 暗写黛玉。

凤姐向宝玉笑道："你林妹妹可在咱们家住长了。"

庚辰侧 此系无意中之有意，妙！

别勾引他认得混账女人。

甲戌侧 切心事耶（也）。

回来打折你的腿。

甲戌侧 比（此）一句最要紧。（己卯本、庚辰本、蒙府本、戚序本"比"改正为"此"）

赶乱完了，天已四更将尽，总（纵）睡下又走了困。

庚辰侧 此为病源伏线。后文方不突然。

因此忙的凤姐茶饭也没工夫吃得。

庚辰眉 总得好。

挥霍指示，任其所为，目若无人。

甲戌侧 写秦氏之丧，却只为凤姐一人。（己卯本、庚辰本、蒙府本、戚序本同）

奉天洪建（运），兆年不易之朝。

庚辰眉 "兆年不易之朝，永治太平之国"，奇甚妙甚！

镇国公牛清之孙……不可枚数。

庚辰眉 "牛，丑也……。"（已见于前，此处略）

只见宁府大殡浩浩荡荡，压地银山一般从北而至。

庚辰眉 数字道尽声势。 壬午春，畸笏老人。（靖墨眉文同，署名无"老人"二字）

153

那一位是衔玉而诞者。

庚辰眉　忙中闲笔。点缀玉兄，方不失正文中之正人。作者良苦。　壬午春，畸笏。

靖墨眉　忙中闲笔，□□〔点缀〕玉兄，作者良苦。壬午春，畸笏。

回后总批

庚辰本　此回将大家丧事详细剔画，如见其气概，如闻其声音，丝毫不错，作者不负大家后裔。

写秦死之盛，贾珍之奢，实是却写得一个凤姐。

第十五回　王熙凤弄权铁槛寺
秦鲸卿得趣馒头庵

回前总批

甲戌本（回目前）　宝玉谒北静王辞对神色，方露出本来面目，迥非在闺阁中之形景。

北静王问玉上字果〔灵〕验否，政老对以未曾试过，是隐却多少捕风捉影闲文。

北静王论聪明伶俐，又年幼时为溺爱所累，亦大得病源之语。

凤姐中火，写纺线村姑，是宝玉闲花野景，一得情趣。

凤姐另住，明明系秦、玉、智能幽〔情〕事，却是为净虚攒（钻）营凤姐大大一件事作引。

秦、智幽情，忽写宝、秦事，云："不知算何账目，未见真切，不曾记得，此系疑案，〔不敢〕蓁（篡）创。"是不落套中，且省却多少累赘笔墨。昔安南国使有题一丈红句云："五尺墙头遮不得，留将一半与人看。"

面若春花，目如点漆。

甲戌侧　又换此一句，如见其形。（己卯本、庚辰本、蒙府本、戚序本"见"误作"此"）

靖朱眉　伤心笔。

亲自与宝玉戴上。

甲戌侧　钟爱之至。（己卯本、庚辰本、蒙府本、戚序本

155

同）

水溶见他语言清楚，谈吐有致。

庚辰眉 八字道尽玉兄，如此等方是玉兄正文写照。 王文（壬午）季春。

将来"雏凤清于老凤声"，未可谅也。

甲戌侧 妙极！开口便是西昆体，宝玉闻之，宁不刮目哉？（己卯本、庚辰本、蒙府本、戚序本同）

果如是言，亦荫生辈之幸矣。

庚辰侧 谦的得体。

宝玉连忙接了，回身奉与贾政。

庚辰侧 转出没调教。

命手下掩乐停音，滔滔然将殡过完。

庚辰侧 有层次，好看煞！

凤姐因记挂着宝玉，怕他在郊外纵性逞强。

甲戌侧 千百件忙事内不漏一丝。

庚辰侧 细心人自因（应）如是。

女孩儿一样的人品。

甲戌侧 非此一句，宝玉必不依，阿凤真好才情。（己卯本、庚辰本同；戚序本"阿凤"作"凤姐"，蒙府本同，"真"误作"贞"）

只见从那边两骑马压地飞来。

庚辰侧 有气有声，有形有影。

凤姐急命请邢夫人、王夫人的示下。

庚辰侧 有次序。

凡庄农动用之物，皆不曾见过。

庚辰侧 真，毕真！

不知何项所使，其名为何。

甲戌侧 凡膏粱（粱）子弟齐来着眼。（己卯本、庚辰

156

本、蒙府本、戚序本同）

　　小厮在旁，一一的告诉了名色，说明原委。

　　甲戌侧　也盖因未见之故也。（己卯本、庚辰本、蒙府本、戚序本同）

　　"谁知盘中餐，粒粒皆辛苦"正为此也。

　　甲戌侧　聪明人自是一喝即悟。（己卯本、庚辰本、蒙府本"喝"作"唱"；蒙府本"悟"误作"惧"；戚序本同）

　　宝玉看农具一段。

　　庚辰眉　写玉兄正文总于此等处，作者良苦。　壬午季春。

　　只见一个约有十七八岁的村庄丫头跑了来乱嚷，"别动坏了"。

　　庚辰侧　天生地设之文。

　　宝玉忙丢开手，陪笑说道。

　　庚辰眉　一"忙"字，二"陪笑"字，写玉兄是在女儿分上。　壬午季春。

　　你们那里会弄这个，站开了，我纺与你瞧。

　　甲戌侧　如闻其声，见其形。

　　庚辰侧　三字如闻。

　　此卿大有意趣。

　　庚辰侧　忙中闲笔，却伏下文。

　　该死的，再胡说我就打了。

　　甲戌侧　的是宝玉性生（生性）之言。

　　庚辰侧　玉兄身分，本心如此。

　　宝玉正要说话时。

　　庚辰眉　若说话，便不是《石头记》中文字也。

　　那丫头听见，丢下纺车一径去了，宝玉怅然无趣。

　　甲戌侧　处处点情，又伏下一段后文。（己卯本、庚辰

本、蒙府本、戚序本同）

宝玉却留心看时，内中并无二丫头。

庚辰侧 妙在不见。

只见迎头二丫头怀里抱着他小兄弟，同着几个小女孩子说笑而来。

庚辰侧 妙在此时方见，错综之妙如此。

争奈车轻马快，一时展眼无踪。

甲戌侧 四字有文章。人生离聚亦未尝不如此也。（己卯本、庚辰本、蒙府本、戚序本"离"作"难"；己卯本"尝"误作"常"；庚辰本"未尝"误作"木常"；蒙府本"未尝不"误作"未常一"；戚序本"文章"作"文意"）

其中阴阳两宅，俱已预备妥贴。

甲戌双 大凡创业之人，无有不为子孙深谋至细。今（奈）后辈仗一时之荣显，犹自不足，另生枝叶，虽华丽过先，奈不常保，亦足可叹，争及先人之常保其朴哉？近世浮华子弟〔齐〕来着眼。（己卯本、庚辰本、蒙府本、戚序本"今后"作"奈后"，"犹自"作"犹为"，"来着眼"作"齐来着眼"；戚序本"争及"作"怎及"）

好为送灵人口寄居。

甲戌侧 祖宗为子孙之心细到如此。（己卯本、庚辰本、蒙府本、戚序本同）

"不想如今后辈人口繁盛"一段。

庚辰眉 《石头记》总于没要紧处闲三（闲一）二笔写正文筋骨，看官当用巨眼，不为彼瞒过方好。 壬午季春。

其中贫富不一，或性情参商。

甲戌双 所谓"源远水则浊，枝繁果则稀。"余谓（为）天下痴心祖宗为子孙谋千年业者痛哭。（己卯本、庚辰本、蒙府本、戚序本"谓"作"为"）

有那家业艰难安分的。

甲戌侧 妙在艰难就安分，富贵则不安分矣。（己卯本、庚辰本、蒙府本、戚序本同）

为事毕晏退之所。

甲戌侧 真真辜负祖宗体贴子孙之心。（己卯本、庚辰本、蒙府本、戚序本同）

独有凤姐嫌不方便。

甲戌侧 不用说，阿凤自然不肯将就一刻的。（己卯本、庚辰本、蒙府本、戚序本同）

离铁槛寺不远。

甲戌双 前人诗云："纵有千年铁门限，终须一个土馒头"，是此意，故"不远"二字有文章。（己卯本、庚辰本、戚序本同；蒙府本"限"误作"根"）

梦觉双 所谓"纵有十年铁门限，终须一个土馒头"，此意可会。

原来秦业年迈多病。

甲戌侧 伏一笔。（己卯本、庚辰本、蒙府本、戚序本无"一"字）

因胡老爷府里产了公子……就无来请太太的安。

甲戌侧 虚陪一个胡姓，妙，言是糊涂人之所为也。（己卯本、庚辰本、蒙府本、戚序本同）

你揉着他作什么？这会子还唤我。

甲戌侧 补出前文未到处，细思秦钟近日在荣府所为，可知矣。（己卯本、蒙府本、戚序本同；庚辰本脱"细"字）

不及你叫他倒的是有情意的。

甲戌侧 总作如是等奇语。（己卯本、庚辰本、蒙府本、戚序本同）

二人虽未上手，却已情投意合了。

159

甲戌侧 不爱宝玉，却爱秦钟，亦是各有情挚。（己卯本、庚辰本、蒙府本、戚序本同）

秦钟笑说："给我。"

甲戌侧 如闻其声。（己卯本、庚辰本、蒙府本、戚序本同）

我难道手里有蜜。

甲戌侧 一语毕肖，如闻其语。观者已自酥倒，不知作者从何着想。（己卯本、庚辰本、蒙府本、戚序本同）

老尼道："阿弥陀佛。"

甲戌侧 开口称佛，毕有（肖）。可叹可笑。（己卯本、庚辰本同；蒙府本、戚序本"有"作"竟"）

善才庵。

甲戌侧 "才"字妙！（己卯本、庚辰本、蒙府本、戚序本同）

他有个女儿小名金哥。

甲戌侧 俱从"财"一（一"财"）字上发生。（己卯本、庚辰本、蒙府本、戚序本"发生"作"发出"；戚序本"财一"作"一财"）

就要打官司告状起来。

甲戌双 守备一闻便问（闹），断无此理。此不过张家惧府尹之势，必先退定礼，守备方不从，或有之。此时老尼只欲与张家完事，故将此言遮饰，以便退亲，受张家之贿也。（己卯本、庚辰本、蒙府本、戚序本"此不过"作"此必是"；蒙府本、戚序本脱"此言"的"此"）

那张家急了。

甲戌双 如何便"急了"，话无头绪，可知张家礼（理）缺。此系作者巧摹老尼无头绪之语，莫认作者无头绪，正是神处奇处。摹一人一人必到纸上活见（现）。（己卯本、庚辰本

160

同；蒙府本、戚序本脱"此系"的"系"，"正是"作"正"；戚序本"礼缺"作"理屈"，"活见"作"活现"）

赌气偏要退定礼。

甲戌侧 如何？的是张家要与府尹攀亲。（己卯本、庚辰本同；戚序本"如何"作"如今"，蒙府本则作"如是"）

张家连倾家孝敬也都情愿。

甲戌双 坏极，妙极！若与府尹攀了亲，何惜张财不能再得。小人之心如此，良民遭害如此。（己卯本、庚辰本、蒙府本、戚序本同）

凤姐听了笑道："这事倒不大。"

甲戌侧 五字是阿凤心迹。

我也不等银子使，也不作这样的事。

庚辰侧 口是心非，如闻已（如）见。

半晌叹道。

庚辰侧 一叹转出多少至恶不畏之文来。

虽如此说，只是张家已知我来求府里。

庚辰眉 闺阁营谋说事，往往被此等语惑了。

从来不信什么阴司地狱报应的。

庚辰侧 批书人深知卿有是心，叹叹！

我比不得他们，拉蓬扯牵（纤）的图银子。

庚辰侧 欺人太甚！

便是三万两，我此刻还拿得出来。

甲戌侧 阿凤欺人如此。（己卯本、庚辰本、蒙府本、戚序本同）

庚辰眉 对如是之奸妮（尼），阿凤不得不如是语。

也不顾劳乏，更攀谈起来。

甲戌侧 总写阿凤聪明中的痴人。（己卯本、庚辰本、蒙府本、戚序本无"的"字；戚序本"阿凤"作"凤姐"）

161

秦、智二人偷情一段。

庚辰眉 实表奸淫，尼庵之事如此。 壬午季春。

靖墨眉 又写秦钟、智能事，尼庵之事如此。 壬午季春，畸笏。

将智能抱到炕上。

庚辰侧 此处写小小风波（流）事，亦在人意外，谁知为小秦伏线，大有根处（据）。

又不好叫的。

庚辰侧 还是不肯叫。

二人不知是谁，唬的不敢动一动，只听那人嗤的一声，掌不住笑了。

庚辰侧 请掩卷细思此刻形景，真可喷饭。历来风月文字，可有如此趣味者。

羞的智能趁黑地跑了。

庚辰眉 若历〔历〕写完，则不是《石头记》文字了。壬午季春。

好人，你只别嚷的众人知道。

庚辰侧 前以二字称智能，今又称玉兄，看官细思。

此系疑案，不敢纂创。

甲戌双 忽又作如此评断，似自相矛盾，却是最妙之文。若不如此隐去，则又有何妙文可写哉？这方是世人意料不到之大奇笔。若通部中万万件细微之事俱备，《石头记》真亦太觉（觉太）死板矣。故特用此二三件隐事，借石之未见真切，淡淡隐去，越觉得云烟渺茫之中，无限丘壑在焉。（己卯本、庚辰本、蒙府本、戚序本"太觉"作"觉太"，"特用"作"特因"；己卯本"石之未见"误作"名之未见"；己卯本、庚辰本、蒙府本"淡淡隐去"作"淡隐去"；蒙府本、戚序本脱"自相矛盾"的"相"字；戚序本"石之"处空缺，"丘"作

"邱"）

凤姐想了一想。

甲戌侧　"一想"便有许多好处，真好阿凤。（己卯本、庚辰本、蒙府本、戚序本"许多"作"许多的"）

因有此三益。

甲戌侧　世人只云一举两得，独阿凤一举更添一〔得〕。（己卯本、庚辰本同；蒙府本、戚序本句末多一"得"字）

修书一封。

甲戌侧　不细。（己卯本、庚辰本、蒙府本、戚序本同）

且不在话下。

甲戌侧　一语过下。（己卯本、庚辰本同）

着他三日后往府里去讨信。

甲戌侧　过至下回。（己卯本、庚辰本同）

第十六回　贾元春才选凤藻宫
秦鲸卿夭逝黄泉路

回前总批

甲戌本（回目前）　幼儿小女之死，得情之正气，又为痴贪辈一针疚（灸）。凤姐恶迹多端，莫大于此件者，受赃〔逼〕婚以致人命。

贾府连日闹热非常，宝玉无见无闻，却是宝玉正文。夹写秦、智数句，下半回方不突然。

黛玉回，方解宝玉为秦钟之忧闷，是天然之章法。平儿借香菱答话，是补菱姐近来着落。

赵姨讨情闲文，却引出通部脉络，所谓由小及大，譬如登高必自卑之意。细思大观园一事，若从如何奉旨起造，又如何分派众人，从头细细直写，将来几千样细事，如何能顺笔一气写清？又将落于死板拮据之乡。故只用琏凤夫妻二人一问一答，上用赵姨讨情作引，下文（用）蓉、蔷来说事作收，余者随笔顺笔略一点染，则耀然洞彻矣。此是避难法。（己卯本、庚辰本、蒙府本、戚序本开头作"一段赵姨"，"下文"作"下用"；己卯本、庚辰本"闲文"误作"间文"；蒙府本误作"问文"；"通部"，己卯本、庚辰本误作"道部"；庚辰本"一气写清"作"一气清"；蒙府本、戚序本"耀然"作"跃然"；戚序本"顺笔"作"顺写"。各本均作双行批）

大观园用省亲事出题，是大关键处，方见大手笔行文之立

164

意。（庚辰本作"省亲的事竟准了不成"的眉批。"关键处"作"关键事"，署名"畸笏"）

借省亲事写南巡，出脱心中多少忆惜（昔）感今。

极热闹极忙中写秦钟夭逝，可知除"情"字，俱非宝玉正文。

大鬼小〔鬼〕论势利兴衰，骂尽攒（趋）炎附势之辈。

又与智能儿偷期缱绻，未免失于调养。

庚辰侧 勿笑。这样无能，却是写与人看。

只在家中养息。

甲戌侧 为下文伏线。（己卯本、庚辰本、蒙府本、戚序本同）

且自静候，大愈时再约。

甲戌侧 所谓"好事多磨"也。（己卯本、庚辰本句末署名"脂研"；庚辰本"磨"作"魔"；蒙府本、戚序本句末"脂研"改作"奈何"）

却养了一个知义多情的女儿。

庚辰侧 所谓"老鸦窝里出凤凰"，此女是在十二钗之外付（副）者。

遂也投河而死，不负妻义。

庚辰侧 不（灭一）双美满夫妻。（校改据邓遂夫说）

凤姐却坐享了三千两，王夫人等连一点消息也不知道。

庚辰侧 如何消檄（缴），造业者不知，自有知者。

以后有了这样的事，便姿（恣）意的作为起来，也不消多记。

甲戌双 一段收拾过。阿凤心机胆量，真与雨村是〔一〕对乱世之奸雄，后文不必细写其事，则知其平生之作为。回首时无怪乎其惨痛之态，使天下痴心人同来一警，或可期共入于恬然自得之乡矣。（己卯本、庚辰本、蒙府本、戚序本"对"

作"一对","可期"作"万期";己卯本、蒙府本"回首时"误作"回首肘";己卯本、庚辰本句末署名"脂研";蒙府本、戚序本"痴心人"作"痴人";蒙府本"雨村"误作"两村";戚序本"恬然"误作"怙然")

特旨：立刻宣贾政入朝。

庚辰眉　泼天喜事却如此开宗，出人意料外之文也。　壬午季春。

那时贾母正心神不定，在大堂廊下伫立。

庚辰侧　慈母爱子写尽。回廊下伫立，与"日暮倚庐仍怅望"对景，余掩卷而泣。

庚辰眉　"日暮倚庐仍怅望"，南汉先生句也。

不免又都洋洋喜气盈腮。

庚辰侧　字眼，留神。亦人之常情。

谁知近日水月庵的智能私逃进城。

甲戌侧　好笔伏（仗），好机轴。

甲戌眉　忽然接水月庵，似大脱泄；及读至后〔文〕，方知〔为〕紧收。此大段有如歌急调迫之际，忽闻戛然檀板截断。真见其大力量处，却便于写宝玉之文。（庚辰侧、蒙府侧"方知"作"方知为"，"戛"误作"忧"；庚辰侧"歌急"作"歌疾"；蒙府侧"读"误作"谈"，"紧收"作"收"，"大力量"作"力量"）

因此宝玉心中怅然如有所失。

庚辰眉　凡用宝玉收什（拾），俱是大关键。

亦未解得愁闷。

甲戌双　眼前多少〔热闹〕文字不写，却从外（万）人意外撰出一段悲伤，是别人不屑写者，亦别人之不能处。（己卯本、庚辰本、蒙府本"文字"前多"热闹"二字，戚序本作"闹热"；己卯本、庚辰本、蒙府本、戚序本"外人"作

166

"万人")

独他一个皆视有如无，毫不曾介意。

庚辰侧 的的真真宝玉。

因此众人嘲他越发呆了。

甲戌双 大奇至妙之文，却用宝玉一人，连用五"如何"，隐过多少繁华势利等文。试思若不如此，必至种种写到，其死板拮据、锁（琐）碎杂乱，何不（可）胜哉？故只借宝玉一人，如此一写，省却多少闲文，却有无限烟波。（己卯本、庚辰本、蒙府本、戚序本"五如何"误作"为何如"，"锁"作"琐"，"不胜"作"可胜"）

庚辰侧 欲（越）发呆了。

宝玉听了，方略有些喜意。

甲戌双 不如此，后文秦钟死去，将何以慰宝玉？（己卯本、庚辰本同；蒙府本、戚序本"如此"误作"知此"）

余者也就不在意了。

甲戌双 又从天外写出一段离合来，总为掩过宁荣二处许多琐细闲笔。处处交代清处（楚），方好起大观园也。（己卯本、庚辰本、蒙府本、戚序本"二处"作"两处"，"清处"作"清楚"，"起"作"启"；庚辰本"交"误作"支"）

好容易盼至明日午错。

庚辰侧 三字是宝玉心中。

后又致喜庆之词。

甲戌双 世界上亦如此，不独书中瞬息，观此便可省悟。（己卯本、庚辰本、蒙府本、戚序本"不独"误作"不读"）

我不要他，遂掷而不取。宝玉只得收回，暂且无话。

甲戌双 略一点黛玉性情，赶忙收住，正留为（为留）后文地步。（己卯本、庚辰本、蒙府本、戚序本"性情"倒作"情性"）

正值凤姐近日多事之时，无片刻闲暇之工。

甲戌双 补阿凤二句，最不可少。（己卯本、庚辰本、蒙府本、戚序本同）

见贾琏远路归来，少不得拨冗接待。

庚辰侧 写得尖利、刻薄。

国舅老爷大喜，国舅老爷一路风尘辛苦。

甲戌侧 娇音如闻，俏态如见。少年夫妻常事，的确有之。（庚辰侧"如闻"误作"好闻"，"少年"下作"好夫妻有是事"）

预备了一杯水酒掸尘。

庚辰侧 却是为下文作引。

贾琏笑道："岂敢岂敢，多承多承。"

庚辰侧 一言答不上，蠢才，蠢才！

凤姐道："我那里照管得这些事，见识又浅……一步也不敢多走。"

甲戌眉 此等文字，作者尽力写来，欲诸公认识阿凤，好看后文，勿为泛泛看过。（庚辰眉"欲"前多一"是"字，"认识"作"认得"，"好看"后作"以后之书，勿作等闲看过"）

咱们家所有的这些管家奶奶们，那一位是好缠的。

甲戌侧 独这一句不假。（己卯本、庚辰本句末署名"脂研"；蒙府本、戚序本"不假"作"却不假"）

更可笑那府里。

庚辰侧 三字是得意口气。

依旧被我闹了个马仰人翻。

庚辰侧 得意之至口气。

明儿你见了他，好歹描补描补，就说我年纪小，原没见过世面。

168

甲戌眉 阿凤之带（待）琏兄，如弄小儿，可思（畏）之至！

庚辰侧 阿凤之弄琏兄，如弄小儿，可怕可畏。若生于小户，落在贫家，琏兄死矣！

正说着。

甲戌双 又用断法方妙。盖此等文，断不可无，亦不可太多。（己卯本、庚辰本、蒙府本、戚序本同）

生的好齐整模样。

庚辰侧 酒色之徒。

那薛大傻子真玷辱了他。

甲戌双 垂涎如见。试问兄，宁不有玷平儿乎？（己卯本、庚辰本句末署名"脂研"；庚辰本、戚序本"不有"误倒作"有不"；蒙府本、戚序本"乎"作"者乎"）

凤姐道："嗳，往苏杭走了一趟回来。"

庚辰侧 如闻。

也该见些世面了。

甲戌侧 这"世面"二字单指女色也。（己卯本、庚辰本、蒙府本、戚序本同）

我去拿平儿换了他来如何。

甲戌双 奇谈，是阿凤口中〔方〕有此等语句。（己卯本、庚辰本、蒙府本、戚序本"有"作"方有"）

甲戌眉 用平儿口头谎言，写补菱卿一项实事，并无一丝痕迹，而〈有〉作者有多少机括。

那薛老大。

甲戌侧 又一样称呼，各得神理。（己卯本、庚辰本、蒙府本、戚序本同）

这一年来的光景，他为要香菱不能到手，和姨妈打了多少饥荒。

甲戌侧 补前文之未到，且并将香菱身分写〔出〕。（己卯本、庚辰本句末有"出"字，署名"脂研"；庚辰本脱"分"字；蒙府本、戚序本"写"后有"出来矣"三字，即改"脂研"作"来矣"）

差不多的主子姑娘也跟他不上呢。

甲戌双 何曾不是主子姑娘，盖卿不知来历也。作者必用阿凤一赞，方知莲卿尊重不虚。（己卯本、庚辰本、戚序本同；蒙府本"尊"误作"遵"）

我倒心里可惜了的。

甲戌双 一段纳宠之文，偏于阿凤口中补出，亦奸猾幻妙之至。（己卯本、庚辰本、蒙府本、戚序本"奸"误作"尖"；己卯本、庚辰本"幻"误作"幼"；蒙府本、戚序本无"亦"字）

巴巴的打发香菱来。

甲戌侧 必有此一问。（己卯本、庚辰本、蒙府本、戚序本同）

那里来的香菱？我借他暂撒个谎。

甲戌侧 卿何尝谎言，的是补菱姐正文。

说着又走至凤姐身边，悄悄的说道。

庚辰侧 如闻如见。

这会子二爷在家，他且送这个来了。

甲戌侧 总是补遗。

奶奶自然不肯瞒二爷的。

甲戌侧 平姐看欺（欺看）书人了。

庚辰侧 可儿，可儿，凤姐竟被他哄了。

我就撒谎说香菱了。

甲戌双 一段平儿的见识作用，不枉阿凤生平刮目。又伏下多少后文，补尽前文未到。（己卯本、庚辰本、蒙府本、戚

170

序本“平儿的”作“平儿”，“生平”作“平日”）

原来你这蹄子肏鬼。

庚辰侧 疼极反骂。

凤姐虽善饮，却不敢任性。

甲戌双 百忙中又点出大家规范，所谓无不周详，无不贴切。（己卯本、庚辰本、蒙府本、戚序本同）

妈妈很咬不动那个，倒没的矼了他的牙。

庚辰侧 何处着想，却是自然有的。

妈妈，你尝一尝你儿子带来的惠泉酒。

庚辰侧 补点不到之文，像极！

只不要喝多了就是了。

甲戌双 宝玉之李嬷，此处偏又写一李（赵）嬷，持（特）犯不犯。先有梨香院一回，今又写此一回，两两遥对，却无一笔相重，一事合掌。（己卯本、庚辰本、蒙府本、戚序本无“今又写此一回”句；己卯本、庚辰本“李嬷”作“李嬷嬷”，戚序本作“李嫫嫫”，蒙府本作“李妈妈”；后一“李嬷”，己卯本、庚辰本、蒙府本作“赵嬷嬷”，戚序本作“赵嫫嫫”；己卯本“特”误作“时”；蒙府本“两两”作“两句”，“却”误作“刬”）

你就另眼照看他们些，别人也不敢呲牙儿的。

庚辰侧 为蔷、蓉作引。

你答应的倒好，到如今还是燥屎。

庚辰侧 有是乎？

他们谁敢说个“不”字儿。

庚辰侧 会送情。

说的满屋里人都笑了。

庚辰侧 可儿，可儿！

若说“内人”“外人”这些混账事，我们爷是没有。

甲戌侧　千真万真是没有，一笑。

庚辰侧　有是语，像极，毕肖，乳母护子！

才刚老爷叫你说什么。

庚辰双　一段赵妪讨情闲文……此是避难法。（已见甲戌本回前总评，此处略）

就为省亲。

甲戌双　二字醒眼之极，却只如此写来。（己卯本、庚辰本、蒙府本、戚序本同）

凤姐忙问道。

甲戌双　"忙"字最要紧，特于阿凤口中出此字，可知是（事）关巨要，是书中正眼矣。（己卯本、庚辰本、蒙府本、戚序本"阿凤"作"凤姐"，"是关"作"事关"；蒙府本、戚序本无"最"字，"巨要"后多"非同浅细"句，"是书中"作"是此书中"）

省亲的事竟准了不成。

甲戌双　问得珍重，可知是万人意外之事。（己卯本、庚辰本、蒙府本、戚序本"万人"作"外方人"；己卯本、庚辰本句末署名"脂研"；蒙府本、戚序本句末多一"也"字）

庚辰眉　"大观园用省亲事出题……"（已见于甲戌本回前总评，此处略）

虽不十分准，也有八分准了。

甲戌双　如此故顿一笔，更妙！见得事关重大，非一语可了者；亦是大篇文章，抑扬顿挫之至！（己卯本、庚辰本、蒙府本、戚序本"之至"作"之致"；己卯本、庚辰本"抑"误作"柳"）

古时从来未有的。

甲戌双　于闺阁中作此语，直与《击壤》同声。（己卯本、庚辰本句末署名"脂研"；蒙府本、戚序本"脂研"改作

"者也"）

如今又说省亲，到底是怎么个原故？

甲戌眉　赵嬷一问，是文章家进一步门庭法则。

甲戌侧　补近日之事，启下回之文。（己卯本、庚辰本、蒙府本、戚序本句末脱"文"字；戚序本"启"作"起"）

大观园一篇大文，千头万绪，从何处写起？今故用贾琏夫妻问答之间闲闲叙出，观者已省大半。后再用蓉蔷二人重一缮（渲）染，便省却多少癥（赘）瘤笔墨。此是避难法。（庚辰侧、蒙府本、戚序本"已省"作"已又醒"；蒙府本、戚序本与上批合二为一；戚序本"缮"作"渲"）

庚辰眉　自政老生日，用降旨截住；贾母等进朝如此热闹，用秦业死岔开；只写几个"如何"，将泼天喜事交代完了；紧接黛玉回，琏、凤闲话，以老妪勾出省亲事来。其千头万绪，合笋（榫）贯连，无一毫痕迹。如此等是书多多，不能枚举。想兄在青硬（埂）峰上经煅炼后，参透重关至恒河沙数。如否，余曰万不能有此机括，有此笔力。恨不得面问果否，叹叹！　丁亥春，畸笏叟。

又有吴贵妃的父亲吴天佑家，也往城外踏看地方去了。

甲戌侧　又一样布置。（己卯本、庚辰本、蒙府本、戚序本同）

咱们家也要预备接咱们大小姐了。

庚辰侧　文忠公之嬷。

这何用说呢？不然这会子忙的是什么。

甲戌侧　一段闲谈中补出多少文章，真是费长房壶中天地也。（己卯本、庚辰本、蒙府本、戚序本"补出"作"补明"；庚辰本脱"房"字；蒙府本、戚序本无"闲谈中"的"中"；戚宁本"真是"误作"直是"）

也不薄我没见世面了。

甲戌侧 忽接入此句，不知何意？似属无谓。（己卯本、庚辰本、蒙府本、戚序本"谓"作"味"）

当年太祖皇帝访（仿）舜巡的故事，比一部书还热闹。

庚辰侧 既知舜巡而又说"热闹"，此妇人女子口头也。

我偏没造化赶上。

庚辰侧 不用忙，往后看。

只预备接驾一次。

庚辰侧 又要瞒人。

"把银子都花的淌海水似的，说起来……"凤姐忙接道。

甲戌侧 又截得好。

"忙"字妙。上文"说起来"必未完，粗心看去则说疑阙，殊不知正传神处。（己卯本、庚辰本脱"完"字；蒙府本、戚序本"必未完"作"必是"）

凡有的外国人来，都是我们家养活。

甲戌侧 点出阿凤所有外国奇玩等物。（己卯本、庚辰本、蒙府本、戚序本同）

如今还有个口号儿呢，说"东海少了白玉床，龙王来请江南王"。

庚辰侧 〔照〕应前葫芦案。

梦觉双 照应葫芦案前文。

还有如今现在江南的甄家。

甲戌侧 甄家正是大关键、大节目，勿作泛泛口头语看。（己卯本、蒙府本、戚序本同；庚辰本"目"误作"且"）

嗳哟哟，好势派。

庚辰侧 口气如闻。

独他家接驾四次。

庚辰侧 点正题正文。

别讲银子成了土泥。

174

庚辰侧 极力一写，非夸也，可想而知。

"罪过可惜"四个字竟顾不得了。

庚辰侧 真有是事，经过见过。

我常听见我们太爷们也这样说，岂有不信的。

庚辰侧 对证。

也不过是拿着皇帝家的银子往皇帝身上使罢了。

甲戌侧 是不忘本之言。（庚辰侧同）

谁家有那些钱买这个虚热闹去。

甲戌侧 最要紧语。人若（苦）不自知。能作是语者，吾未尝见。（己卯本、庚辰本、蒙府本、戚序本"若不"作"苦不"）

漱口要走。

庚辰侧 好顿挫。

老爷们已经议定了，从东边一带借着东府里花园起转至北边。

庚辰侧 简净之至！ 园基乃一部之主，必当如此写清。（蒙府侧"清"作"法"）

已经传人画图样去了。

庚辰侧 〔为〕后一图伏线。大观园系玉兄与十二钗之太虚玄（幻）境，岂不（可）草索（率）？

不用过我们那边去。

庚辰侧 应前贾琏口中。

贾蓉忙应几个"是"。

庚辰侧 园已定矣。（蒙府侧同）

贾蔷又近前回说："下姑苏割聘教习，采买女孩子，置办乐器、行头等事……。"

庚辰侧 "画蔷"一回伏线。 凡各物事，工价重大，兼伏隐着"情"字者，莫如此件。故园定后便先写此一件，

175

余便不必细写矣。（蒙府侧起于"凡各物事"句，脱"莫如"的"莫"字，无"便"字）

将贾蔷打谅了打谅。

庚辰侧 有神。

你能在这一行么。

庚辰侧 勾下文。

里头大有藏掖的。

甲戌侧 射利人微露心迹。

庚辰侧 射利语，可叹，是亲侄。

赖爷爷说。

甲戌侧 此等称呼令人酸鼻。

庚辰侧 好称呼。

"这个主意好"一段。

庚辰眉 《石头记》中多作心传神会之文，不必道明；一道明白，便入庸俗之套。

凤姐便向贾蔷道。

甲戌侧 再不略让一步，正是阿凤一生短处。（己卯本、庚辰本"短"作"断"，句末署名"脂砚"；蒙府本、戚序本作"绝断"）

正要和婶子讨两个人呢。

甲戌侧 写贾蔷乖处。（己卯本、庚辰本句末署名"脂研"；蒙府本、戚序本"脂研"改作"如见"）

彼时赵嬷嬷已听呆了话，平儿忙笑推他，他才醒悟过来。

蒙府侧 真是强将手下无弱兵，至精至细。

"贾蓉忙赶出来，又悄悄的向凤姐道"一段。

庚辰眉 从头至尾细看阿凤之待蓉、蔷，可为（谓）一体壹（一）党，然尚作如此语欺蓉，其待他人可知矣。

凤姐笑道："放你娘的屁。"

176

庚辰侧 有神。

我的东西还没处撂呢。

庚辰侧 像极！的是阿凤。

说着一径去了。

甲戌侧 阿凤欺人处如此。 忽又写到利弊，真令人一叹。（己卯本、庚辰本"叹"后署名"脂砚"；蒙府本、戚序本"叹"后多一"也"；庚辰本、蒙府本、戚序本两评连写）

我短了什么，少不得写信去告诉你。

庚辰侧 又作此语，不犯阿凤。（蒙府侧同）

凤姐至三更时分方下来安歇。

庚辰侧 好文章，一句内隐两处若许事情。

然这小巷亦系私地。

甲戌侧 补明，使观者如身临足到。（庚辰侧同；蒙府侧"使"作"如（为）使"，"到"作"踏"）

会芳园本是从北〔拐〕角墙下引来一股活水，今亦无烦再引。

甲戌侧 园中诸景最要紧是水，亦必写明方妙。（庚辰侧、蒙府侧同）

余最鄙近之修造园亭者，徒以顽石土堆为佳，不知引泉一道。甚至丹青，惟知乱作山石树木，不知画泉之法，亦是恨事。（庚辰侧脱"不知引泉"的"知"，"惟"作"唯"，句末署名"脂砚斋"；蒙府侧脱"为佳"的"佳"；庚辰本、蒙府本"恨"讹作"误"）

全亏一个老明公号山子野者。

甲戌侧 妙号，随事生名。（己卯本、庚辰本、蒙府本、戚序本同）

贾政不惯于俗务。

庚辰侧 这也〔是〕少不得的一节文字，省下笔来好作别样。

贾政不来问他的书。

庚辰侧 一笔不漏。

无奈秦钟之病一日重似一日。

甲戌眉 偏于大热闹处写〔出〕大不得意之文，却无丝毫摔（牵）强，且有许多令人笑不了，哭不〔了〕，叹不了，悔不了，惟以大白酬我作者。（庚辰眉"大热闹"作"极热闹"，"写"作"写出"，"摔"作"缚"，"哭不"作"哭不了"，"惟"作"唯"，句末署"壬午季春，畸笏"）

也着实悬心，不能乐业。

甲戌侧 "天下本无事，庸人自扰之"，世上人各各如此，又非此情（秦）钟意功（切）。（己卯本、庚辰本"各各"作"个个"；蒙府本、戚序本"个个"作"個個"，"情钟"作"秦钟"；己卯本、庚辰本、蒙府本、戚序本"意功"作"意切"）

茗烟道："秦相公不中用了。"

甲戌侧 从茗烟口中写出，省却多少闲文。（己卯本、蒙府本、戚序本同；庚辰本"闲"误作"间"）

我昨儿才瞧了他来了。

庚辰侧 点常去。

车犹未备。

甲戌侧 顿一笔方不板。（己卯本、庚辰本、蒙府本、戚序本同）

至秦钟门首，悄无一人。

甲戌侧 目睹萧条景况。（己卯本、庚辰本、蒙府本、戚序本同）

唬的秦钟的两个远房婶子并几个弟兄都藏之不迭。

甲戌侧 妙！这婶母兄弟是特来等分绝户家私的，不表可

178

知。（己卯本、庚辰本、蒙府本、戚序本"兄弟"作"弟兄"）

移床易簀多时矣。

甲戌侧　余亦欲哭。（己卯本、庚辰本、蒙府本、戚序本"哭"作"泣"）

秦相公是弱症，未免炕上挺扛（杠）的骨头不受用。

庚辰侧　李贵亦能道此等语。

正见许多鬼判持牌提索来捉他。

甲戌双　看至此一句，令人失望，再看至后面数语，方知作者故意借世俗愚谈愚论设譬，喝醒天下迷人，翻成千古未见之奇文奇笔。（己卯本、蒙府本、戚序本同；庚辰本脱"愚论"的"愚"）

庚辰眉　《石头记》一部〔书〕中，皆是近情近理必有之事，必有之言；又如此等荒唐不经之谈间亦有之，是作者故意游戏之笔耶？以破色取笑，非如别书认真说鬼话也。

又记念着家中无人掌管家务。

甲戌侧　扯淡之极，令人发一大笑。　余谓诸公莫笑，且请再思。（己卯本"令"误作"今"；己卯本、庚辰本、蒙府本、戚序本"谓"作"请"）

又记挂着父母还有留积下的三四千两银子。

甲戌双　更属可笑，更可痛哭。（己卯本、庚辰本、戚序本同；蒙府本"属"作"为"）

又记挂着智能尚无下落。

甲戌双　忽从死人心中补出活人原由，更奇更奇！（己卯本、庚辰本、蒙府本、戚序本同）

亏你还是读过书的人。

庚辰眉　可想鬼不读书，信已（矣）哉！

不比你们阳间瞻情顾意。

庚辰侧 写杀了！

如今只等他请出个运旺时盛的人来才罢。

甲戌双 如闻其声。试问谁曾见都判来，观此则又见一都判跳出来。调侃世情固深，然游戏笔墨一至于此，真可压倒古今小说。 这才算是小说。（己卯本、庚辰本、戚序本同；蒙府本"都判跳出"的"都"误作"部"；己卯本、庚辰本两评连写）

原来见不得"宝玉"二字。

甲戌侧 调侃"宝玉"二字，极妙。（己卯本、庚辰本、蒙府本、戚序本"极妙"作"妙极"；己卯本、庚辰本句末署作"脂研"；蒙府本、戚序本"脂研"改作"确极"）

甲戌眉 世人见宝玉而不动心者为谁？（庚辰眉同）

怕他也无益于我们。

甲戌侧 神鬼也讲有益无益。（己卯本、庚辰本、蒙府本、戚序本同）

列藏本 此章无非笑趋势之人。（本混入正文，后括出，并加一小字"注"；舒序本亦作正文。非脂批）

阴阳并无二理。

庚辰双 更妙！愈不通愈妙，〔愈〕错会意愈奇。 脂研。（己卯本、蒙府本、戚序本"错"前有一"愈"字；己卯本署名"脂砚"；戚序本"脂研"改作"却董（懂）窍"，蒙府本误作"却董穷"）

别管他阴也罢，阳也罢。

庚辰侧 名曰"捣鬼"。

怎么不肯早来，再迟一步也不能见了。

庚辰侧 千言万语，只此一句。

有什么话留下两句。

庚辰双 只此句便足矣。（己卯本、蒙府本、戚序本同）

我今日才知自误了。

庚辰双　谁不悔迟。（己卯本、蒙府本、戚序本同）

以后还该立志功名，以荣耀显达为是。

庚辰侧　此刻无此二语，亦非玉兄之知己。

"乃勉强叹道"一段。

庚辰眉　观者至此，必料秦钟另有异样奇语，然却只以此二语为嘱。试思若不如此为嘱，不但不近人情，亦且太露穿凿。读此则知全是悔迟之恨。

长叹一声，萧然长逝了。

庚辰双　若是细述一番，则不成《石头记》之文矣。（己卯本、蒙府本、戚序本同）

第十七回　大观园试才题对额
至十八回　荣国府归省庆元宵

回前总批

庚辰本（回前批语页）　此回宜分二回方妥。（己卯本同）

宝玉系诸艳之贯（冠），故大观园对额必得玉兄题跋，且暂题灯匾联上，再请赐题。此千妥万当之章法。（己卯本同；蒙府本、戚序本"贯"作"冠"）

诗曰　豪华虽足羡，离别却难堪。博得虚名在，谁人识苦甘。（己卯本同；蒙府本、戚序本无"诗曰"；列藏本作回前标题诗）

庚辰双　好诗，全是讽刺。　近之谚云："又要马儿好（跑），又要马儿不吃草"，真骂尽无厌贪痴之辈。（己卯本同；戚序本"骂尽"作"写尽"；蒙府本脱"马儿好"的"好"字）

然亦无可如何了。

庚辰双　每于此等文后，便用此语作结，是扳（板）定大章法，亦是此书大旨。（己卯本同；蒙府本、戚序本"扳"作"板"）

又不知历几何时。

庚辰双　年表如此写，亦妙！（己卯本、蒙府本、戚序本同）

庚辰侧 惯用此等章法。（蒙府侧同）

然后将雨村请来，令他再拟。

庚辰双 点雨村，照应前文。（己卯本、蒙府本、戚序本同）

我自幼于花鸟山水题咏上就平平。

庚辰侧 是纱帽头口气。

"贾政笑道：你们不知"一段。

庚辰眉 政老"情"字如此写。 壬午季春，畸笏。

大家去逛逛。

庚辰双 音"光"字，去声，出《偕（谐）声字笺》。（己卯本、蒙府本；戚序本"偕"作"谐"）

贾母长（常）命人带到园中来戏耍。

庚辰侧 现成笋（榫）楔，一丝不费力。若特唤出保（宝）玉来，则成何文字？（蒙府侧"保"作"宝"）

宝玉听了，带着奶娘小厮们一溜烟就出园来。

庚辰侧 不肖子弟来看形容。余初看之，不觉怒焉，盖谓作者形容余幼年往事。因思彼亦自写其照，何独余哉？信笔书之，供诸大众同一发笑。

今日偶然撞见这机会，便命他跟来。

庚辰双 如此偶然方妙，若特特唤来题额，真不成文矣。（己卯本、戚序本同；蒙府本"特特"误作"特待"）

我们先瞧了外面再进去。

庚辰侧 是行家看法。（蒙府侧同）

一色水磨群墙。

庚辰双 门雅，墙雅，不落俗套。（己卯本、蒙府本、戚序本同）

只见迎面一带翠嶂挡在前面。

庚辰双 掩隐，好极。 （庚辰本"隐"后朱笔旁改为

"映"；己卯本、蒙府本作"掩隐的好"；戚序本作"掩映的好"）

往前一望，见白石崚嶒。

庚辰双 想入其中，一时难变（辨）方向。用"前后这边那边"等字，正是不辨东西。（己卯本同；戚序本"想入"作"乍入"，"难变"误作"难辨"；蒙府本"不辨"误作"不辩"）

上面苔藓成斑，藤萝掩映。

庚辰双 曾用两处旧有之园所改，故如此写方可。细极！（己卯本、蒙府本、戚序本同）

其中微露羊肠小径。

庚辰双 好景界，山子野精于此技。 此是小径，非行车辇通道，今贾政原欲游览其景，故指（将）此等处写之。想其通路大道，自是堂堂冠冕气象，无庸细写者也。后于省亲之则（时）已得知矣。 （己卯本"车辇通道"作"车辇道"，"指此"作"将此"；蒙府本、戚序本"省亲之则"作"省亲之时"；蒙府本"技"误作"枝"）

自己扶了宝玉，逶迤进入山口。

庚辰侧 宝玉此刻已料定吉多凶少。

庚辰双 此回乃一部之纲绪，不得不细写，尤不可不细批注。盖后文十二钗书（之）出入来往之境，方不能错乱，观者亦如身临足到矣。今贾政虽进的是正门，却行的是僻路。按此一大园，羊肠鸟道不止几百十条，穿东度西，临山过水，万勿以今日贾政所行之径，老（考）其方向基扯（址）。故正殿反于末后写之，足见未由大道而往，乃逶迤转拆（折）而经也。（己卯本"足到"误作"足对"，"基扯"作"基址"；己卯本、蒙府本、戚序本"转拆"作"转折"；蒙府本、戚序本"错乱"作"错落"，"老其方向基扯"作"考其方向基扯"，

184

"末后"作"末路"；蒙府本"观者"作"睹者"）

抬头忽见山上有镜面白石一块。

庚辰侧 新奇。

正是迎面留题处。

庚辰双 留题处便精，不必限定凿金镂银，一色恶俗，赖及枣梨之力。（己卯本、蒙府本、戚序本同）

宝玉亦料定此意。

庚辰双 补明，好。（己卯本、蒙府本、戚序本同）

编新不如述旧，刻古终胜雕今。

庚辰双 未开（闻）古人说此两句，却又似有者。（己卯本、蒙府本、戚序本"开"作"闻"）

不过是探景一进步耳。

庚辰双 此论却是。（己卯本、戚序本同；蒙府本"论"描改为"语"）

曲折泻于石隙之中。

庚辰双 这水是人力引来做的。（己卯本、蒙府本、戚序本同）

再进数步，渐向北边。

庚辰双 细极！后文所以云进贾母卧房后之角门，是诸钗日相来往之境也。　后文又云，诸钗所居之处，只在西北一带，最近贾母卧室之后，皆从此"北"字而来。（己卯本、蒙府本、戚序本同）

清溪泻雪，石磴穿云。

庚辰双 前已写山至宽处，此则由低处至高处，各景皆遍。（己卯本、蒙府本、戚序本同）

桥上有亭。

庚辰双 前已写山写石，今则写池写楼，各景皆遍。（己卯本、蒙府本、戚序本同）

贾政与诸人上了亭子，倚栏坐了。

庚辰双 此亭大抵四通八达，为诸小径之咽喉要路。（己卯本、蒙府本、戚序本同）

莫若"沁芳"二字。

庚辰侧 真新雅！

庚辰双 果然。（己卯本、蒙府本、戚序本同）

贾政拈髯点头不语。

庚辰眉 六字是严父大露悦容也。　壬午春。

绕堤柳借三篙翠。

庚辰双 要紧，贴切"水"字。（己卯本、蒙府本、戚序本同）

隔岸花分一脉香。

庚辰双 恰极，工极！绮靡秀眉（媚），香奁正体。（己卯本同；蒙府本、戚序本"秀眉"作"秀媚"）

一山一石，一花一木，莫不着意观览。

庚辰双 浑写两句，已见经行处愈远，更至北一路矣。（己卯本、蒙府本、戚序本同）

众人都道："好个所在。"

庚辰侧 此方可为颦儿之居。

只见入门便是曲折游廊。

庚辰双 不犯超手游廊。（己卯本、蒙府本、戚序本同）

这一处还罢了。

庚辰侧 一处。

唬的宝玉忙垂了头。

庚辰双 点一笔。（己卯本、蒙府本、戚序本同）

众客忙用话开释。

庚辰双 客不可不有。（己卯本、蒙府本、戚序本同）

一个道是"淇水遗风"。贾政道："俗。"

186

庚辰双 余亦如此。（己卯本、蒙府本、戚序本同）

贾珍笑道："还是宝兄弟拟一个来。"

庚辰眉 又换一章法。 壬午春。

贾政道："他未曾作，先要议论人家的好歹，可见就是个轻薄人。"

庚辰侧 知子者莫如父。

今日任你狂为乱道。

庚辰眉 于作诗文时，虽政老亦有如此令旨，可知严父亦无可奈何也。不学纨绔来看。 畸笏。

先设议论来，然后方许你作。

庚辰双 又一格式，不然不独死板，且亦大失严父素体。（己卯本脱"不独"的"不"字；蒙府本、戚序本同）

都似不妥。

庚辰双 明知是故意要他搬驳议论，落得肆行施展。（己卯本同；蒙府本、戚序本"搬"作"盘"；戚序本"落"作"乐"）

莫若"有凤来仪"四字。

庚辰双 果然，妙在双关暗合。（己卯本、蒙府本、戚序本同）

宝鼎茶闲烟尚绿。

庚辰双 "尚"字妙极！不必说竹，然恰恰是竹中精舍。（己卯本、戚序本同；蒙府本"恰恰"作"却恰"）

幽窗棋罢指犹凉。

庚辰双 "犹"字妙！"尚绿""犹凉"四字便如置身于森森万竿之中。（己卯本、蒙府本、戚序本同）

忽又想起一事来。

己卯侧 不板。

这些院落房宇并几案桌椅都算有了。

庚辰侧　此一顿少不得。

还有那些帐幔帘子并陈设玩器古董，可也都是一处一处合式配就的。

庚辰双　大篇长文，不如此〔一〕顿则成何话说（说话）。（己卯本、蒙府本同；戚序本"话说"作"说话"）

想必昨日得了一半。

庚辰双　补出近日忙冗，千头万绪景况。（己卯本、蒙府本、戚序本同）

贾琏赶来。

庚辰双　写出忙冗景况。（己卯本、蒙府本、戚序本同）

向靴桶内取靴掖内装的一个纸折略节来。

庚辰双　细极！从头至尾，誓不作一笔逸安（安逸）苟且之笔。（己卯本、蒙府本、戚序本同）

看了一看，回道："妆。"

庚辰双　一字一句。（己卯本、蒙府本、戚序本同）

刻丝弹墨。

庚辰双　二字一句。（己卯本、蒙府本、戚序本同）

一面走一面说。

庚辰双　是极！（己卯本、蒙府本、戚序本同）

倏尔青山斜阻。

庚辰双　"斜"字细，不必拘定方向。诸钗所居之处，若稻香村、潇湘馆、怡红院、秋爽斋、蘅芜苑等，都相隔不远，究竟只在一隅。然处置得巧妙，使人见其千邱万壑，恍然不知所穷，所谓会心处不在乎远。大〔抵〕一山一水，一木一石，全在人之穿插布置耳。（己卯本、蒙府本脱"大抵"的"抵"；戚序本"舘"作"馆"，"苑"作"院"；蒙府本、戚序本"布置耳"作"布置焉耳"；蒙府本"邱"误作"印"）

墙头多用稻茎掩护。

188

庚辰双 配的好。（己卯本同；蒙府本、戚序本"好"作"甚好"）

佳蔬菜花，漫然无际。

庚辰双 阅至此，又笑别部小说中，一万个花园中皆是牡丹亭、芍药圃，雕澜（栏）画栋，琼榭朱楼，略不〔见〕差别。（己卯本同；蒙府本、戚序本"澜"作"栏"，"不差"作"不见差"；戚序本"琼"误作"璂"，"朱"作"珠"）

未免勾引起我归农之意。

庚辰双 极热中偏以冷笔点之，所以为妙。（己卯本、蒙府本、戚序本同）

忽见路旁有一石碣，亦为留题之备。

庚辰侧 真妙，真新！

庚辰双 更恰当！若有悬额之处，或再用镜面石，岂复成文哉？忽想到"石碣"二字，又托出许多郊野气色来，一肚皮千邱万壑，只在这石碣上。（庚辰本"肚"本作"度"，"邱"作"秋"，后墨笔旁改；己卯本"肚"本亦作"度"，后朱笔旁改，"秋"仍之；蒙府本、戚序本"千邱"作"千溪"）

立此一碣，又觉生色许多，非范石湖田家之咏不足以尽其妙。

庚辰侧 赞得是，这个蓑翁有些意思。

庚辰双 客不可不养。（己卯本、蒙府本、戚序本同）

宝玉却等不得了。

庚辰双 又换一格方不板。（己卯本、蒙府本、戚序本同）

也不等贾政的命。

庚辰双 忘情，有趣。（己卯本、蒙府本、戚序本同）

莫若"杏帘在望"。

庚辰双 妙在一"在"字。（己卯本、蒙府本、戚序本同）

宝玉冷笑道。

庚辰双 忘情，最妙。（己卯本、蒙府本、戚序本同）

贾政一声断喝："无知的业障！"

庚辰眉 爱之至，喜之至，故作此语。

作者至此，宁不笑杀！　壬午春。

不及"有凤来仪"多矣。

庚辰双 公然自定名，妙！（己卯本、戚序本同；蒙府本"公"误作"恭"）

命再题一联，若不通，一并打嘴。

庚辰眉 所谓奈何他不得也，呵呵！　畸笏。

新涨绿添浣葛处。

庚辰双 采诗颂圣最恰当。（己卯本无；蒙府本、戚序本同）

好云香护采芹人。

庚辰双 采风采雅都恰当，然冠冕中又不失香奁格调。（己卯本无；蒙府本、戚序本"又不"作"不"；蒙府本"采风采雅"误作"来风来雅"）

入蔷薇院，出芭蕉坞，盘旋曲折。

庚辰双 略用套语一束，与前顾（头）破格，不板。（己卯本同；蒙府本、戚序本"顾"作"顿"）

上则萝薜倒垂，下则落花浮荡。

庚辰双 仍是沁芳溪矣，究竟基址不大，全是曲折掩隐之巧可知。（己卯本"竟"讹作"意"；蒙府本、戚序本"隐"作"映"）

忽见柳阴中又露出一个折带朱栏板桥来。

庚辰双 此处才见一朱粉字样。绿柳红桥，此等点缀亦不

190

可少。后文写芦雪广则曰蜂腰板桥，都施之得宜，非一幅死稿也。（己卯本"后文"作"后又"，"广"作"厂"；戚序本同；蒙府本"后文"倒作"文后"）

度过桥去，诸路可通。

庚辰双 补四字，细极！不然后文宝钗来往，则将日日爬山越岭矣。记请（清）此处，则知后文宝〔玉〕所行常径，非此处也。（己卯本、蒙府本、戚序本"宝所行"作"宝玉所行"；蒙府本、戚序本句末作"者也"；蒙府本"常径"作"常经"）

那大主山所分之脉。

庚辰双 两见大主山。称（稻）香村，又云怀中，不写主山，而主山处处映带连络不断可知矣。（己卯本、蒙府本、戚序本"称"作"稻"）

皆穿墙而过。

庚辰双 好想。（己卯本、蒙府本、戚序本同）

此处这所房子无味的狠。

庚辰双 先故顿此一笔，使后文愈觉生色，未扬先抑之法。盖钗颦对峙，有甚难写者。（己卯本同；蒙府本、戚序本"盖"作"盖以"，句末"者"作"者也"）

并且一株花木也无。

庚辰双 更奇妙！〈侧〉（庚辰本"侧"墨笔圈去；己卯本"侧"朱笔点去；蒙府本、戚序本无"侧"字）

甚至垂檐绕柱，萦砌盘阶。

庚辰双 更妙！（己卯本、蒙府本、戚序本同）

味芬气馥，非花香之可比。

庚辰双 前三处皆还在人意之中，此一处则今古书中未见之工程也。 连用几"或"字，是从昌黎《南山》诗中学得。（己卯本同；蒙府本、戚序本"见之"作"见此"，"是从"

作"从")

贾政不禁道："有趣。"

庚辰双　前有"无味"二字，及云"有趣"二字，更觉生色，更觉重大。（己卯本、蒙府本、戚序本同）

那一种大约是茞兰，这一种大约是清葛；那一种是金蕠草，这一种是玉蕗藤；红的自然是紫芸，绿的定是青芷。

庚辰双　金蕠草见《字汇》。玉蕗见《楚辞》"蕗蕗杂于虇蒸"。茞（茞）、葛、芸、芷皆不必注，见者太多。此书中异物太多，有人生之未闻未见者，然实系所有之物，或名差理同者亦有之。（己卯本"虇"作"虆"，"茞"作"茞"；戚序本"蕠"作"篓"；蒙府本同）

还有石帆、水松、扶留等样。

庚辰双　左太冲《吴都赋》。（己卯本、蒙府本、戚序本同；梦觉本句首多一"见"字，程甲本"见"作"见于"）

还有什么丹椒、蘼芜、风莲。

庚辰双　以上《蜀都赋》。（己卯本、蒙府本、戚序本同；梦觉本"以上"作"见"字，程甲本"见"作"见于"）

渐渐的唤差了也是有的。

庚辰双　自实注一笔，妙！（己卯本、蒙府本、戚序本同）

贾政喝道："谁问你来！"

庚辰双　又一样止法。（己卯本、蒙府本、戚序本同）

此轩中煮茶操琴，亦不必再焚名香矣。

庚辰双　前二处，一日（曰）月下读书，一日（曰）勾引起归农之意，此则操琴煮茶，断语皆妙。（己卯本"一日……一日"误作"一日……一日"，后朱笔改正；蒙府本、戚序本脱"引"字；蒙府本"此则"作"此则曰"）

一庭明月照金兰。

192

庚辰双　此二联皆不过为钓宝玉之饵，不必认真批评。（己卯本、戚序本同；蒙府本"钓"误作"约"）

睡足酴醾梦也香。

庚辰双　实佳。（己卯本、蒙府本、戚序本同）

李太白《凤凰台》之作全套《黄鹤楼》。

庚辰侧　这一位蔑翁更有意思。

这是正殿了。

庚辰双　想来此殿在园之正中。按园不是殿方之基，西北一带通贾母卧室后，可知西北一带是多宽出一带来的，诸钗始便于行也。（己卯本、蒙府本、戚序本同）

虽然贵妃崇节尚俭，天性恶繁悦朴。

庚辰侧　写出贾妃身分天性。

只见正面。

庚辰双　正面，细。（己卯本、蒙府本、戚序本同）

宝玉见了这个所在，心中忽有所动，寻思起来。

庚辰眉　〔一〕路顺顺逆逆，已成十（千）邱万壑之景，若不有此一段大江截住，直成一盆景矣。作者从何落笔着想。

却一时想不起那年月日的事了。

庚辰双　仍归于胡〔葫〕芦一梦之太虚玄境。（己卯本、蒙府本、戚序本同）

贾政心中也怕贾母不放心。

庚辰双　一笔不漏。（己卯本、蒙府本、戚序本同）

原来自进门起，所行至此，才游了十之五六。

庚辰双　总住妙，伏下后文所补等处。若都入此回写完，不独太繁，使后文冷落，亦且非《石头记》之笔。（己卯本同；蒙府本、戚序本"住"误作"注"）

又值人来回，有雨村处遣人回话。

庚辰双　又一紧，故不能终局也。　　此处渐渐写雨村亲

193

切，正为后文地步，伏脉千里。横云断岭法。（己卯本同；蒙府本、戚序本二评连写）

原来这桥便是通外河之闸，引泉而入者。

庚辰双 写出水源，要紧之极！近之画家着意于山，若（苦）不讲水。又造园圃者，惟知弄莽憨顽石，壅体（笨）冢，辄谓之景，皆不知水为先着。此园大概一描，处处未尝离水，盖又未写明水之从来，今终补出，精细之至！（己卯本同；蒙府本、戚序本"若"作"苦"，"从来"作"从何来"；戚序本"体"作"笨"，"今终"作"今总"；蒙府本"着"作"著"）

就名"沁芳闸"。

庚辰双 究竟只一脉，赖人力引导之功。园不易造，景非泛写。（己卯本同；蒙府本、戚序本脱"引导"之"引"，句末多一"也"字）

偏不用"沁芳"二字。

庚辰双 此以下皆系文终之余波，收的方不突〔然〕。（己卯本、蒙府本、戚序本同）

贾政皆不及进去。

庚辰双 伏下栊翠庵、芦雪广、凸碧山庄、凹晶溪馆、暖香坞等诸处，于后文一断（段）一断（段）补之，方得云龙作雨之势。（己卯本同；戚序本"栊翠庵"作"龙罩庵"，"一断一断"作"逐段逐段"；蒙府本"栊翠庵"作"栊罩庵"）

忽又见前面又露出一所院落来。

庚辰眉 词（问）卿此居，比大荒山若何？

说着，一径引人绕着碧桃花。

庚辰双 怡红院如此写来，用无意之笔，却是极精细文字。（己卯本、蒙府本、戚序本同）

194

穿过一层竹篱花障编就的月洞门。

庚辰双 未写其居，先写其境。（己卯本、蒙府本、戚序本同）

俄见粉墙环护，绿柳周垂。

庚辰双 与万竿修竹遥映。（己卯本、蒙府本、戚序本同）

这叫作"女儿棠"。

庚辰双 妙名。（己卯本、蒙府本、戚序本同）

乃是外国之种，俗传系出女儿国中。

庚辰侧 出自政老口中，奇特之至！

亦荒唐不经之说罢了。

庚辰侧 政老应如此语。

以此花之色红晕若施脂，轻弱似扶病。

庚辰眉 十字若海棠有知，必深深谢之。

庚辰双 体贴的切，故形容的妙。（己卯本、蒙府本、戚序本同）

以俗传俗，以讹传讹，都认真了。

庚辰双 不独此花，近之谬传者不少，不能悉道，只借此花数语驳尽。（己卯本、蒙府本、戚序本同）

一面说话，一面都在廊外抱厦下打就的榻上坐了。

庚辰双 至阶又至檐，不肯轻易写过。（己卯本同；蒙府本、戚序本"易"误作"意"）

只见这几间房内收拾的与别处不同，竟分不出间隔来。

庚辰侧 特为青埂（埂）峰下凄凉与别处不同耳。

庚辰双 新奇希见之式。（己卯本同；蒙府本、戚序本"式"作"法式"；蒙府本"希"作"稀"）

或流云百蝠，或岁寒三友，或山水人物，或翎毛花卉，或集锦，或博古。

庚辰双　花样周全之极！然必用下文者，正是作者无聊，撰出新异笔墨，使观者眼目一新。所谓集小说之大成，游戏笔墨，雕虫之校（技），无所不备，可谓善戏者矣，又供诸人同同一戏，妙极！（己卯本"撰"误作"换"；己卯本、蒙府本、戚序本"校"作"技"；蒙府本、戚序本脱"善戏者矣"的"者矣"，"同同"误作"同学"，"妙极"作"洵为妙极"；戚序本"使观者"作"使人"；蒙府本"撰出"误作"摸出"）

　　或卍圙卍圝。

　　庚辰双　前金玉篆文，是可考正篆；今则从俗花样，真是醒睡魔。其中诗词雅谜以及各种风俗学文（问），一概不必究，只据此等处，便是一绝。（己卯本、蒙府本同；戚序本"雅"误作"哑"）

　　五彩销金嵌宝的。

　　庚辰双　至此方见一朱彩之处，亦必如此式方可。可笑近之园庭，行动便以粉油从事。（己卯本同；蒙府本、戚序本"庭"作"亭"）

　　倏尔彩绫轻覆，竟系幽户。

　　庚辰双　精工之极！（己卯本、蒙府本、戚序本同）

　　诸如琴、剑、悬瓶。

　　庚辰双　悬于壁上之瓶也。（己卯本、蒙府本、戚序本同）

　　却都是与壁相平的。

　　庚辰双　皆系人意想不到，目所未见之文。若云拟编虚想出来，焉能如此？　一段极清极细，后文鸳鸯瓶、紫玛瑙碟、西洋酒令、自行船等文，不必细表。（己卯本同；蒙府本、戚序本"等文"作"等处"）

　　好精致想头，难为怎么想来。

　　庚辰双　谁不如此赞？　（己卯本、蒙府本同；戚序本

196

"如"误作"知")

　　及转过镜去。

　　庚辰侧　石兄迷否？

　　一发见门子多了。

　　庚辰侧　所谓投投（头头）是道是也。

　　果得一门出去。

　　庚辰侧　此方便门也。

　　则见清溪前阻。

　　庚辰双　又写水。（己卯本、蒙府本、戚序本同）

　　共总流到一处，仍旧合在一起。

　　庚辰侧　于怡红〔院〕总一园之看（水），是书中大立意。

　　直由山脚边忽一转，便是平坦宽阔大路。

　　庚辰侧　众善归缘，自然有平坦大道。

　　豁然大门前见。

　　庚辰双　可见前进来是小路曲〔径〕，此云忽一转，便是平坦宽阔之正甬路也，细极！（己卯本同；蒙府本、戚序本"曲"作"径"；蒙府本"坦"误作"垣"）

　　众人都道："有趣，有趣！真搜神夺巧之至。"

　　庚辰眉　以上可当《大观园记》。

　　难道还逛不足。

　　庚辰侧　冤哉，冤哉！

　　老太太必悬挂着，快进去，疼你也白疼了。

　　庚辰双　如此去法，大家严父风范，无家法者不知。（己卯本、蒙府本、戚序本同）

　　都亏我们回说喜欢。

　　庚辰侧　下人口气，毕肖。

　　谁没见那一吊钱。

　　庚辰侧　钱亦有没用处。

一个抱了起来，几个围绕送至贾母二门前。

庚辰侧 好收煞。

少时袭人倒了茶来，见身边佩物一件无存。

庚辰侧 袭人在玉兄一身，无时不照察到。

我给的荷包也给他们了。

庚辰侧 又起楼阁。

林黛玉见他如此珍重，带在里边。

庚辰双 按理论之，则是"天下本无事，庸人自扰之"。若以儿女子之情论之，则事（是）必有之事，必有之理，又系今古小说中不能写到写得，谈情者亦不能说出讲出，（真）情痴之至文也！（己卯本在"女子"间补一"女"，"则事"之"事"朱笔点去，旁改为"是"；蒙府本、戚序本"儿女子"作"儿女女子"，"则事"作"则是"，脱"必有之理"句；戚序本无"写得"、"讲出"四字，"情痴"作"真情痴"）

因此又自悔莽撞，未见皂白，就剪了香袋。

庚辰双 情痴之至！若无此悔，便是一庸俗小性之女子矣。（己卯本同；蒙府本、戚序本无"一"字）

说着，掷向他怀中便走。

庚辰双 这却难怪。（己卯本、蒙府本、戚序本同）

越发气起来，声咽气堵，又汪汪的滚下泪来。

庚辰双 怒之极，正是情之极。（己卯本同；蒙府本、戚序本"怒"作"怨"）

好妹妹，饶了他罢。

庚辰双 这方是宝玉。（己卯本、蒙府本、戚序本同）

一面说，一面二人出房，到王夫人上房中去了。

庚辰双 一段点过〔近〕日二玉公案，断不可少。（己卯本同；蒙府本、戚序本无"日"、"断"二字）

198

此时王夫人那边热闹非常。

庚辰双 四字特补近日千忙万冗，多少花团锦簇文字。（己卯本、蒙府本、戚序本同）

如今皆已皤然老妪了。

庚辰双 又补出当日宁、荣在世之事，所谓此是末世之时也。（己卯本同；蒙府本、戚序本"之时"误作"之事"）

就令贾蔷总理其日用出入银钱等事以及诸凡大小所需之物料账目。

庚辰双 补出女戏一段，又伏一案。（己卯本、蒙府本、戚序本同）

今年才十八岁，法名妙玉。

庚辰眉 妙玉世外人也，故笔笔带写，妙极，妥极！ 畸笏。（靖墨眉同）

庚辰双 妙卿出现。至此细数十二钗，以贾家四艳，再加薛、林二冠有六，去秦可卿有七，再凤有八，李纨有九，今又加妙玉，仅得十人矣。后有史湘云与熙凤之女巧姐儿者，共十二人。雪芹题曰"金陵十二钗"，盖本宗《红楼梦十二曲》之义。后宝琴、岫烟、李纹、李绮皆陪客也，《红楼梦》中所谓副十二钗是也。又有又副删（册）三断（段）词，乃情（晴）雯、袭人、香菱三人而已，余未多及，想为金玔（钏）、玉玔（钏）、鸳鸯、苗云（茜雪）、平儿等人无疑矣。观者不待言可知，故不必多费笔墨。（己卯本"情雯"作"晴雯"；蒙府本、戚序本"去秦可卿"作"添秦可卿"；戚序本"再凤"，作"熙凤"，"又副删三断"作"又副册三段"，"情雯"作"晴雯"，"苗云"作"素云"；蒙府本"又加"作"又得"，"仅得"始作"粮得"，后旁改为"已得"，"十二曲之义"作"十二曲之意"，"又副删"作"又副册"）

庚辰眉 树（前）处引十二钗，总未的确，皆系漫拟也。

至末回"警幻情榜"，方知正、副、再副、及三、四副芳讳。

壬午季春，畸笏。（靖墨眉"树处引"作"前须"，"皆系漫拟"作"皆是慢终"，"末回"误作"来回"，"方知"作"始知"，"再副"作"又副"，有纪年，无署名）

去岁随了师父上来。

庚辰双 因此方使妙卿入都。（己卯本、蒙府本、戚序本同）

侯门公府，必以贵势压人，我再不去的。

庚辰双 补出妙卿身世不凡，心性高洁。（己卯本"洁"本误为"深"，后朱笔旁改为"洁"；戚序本"身世"作"身分"；蒙府本同）

后话暂且搁过，此时不能表白。

庚辰双 补尼道一段，又伏一案。（己卯本、蒙府本、戚序本同）

己卯朱眉 "不能表白"后是第十八回的起头。（此条是武裕庵的笔迹，据程高本）

贾政方略心意宽畅。

庚辰双 好极！可见智者居心，无一时驰（弛）怠。（己卯本、蒙府本同；戚序本"驰"作"弛"）

于是贾政方择日题本。

庚辰双 至此方完大观园工程公案。观者则为大观园废（费）尽精神，余则为若许笔墨，却只因一个葬花冢。（己卯本同，戚序本"废"作"费"，"若许"作"此"；蒙府本"若许"作"若"）

年也不曾好生过的。

庚辰双 一语带过。是以"岁首祭宗祀（祠），元宵开家宴"一回，留在后文细写。（己卯本同；蒙府本、戚序本无"一回"二字；蒙府本"宵"误作"霄"）

200

金银焕彩，珠宝争辉。

庚辰双 是元宵之夕。不写灯月，而灯光月色满纸矣。（己卯本、戚序本同；蒙府本"宵"误作"霄"）

鼎焚百合之香，瓶插长春之蕊。

庚辰双 抵一篇大赋。（己卯本同；戚序本"大赋"作"灯赋"，蒙府本作"文赋"）

静悄无人咳嗽。

庚辰双 有此句方足。（己卯本、蒙府本、戚序本同）

忽一太监坐大马而来。

庚辰双 有是礼。（己卯本、蒙府本、戚序本同）

未正二刻，还到宝灵宫拜佛。

庚辰双 暗贴王夫人，细。（己卯本、蒙府本、戚序本同）

凤姐听了，道："既这么着，老太太、太太且请回房。"

庚辰侧 自然当家人先说话。

忽听外边马跑之声。

庚辰双 净（静）极，故闻之，细极！（己卯本、蒙府本同；戚序本"净"作"静"）

一时，有十来个太监都喘吁吁跑来拍手儿。

庚辰双 画出内家风范。《石头记》最难之处，别书中摸不着。（己卯本同；蒙府本、戚序本"画出"前多"神异"二字）

这些太监会意，都知道是来了。

庚辰侧 雅（难）得他〔写〕的出，是经过之人也。

忽见一对红衣太监骑马缓缓的走来。

庚辰双 形容毕省（肖）。（己卯本"省"朱笔旁改为"肖"；蒙府本、戚序本"省"作"肖"）

便垂手面西站住。

庚辰双　形容毕肖。（己卯本、蒙府本、戚序本同）

贾母等连忙路旁跪下。

庚辰侧　一丝不乱。

只见院内各色花灯烂灼。

庚辰侧　元春月（目）中。

"此时自己回想当初在大荒山中青埂峰下"一段。

庚辰眉　如此繁华盛极花围（团）锦簇之文，忽用石兄自语截住，是何笔力，令人安得不拍案叫绝？是（试）阅历来诸小说中有如此章法乎？

按：《梦觉本》"此时自己回想……所以倒是省了这功夫纸墨。"一段正文误窜为批语，文与己卯本、庚辰本、蒙府本、戚序本、列藏本小异。

且说正经的为是。

庚辰双　自"此时"以下，皆石头之语，真是千奇百怪之文。（己卯本、蒙府本、戚序本同）

何今日认真用此匾联。

庚辰眉　驳得好。

竟用小儿一戏之辞苟且搪塞。

庚辰眉　《石头记》贯（惯）用特犯不犯之笔，〔读之〕真令人惊心骇目〈读之〉。（按：《梦觉本》"按此四字"至"将原委说明大家方知"一段正文窜为批语，文与己卯本、庚辰本、蒙府本、戚序本、列藏本小异）

诸公不知，待蠢物。

庚辰双　石兄自谦，妙！可代答云："岂敢"。（己卯本、蒙府本、戚序本同）

那宝玉未入学堂之先，三四岁时已得贾妃手引口传，教授了几本书、数千字在腹内了。

庚辰侧　批书人领至（过）此教，故批至此，竟放声大

202

哭。俺先姊先（仙）逝太早，不然，余何得为废人耶？

然想来倒不如这本家风味有趣。

庚辰侧 转得好。

亦或不负其素日切望之意。

庚辰侧 有是论。

庚辰双 一驳一解，跌岩（宕）摇曳之至。且写得父母兄弟体贴恋爱之情淋漓痛切，真是天伦至情。（己卯本同；蒙府本、戚序本"岩"作"宕"）

那日虽未曾题完，后来亦曾补拟。

庚辰双 一句补前文之不暇，启〔后〕文之苗裔，至后文凹晶〔溪〕馆黛玉口中又一补。所谓一击空谷，八方皆应。（己卯本"启后文"之"后"为朱笔旁补；戚序本"启文之"作"起后文"，"凹晶馆"作"凹晶溪馆"；蒙府本"启文之"作"启后文"，"凹"误作"四"）

贾政听了，即忙移换。

庚辰双 每（换）的周到可悦。（己卯本、蒙府本同；戚序本"每"作"换"）

石牌坊上明显"天仙宝镜（境）"四字。

庚辰双 不得不用俗。（己卯本、蒙府本、戚序本同）

贾妃忙命换"省亲别墅"四字。

庚辰双 妙！是特留此四字与彼自命。（己卯本、蒙府本、戚序本同）

但见庭燎烧空。

庚辰双 "庭燎"最恰。（己卯本、蒙府本同；戚序本"恰"作"确"）

又有太监引荣国太君及女眷等自东阶升月台上排班。

庚辰双 一丝不乱，精致大方，有如欧阳公九九。（己卯本、蒙府本、戚序本同）

三个人满心里皆有许多话，只是俱说不出，只管呜咽对泣。

庚辰眉 非经历过，如何写得出？　壬午春。

庚辰双 《石头记》得力擅长，全是此等地方。（己卯本、蒙府本、戚序本同）

说到这句，不禁又哽咽起来。

庚辰双 追魂摄魄。《石头记》传神摸（摹）影，全在此等地方，他书中不得有此见识。（己卯本、蒙府本、戚序本同）

邢夫人等忙上来解劝。

庚辰双 说完不可，不先说不可，说之不痛不可，最难说者，是此时贾妃口中之语。只如此一说，万（方）千贴万妥，一字不可更改，一字不可增减，入情入神（理）之至。（己卯本同；蒙府本、戚序本"入神"作"入理"；戚序本"万千贴万妥"作"方千妥万贴"；蒙府本"说完"误作"挽完"，"万"作"方"）

外眷无职，未敢擅入。

庚辰双 所谓诗书世家，守礼如此。偏是暴发，骄妄自大。（己卯本、戚序本同；蒙府本"守"误作"字"）

贾妃听了，忙命快请。

庚辰双 又谦之如此，真是好（妃）界好人物。（己卯本前一"好"点去，"世"为朱笔旁补，蒙府本、戚序本"好界"作"世界"。改"好"作"妃"，从邓遂夫说）

又有贾妃原带进宫去的丫环抱琴等。

庚辰双 前所谓贾家四钗之环，暗以琴、棋、书、画排行，至此始全。（己卯本同；戚序本"妤"误作"外"；蒙府本"之环"作"之丫环"）

深叙些别离情景。

庚辰双 "深"字妙！（己卯本、蒙府本、戚序本同）

岂意得征凤鸾之瑞。

庚辰侧 此语犹在耳。

因问："宝玉为何不进见？"

庚辰双 至此方出宝玉。（己卯本、蒙府本、戚序本同）

元妃命他进前，携手拦于怀内，又抚其头颈笑道。

庚辰侧 作书人将批书人哭坏了。

一语未终，泪如雨下。

庚辰双 只此一句，便补足前面许多文字。（己卯本同；蒙府本、戚序本"面"作"回"）

天地启宏慈，赤子苍头同感戴；古人（今）垂旷典，九州万国被恩荣。（此一匾一联书于正殿）

庚辰双 是贾妃口气。（己卯本、蒙府本、戚序本同）

更有"蓼风轩"、"藕香榭"。

庚辰双 雅而新。（己卯本、蒙府本、戚序本同）

此时悉难全记。

庚辰双 故意留下秋爽斋、凸碧山堂（庄）、凹晶溪馆、暖香坞等处，为后文另换眼目之地步。（己卯本、蒙府本同；戚序本"山堂"作"山庄"）

芳园应锡大观名。

庚辰双 诗却平平，盖彼不长于此也，故只如此。（己卯本同）

然自忖亦难与薛、林争衡。

庚辰双 口（只）一语，便写出宝、黛二人，又写出探卿知己知彼，伏下后文多少地步。（己卯本、蒙府本、戚序本"口"作"只"；蒙府本、戚序本"地步"误作"地方"）

李纨也勉强凑成一律。

庚辰双 不表薛、林可知。（己卯本、蒙府本、戚序本

同）

景夺文章造化功。

庚辰双 更牵强。三首之中还算探卿略有作意，故后文写出许多意外妙文。（己卯本同；蒙府本、戚序本"更"作"便"，"后文"作"后又"）

风流文采胜蓬莱。

庚辰双 超（起）妙（好）。（己卯本、戚序本作"起好"；蒙府本作"起妙"）

红衬湘裙舞落梅。

庚辰双 凑成。（己卯本、蒙府本、戚序本同）

未许凡人到此来。

庚辰双 此四诗列于前，正为瀚托下韵也。（己卯本、蒙府本、戚序本同）

凝晖钟瑞。

庚辰双 便有含蓄。（己卯本同）

修篁时待凤来仪。

庚辰双 恰极！（己卯本、蒙府本同；戚序本"恰"作"确"）

自惭何敢再为辞。

庚辰双 好诗。此不过颂圣应酬（制）耳，犹未见长，以后渐知。（己卯本同；戚序本"应酬"作"应制"，蒙府本误作"应训"；蒙府本、戚序本"见长"作"见他长处"）

世外仙源。

庚辰双 落思（想）便不与人同。（己卯本、蒙府本、戚序本"落思"作"落想"）

借得山川秀，添来景物新。

庚辰双 所谓"信手拈来无不是"。 阿颦自是一种心思。（己卯本、蒙府本、戚序本同）

206

何幸邀恩宠，宫车过往频。

庚辰双 末二首是应制诗。 余谓宝、林此作未见长，何也？盖后文别有惊人之句也。在宝卿有（平）生不屑为此，在黛卿实不足一为。（己卯本、蒙府本同；戚序本"宝林"作"宝黛"）

原来林黛玉安心今夜大展奇才，将众人压倒。

庚辰双 这却何必，然尤物方如此。（己卯本、蒙府本、戚序本同）

只胡乱作一首五言律应景罢了。

庚辰双 请看前诗，却云是胡乱应景。（己卯本、蒙府本、戚序本同）

急忙回身悄推他道："他。"

庚辰双 此"他"字指贾妃。（己卯本、蒙府本、戚序本同）

庚辰眉 这样章法，又是不曾见过的。

宝玉见宝钗如此说，便拭汗道。

庚辰双 想见其构思之苦，方是至情。最厌近之小说中满纸"神童""天分"等语。（己卯本同；蒙府本、戚序本无"天分等语"四字）

"绿蜡"可有出处？

庚辰侧 好极！

悄悄的咂嘴点头笑道。

庚辰侧 媚极，韵极！

将来金殿对策，你大约连赵钱孙李都忘了呢。

庚辰双 有得宝卿奚落，但就谓宝卿无情，只是较阿颦施之特正耳。（己卯本、戚序本同；蒙府本"有得"误作"有待"；邓校于"宝卿无情"后补"则未必"）

庚辰眉 如此穿插，安得不令人拍案叫绝？ 壬午季春。

"冷烛无烟绿蜡干"你都忘了不成。

庚辰双 此等处便用硬证实处，最是大力量。但不知是何心思，是从何落想，穿插到如此玲珑锦绣地步？（己卯本、戚序本同；蒙府本"但不知"作"便不知"）

遂抽身走开了。

庚辰双 一段忙中闲文，已是好看之极，出人意外。（己卯本、蒙府本、戚序本同）

因见宝玉独作四律，大费神思。

庚辰眉 偏又写一样，是何心意构思而得。　畸笏。

也省他些精神不到之处。

庚辰双 写黛卿之情思，待宝玉却又如此，是与前文特犯不犯之处。（己卯本"待"误作"得"；蒙府本、戚序本同）

早已吟成一律。

庚辰双 瞧他写阿颦，只如此便妙极！（己卯本"便"误作"绝"；蒙府本同；戚序本"瞧"误作"照"）

便写在纸条上，搓成个团子，掷在他跟前。

庚辰眉 纸团送迭（递），系应〔试〕童生秘诀，黛卿自何处学得，一笑。　丁亥春。

真是喜出望外。

庚辰双 这等文字，亦是观书者望外之想。（己卯本、蒙府本、戚序本同）

秀玉初成实，堪宜待凤凰。

庚辰双 起便拿得住。（己卯本、戚序本同；蒙府本"起便"作"起笔"）

迸砌防（妨）阶水，穿帘碍鼎香。

庚辰双 妙句！古云"竹密何妨水过"，今偏翻案。（己卯本、蒙府本、戚序本同）

蘅芜满净苑，萝薜助芬芳。

208

庚辰双 "助"字妙！通部书所以皆善练字。（己卯本、蒙府本、戚序本同）

软衬三春草，柔拖一缕香。

庚辰双 刻画入妙。（己卯本、蒙府本、戚序本同）

轻烟迷曲径，冷翠滴回廊。

庚辰双 甜脆满颊。（己卯本、蒙府本、戚序本同）

深庭长日净，两两出婵娟。

庚辰双 双起双敲。读此首始信前云"有蕉无棠不可，有棠无蕉更不可"等批，非泛泛妄批驳他人，到自己身上则无能为之论也。（己卯本"首"误作"有"；蒙府本、戚序本"无能"作"无此能"；戚序本"双敲"作"双收"）

绿蜡。

庚辰双 本是"玉"字，此遵宝卿改，似较"玉"字佳。（己卯本同；蒙府本、戚序本无"此"字）

春犹卷。

庚辰双 是蕉。（己卯本、蒙府本、戚序本同）

红妆夜未眠。

庚辰双 是海棠。（己卯本、蒙府本、戚序本同）

凭栏垂绛袖。

庚辰双 是海棠之情。（己卯本、蒙府本、戚序本同）

倚石护青烟。

庚辰双 是芭蕉之神。何得如此工恰自然，真是好诗，却是好书。（己卯本同；蒙府本、戚序本"何得"作"何能"；蒙府本"自然"误作"是然"）

对立东风里。

庚辰双 双收。（己卯本、蒙府本、戚序本同）

主人应解怜。

庚辰双 归到主人方不落空。 王梅隐云："咏物体又难

209

双承双落，一味双拿，则不免牵强。"此首可谓诗题两称，极工极切，极流离（丽）妩媚。（己卯本同；蒙府本、戚序本"极工极切"倒作"工极切极"；戚序本"极流离"作"流离"，"妩媚"作"斌媚"；蒙府本"咏物体"误作"咏物休"，"极流离"误作"流璃"）

杏帘招客饮，在望有山庄。

庚辰双 分题作，一气呵成，格调熟练，自是阿颦口气。（己卯本、蒙府本、戚序本同）

菱荇鹅儿水，桑榆燕子梁。

庚辰双 阿颦之心臆才情原与人别，亦不是从读书中得来。（己卯本、蒙府本、戚序本同）

盛世无饥馁，何须耕织忙。

庚辰双 以幻入幻，顺水推舟，且不失应制，所以称阿颦。（己卯本、戚序本同；蒙府本"顺水"作"顺风"）

遂将"浣葛山庄"改为"稻香村"。

庚辰眉 仍用玉兄前拟"稻香村"，却如此幻笔幻体，文章之格式至矣，尽矣！ 壬午春。

庚辰双 如此服善，妙！（己卯本、蒙府本、戚序本同）

赐与宝玉并贾兰。

庚辰双 百忙中点出贾兰，一人不落。（己卯本同；蒙府本、戚序本"一人"前多"直使"）

贾环从年内染病未痊，自有闲处调养，故亦无传。

庚辰双 补明，方不遗失。（己卯本、蒙府本、戚序本同）

第一出：《豪宴》。

庚辰双 《一棒雪》中，伏贾家之败。（己卯本、蒙府本、戚序本同；列藏本无"之"字；梦觉本无"中"字，"贾家"作"贾宅"）

210

第二出：《乞巧》。

庚辰双 《长生殿》中，伏元妃之死。（己卯本、戚序本同；列藏本无"之"字；蒙府本、梦觉本无"中"字）

第三出：《仙缘》。

庚辰双 《邯郸梦》中，伏甄宝玉送玉。（己卯本、蒙府本、戚序本、列藏本同；梦觉本无"中"字）

第四出：《离魂》。

庚辰双 伏黛玉死。　所点之戏剧伏四事，乃《牡丹亭》中，通部书之大过节、大关键。（蒙府本同）

己卯双 伏黛玉死《牡丹亭》中。所点之戏剧伏四事，乃通部书之大过节、大关键。

戚序双 《牡丹亭》中，伏黛玉死。所点之戏剧伏四事，乃通部书之大过节、大关键。（惟独此本正确、完整）

列本双 《牡丹亭》中，伏黛玉死。

梦觉双 伏黛玉之死《牡丹亭》。

虽是妆演的形容，却作尽悲欢情状。

庚辰双 二句毕矣。（己卯本、蒙府本、戚序本同）

喜的忙接了。

庚辰双 何喜之有？伏下后面许多文字，只用一"喜"字。（己卯本、蒙府本、戚序本同）

龄官自为此二出原非本角之戏，执意不作，定要作《相约》、《相骂》二出。

庚辰双 《钗钏记》中，总隐后文不尽风月等文。（己卯本"钏"误作"钊"；蒙府本、戚序本同）

按近之俗语云："能（宁）养千军，不养一戏。"盖甚言优伶之不可养之意也。大祗（抵）一班之中，此一人枝（技）业稍优出众，此一人则拿腔作势，辖众恃能，种种可恶，使主人逐之不舍，责之不可，虽〈不〉欲不怜，而实不能不怜；

虽欲不爱，而实不能不爱。余历梨园子弟广矣，各各皆然。亦曾与惯养梨园诸世家兄弟谈议及此，众皆知其事而皆不能言。今阅《石头记》，至"原非本角之戏，执意不作"二语，便见其恃能压众，乔酸姣（娇）妒，淋漓满纸矣。复至《情悟梨香院》一回，更将和盘托出，与余三十年前目睹身亲之人，现形于纸上。使（便）言《石头记》之为书，情之至极，言之至恰，然非领略过乃事，迷陷过乃情，即观此，茫然嚼蠟（蜡），亦不知其神妙也。（己卯本"枝业"作"技业"；蒙府本、戚序本"大祇"作"大抵"，"使主人"作"使主"，"虽不欲不怜"作"虽欲不怜"，无"而实不能不怜"、"而实不能不爱"二处的"而"字，"使言"作"便言"；戚序本"枝业"作"技艺"，"辖众恃能"作"唬众恃强"，"至原非"作"载原非"，"本角"作"本脚"，"姣妒"作"姣妬"，"言之至恰"作"言之至确"，"嚼蠟"作"嚼蠟"；蒙府本无"优伶之不可不养"的"之"，"辖众恃能"作"辖众持强"，"至原非本角"作"再原非本剧"，"梨香院"作"梨花院"，"茫然"误作"忙然"）

贾蔷扭（拗）他不过。

庚辰双 如何反扭（拗）他不过，其中〔便〕隐许多文字。（己卯本、蒙府本、戚序本"隐"前多一"便"字）

不可难为了这女孩子，好生教习。

庚辰双 可知〔是〕尤物了。（己卯本、蒙府本、戚序本同）

额外赏了两匹宫缎、两个荷包并金银锞子食物之类。

庚辰双 又伏下一个尤物，一段新文。（己卯本、戚序本同；蒙府本"伏下"作"伏了"）

又题一匾云：苦海慈航。

庚辰双 寓通部人事。一篇热文，却如此冷收。（己卯

212

本、蒙府本、戚序本同）

宝玉亦同此。

庚辰双 此中忽夹上宝玉，可思。（己卯本、戚序本同；蒙府本"忽"作"亦"）

拉住贾母、王夫人的手，紧紧的不忍释放。

庚辰双 使人鼻酸。（己卯本、蒙府本、戚序本同）

倘明岁天恩仍许归省，万不可如此奢华靡费了。

庚辰双 妙极之谶！试看别书中专能故用一不祥之语为谶，今偏不然，只有如此现成一语，便是不再之谶。只看他用一"倘"字，便隐讳，自然之至。 （己卯本"祥"减作"祥"；蒙府本、戚序本"祥"误作"详"）

回末眉批

庚辰本 一回离合悲欢夹写之文，真如山阴道上令人应接不暇，尚有许多忙中闲，闲中忙，小波澜，一丝不漏，一笔不苟。

第十九回　情切切良宵花解语
意绵绵静日玉生香

以赐贾政及各椒房等员。

庚辰双　补还（这）一句，细，方见省亲不独贾家一门也。（己卯本、蒙府本、戚序本同；列藏本"补还"作"补这"，无句末"也"字）

只扎挣着与无事的人一样。

庚辰双　伏下病源。（己卯本、蒙府本、戚序本、列藏本、梦觉本同）

晚间才得回来。

庚辰双　一回一回各生机轴，总在人意想之外。（己卯本、蒙府本、戚序本同）

因此宝玉只和众丫头们掷骰子赶围棋作戏。

庚辰双　写出正月光景。（己卯本、蒙府本、戚序本同；列藏本"写出"作"是"）

忽又有贾妃赐出糖蒸酥酪来。

庚辰双　总是新正妙景。（己卯本、蒙府本、戚序本同）

更有《孙行者大闹天宫》、《姜子牙斩将封神》等类的戏文。

庚辰双　真真热闹。（己卯本、蒙府本、戚序本同）

锣鼓喊叫之声远闻巷外。

庚辰双　形容克（刻）剥（薄）之至，弋杨（阳）腔能

214

事毕矣！　阅至此，则有如耳内喧哗，目中离（撩）乱。后文至隔墙闻"袅晴丝"数曲，则有如魂随笛转，魄逐歌销。形容一事，一事毕真，石头是第一能手矣。（己卯本"弋杨"作"弋扬"；蒙府本、戚序本"离乱"作"撩乱"，"隔墙闻"误作"隔墙间"；戚序本"克剥"作"刻薄"，"弋杨"作"弋阳"，"毕真"作"毕肖"；蒙府本脱"毕真"的"真"字）

别人家断不能有的。

庚辰双　必有之言。（己卯本、蒙府本、戚序本同）

那美人自然是寂寞的，须得我去望慰他一回。

庚辰双　极不通极胡说中，写出绝代情痴。宜乎众人谓之疯傻！（己卯本同；蒙府本、戚序本"情痴"倒作"痴情"，脱"乎"字；列藏本无"极不通极胡说中"七字）

敢是美人活了不成。

庚辰双　又带出小儿心意，一丝不落（乱）。（己卯本、蒙府本、列藏本同；戚序本"不落"作"不乱"）

青天白日，这是怎么说。

庚辰双　开口便好。（己卯本、蒙府本、戚序本、列藏本同）

宝玉跺脚道："还不快跑。"

庚辰双　此等搜神夺魄，至神至妙处，只在囫囵不解中得。（己卯本同；蒙府本、戚序本"得"作"得来"；列藏本"魄"后衍出一"处"字）

你别怕，我是不告诉人的。

庚辰双　活宝玉，移之他人不可。（己卯本、蒙府本、戚序本同；列藏本"活"前多"真正"二字，"他"作"别"）

可见他白认得你了，可怜，可怜。

庚辰双　按此书中写一宝玉，其宝玉之为人，是我辈于书中见而知有此人，实未目（目未）曾亲睹者。又写宝玉之发言，每每令人不解；宝玉之生性，件件令人可笑。不独于世上亲见这样的人不曾，即阅今古所有之小说奇传（传奇）中，亦未见这样的文字。于颦儿处更为（为更）甚。其囫囵不解之中实可解，可解之中又说不出理路。合目思之，却如真见一宝玉，真闻此言者。移之第二人万不可，亦不成文字矣。余阅《石头记》中至奇至妙之文，令（全）在宝玉、颦儿至痴至呆囫囵不解之语中，其诗词雅谜酒令奇衣奇食奇玩等类，固他书中未能，然在此书中评之，犹为二着。（己卯本"奇传"作"传奇"，脱"不解之中"的"中"，"奇玩"误作"奇文"，"二着"误作"二首"；蒙府本、戚序本脱"发言"的"发"，"亲见"的"见"字，"奇传"亦作"传奇"，又脱"《石头记》中"的"中"，"评之"的"之"，"令在"作"全在"，"奇衣奇食奇玩"作"及衣食奇玩"，"二着"作"二著"；戚序本"实未目"作"实目未"，"更为甚"作"为更甚"，"万不可"作"万万不可"，"雅谜"作"哑谜"）

竟是写不出来的。

庚辰双 若都写的出来，何以见此书中之妙。　脂研。（己卯本同；蒙府本、戚序本"妙"后作"耶"）

他母亲养他的时节做了个梦。

庚辰双 又一个梦，只是随手成趣耳。（己卯本同；蒙府本、戚序本"又"作"又是"）

上面是五色富贵不断头卍字的花样。

庚辰双 千奇百怪之想。所谓牛溲马教（勃）皆至药也，鱼鸟昆虫皆妙文也。天地间无一物不是妙物，无一物不可〈不〉成文，但在人意捨（拾）取耳。此皆信手拈来，随笔成趣，大游戏、大慧悟、大解脱之妙文也。（己卯本"教"后朱笔涂改为"勃"，"捨"原作"拾"，后朱笔添改为"捨"；蒙府本、戚序本"捨取"作"拾取"，"马敎"作"马勃"；戚序本"不可不"作"不可"，"慧悟"误作"会悟"；蒙府本"慧悟"误作"会晤"）

所以他的名字叫作卍儿。

庚辰双　音万。（己卯本、蒙府本、戚序本同）

茗烟趴趴笑道。

庚辰眉　趴音希。趴趴，笑貌。

他们就不知道了。

庚辰双　茗烟此时只要掩饰方才之过，故设此以悦宝玉之心。（己卯本、列藏本同；戚序本"掩饰"作"遮饰"；蒙府本"过"误作"道"）

瞧他在家作什么呢。

庚辰双　妙！宝玉心中早安了这着，但恐茗烟不肯引去耳。恰遇茗烟私行淫媾，为宝玉所协（胁），故以城外引〔之〕以悦其心，宝玉始悦（说）出往花家去。非茗烟适有罪所协（胁），万不敢如此私引出外。别家子弟尚不敢私出，况宝玉哉？况茗烟哉？文字笋（榫）楔，细极！（己卯本同；蒙府本、戚序本"以悦"作"悦"；戚序本"为宝玉所协"作"为宝玉所掖"，"有罪所协"作"有罪被掖"，"细极"倒作"极细"；蒙府本"宝玉始悦"的"悦"描改为"说"，"有罪所协"作"有罪被协"）

列本双　炒（妙）！宝玉心中早按（安）了这着，但恐茗烟不肯引去可（耳）。恰遇茗烟私行淫媾，为宝玉所协（胁），故以城外引之以悦其心，始说出往花家去。非茗烟惧罪，断不敢如此私引出外，别家子弟尚不敢私出，况宝玉、茗烟哉？又（文）字笋（榫）楔（楔），细极！

说我引着二爷胡走，要打我呢。

庚辰双　必不可少之语。（己卯本、蒙府本、戚序本同；

217

列藏本"必"作"亦")

袭人之兄花自芳。

庚辰双 随姓成名，随手成文。（己卯本、蒙府本、戚序本同）

彼时袭人之母接了袭人与几个外甥女儿。

庚辰双 一树千枝，一源万派，无意随手，伏脉千里。（己卯本、戚序本同；蒙府本"千"作"十"）

才放下心来。

庚辰双 精细周到。（己卯本、蒙府本、戚序本同）

嗐了一声，笑道。

庚辰双 转至"笑"字，妙，神！（己卯本、蒙府本、戚序本、列藏本同）

你也忒（忕）胡闹了。

庚辰双 该说，说得是。（己卯本、蒙府本、戚序本同；列藏本脱一"说"字）

还有谁跟来。

庚辰双 细。（己卯本、蒙府本、戚序本、列藏本同）

袭人听了，复又惊慌。

庚辰双 是必有之神理，非特故作顿挫。（己卯本、蒙府本、戚序本同；列藏本"非"讹作"飞"，脱"特"字，"挫"误作"摆"）

回去我定告诉嬷嬷们打你。

庚辰双 该说，说的更是。 指（脂）研。（己卯本同；戚序本"更是"作"更有理"，蒙府本作"更有礼"，三本无署名；列藏本无"更"字，亦无署名）

不然我们还去罢。

庚辰双 茗烟贼。（己卯本、蒙府本、戚序本同；列藏本只作"贼"）。

218

花自芳母子两个百般怕宝玉冷，又让他上炕，又忙另摆果桌，又忙倒好茶。

庚辰双 连用三"又"字，上文一个"百般"，神理活现。 脂砚。（己卯本同；蒙府本、戚序本"活现"作"活现纸上"，实改"脂砚"作"纸上"；列藏本"连"作"他"，无署名）

袭人笑道："你们不用白忙。"

庚辰双 妙！不写袭卿忙，正是忙之至。若一写袭人忙，便是庸俗小派了。（己卯本、蒙府本、戚序本同）

也不敢乱给东西吃。

庚辰双 如此至微至小中便带出〔世〕家常情，他书写不及此。（己卯本同；戚序本"〔世〕家常情"作"家常情事"；蒙府本"至小"误作"至妙"；列藏本无此正文，故批窜在"不用白忙"句下，"至微"误作"至激"，无"至小中"的"中"，"家常情"作"世家常情"，脱"他书写不及此"句）

……然后将自己的茶杯斟了茶送与宝玉。

庚辰双 叠用四"自己"字，写得宝、袭二人素日如何亲洽，如何尊荣，此时一盘托出。盖素日身居侯府绮罗锦绣之中，其安富尊荣之宝玉，亲密浃洽勤慎委婉之袭人，是分所应当，不必写者也。今于此一补，更见其二人平素之情义，且暗透此回中所有母女兄长欲为赎身角口等未到之过文。（己卯本同；蒙府本、戚序本"叠用四自己"作"用四个自己"，"分所"仅作"所"；戚序本"此回中"作"后回中"，"角口"倒作"口角"；列藏本"自己字"作"自己"，二"素日"均作"平日"，"勤慎"作"勤性"，"分所应当"作"分所当"，"二人平素之"作"平日二人之"，"暗透"误作"明透"，"母女兄长"作"母兄"，"欲为"作"故为"，"角口"亦倒作"口角")

袭人见总无可吃之物。

庚辰双 补明宝玉自幼何等娇贵。以此一句留与下部后数十回"寒冬噎酸齑，雪夜围破毡"等处对看，可为后生过分之戒。叹叹！（己卯本同；戚序本"过分之戒"作"过分之人戒"，"叹叹"只作"叹"；蒙府本脱"何等"之"等"；列藏本"后数十"误作"后段十"，"对看"误作"对着"，"可为"只作"可"）

好歹尝一点儿，也是来我家一趟。

庚辰双 得意之态，是才与母兄较争以后之神理，最细。（己卯本、蒙府本、戚序本同）

说着，便拈了几个松子穰。

庚辰双 惟此品稍可一拈，别品便大错了。（己卯本、蒙府本、戚序本同）

宝玉见袭人两眼微红，粉光融滑。

庚辰双 八字画出才收泪之一女儿，是好形容，且是宝玉眼中意中。（己卯本、蒙府本、戚序本同）

因此便遮掩过了。

庚辰双 伏下后文所补未到多少文字。（己卯本、蒙府本、戚序本同；梦觉本只作"伏下后文"）

又换新衣服，他们……

庚辰双 指晴雯、麝月等。（己卯本、蒙府本、戚序本同）

就不问你往那去的？

庚辰双 必有是问。 阅此则又笑尽〔他〕小说中无放（故）家常穿红挂绿绮绣绫罗等语，自谓是富贵语，究竟反是寒酸话。（己卯本"无故"误作"无放"，"反是"误作"反竟"；蒙府本、戚序本"无故"作"无数"，脱"富贵语"之

"语"，"寒酸话"作"寒酸俗态也"；蒙府本又脱"阅此"之
"此"）

我还替你留着好东西呢。

庚辰侧　生员（本是）切巳（己）之事。

悄悄的，叫他们听着什么意思。

庚辰双　想见二人来（素）日情常。（己卯本同；蒙府
本、戚序本"来"作"往"，"常"作"长"；列藏本"来"
作"素"，"常"作"分"）

"一面又伸手从宝玉项上将通灵玉摘了下来"一段。

庚辰眉　自"一把拉住"至此诸形景动作，袭卿有意微
露峰芒（绛芸）轩中隐事也。

也不过是这么个东西。

庚辰双　行文至此固好看之极，且勿论。按此言固是袭人
得意之话（语），盖言你等所希罕不得一见之宝，我却常守常
见，视为平物。然余今窥其用意之旨，则是作者借此正为贬玉
原非大观者也。（己卯本、蒙府本、戚序本"得意之话"作
"得意之语"）

花自芳道："有我送去。"

庚辰侧　只知保重耳。

为的是碰见人。

庚辰双　细极！（己卯本、蒙府本、戚序本同）

宝玉笑说："倒难为你了。"

庚辰侧　公子口气。

十分看不过。

庚辰双　人人都看不过，独宝玉看得过。（己卯本、蒙府
本、戚序本同）

你们越发没个样儿了。

庚辰双　说得是，原该说。（己卯本、蒙府本、戚序本

221

同)

别的妈妈们越不敢说你们了。

庚辰双 补明好。宝玉虽不吃乳，岂无伴从之媪妪哉？（己卯本、蒙府本、戚序本同)

那宝玉是个扙（丈）八的灯台，照见人家，照不见自家的。

庚辰双 用俗语入，妙！（己卯本、蒙府本、戚序本同)

只知嫌人家脏，这是他的屋子，由着你们遭塌，越不成体统了。

庚辰双 所以为今古未有之一宝玉。（己卯本、蒙府本、戚序本同)

二则李嬷嬷已是告老解事出去的了。

庚辰双 调侃入微，妙，妙！（己卯本、蒙府本、戚序本同)

那李嬷嬷还只管问"宝玉如今一顿吃多少饭，什么时辰睡觉"等语。

庚辰双 可叹。（己卯本、蒙府本、戚序本、列藏本同）

有的说："好一个讨厌的老货。"

庚辰侧 实在有的。

说毕，拿匙就吃。

庚辰双 写聋（龙）钟奶姆便是聋（龙）钟奶姆。（己卯本、戚序本同；蒙府本的"姆"均作"母"）

那是说了，给袭人留着的。

庚辰双 过下无痕。（己卯本、蒙府本、戚序本同）

回来又惹气了。

庚辰双 照应茜雪枫露茶前案。（己卯本、蒙府本、戚序本同）

别带累我们受气。

222

庚辰双 这等话玉（语）声口，必是晴雯无疑。（己卯本无"玉"字；蒙府本、戚序本"玉"作"语"）

什么阿物儿。

庚辰双 虽暂委曲（屈）唐突袭卿，然亦怨不得李媪。（己卯本、蒙府本、戚序本同）

岂有为这个不自在的。

庚辰双 听这声口，必是麝月无疑。（己卯本、蒙府本、戚序本同）

打量上次为茶撵茜雪的事我不知道呢。

庚辰双 照应前文，又用一"撵"〔字〕，屈杀宝玉。然在李媪心中口中毕肖。（己卯本"然在"仅作"然"；戚序本"撵"后多一"字"；蒙府本同）

说着，赌气去了。

庚辰双 过至下回。（己卯本、蒙府本、戚序本同）

只见晴雯躺在床上不动。

庚辰双 娇态（憨）已惯。（己卯本"态"误作"谢"；蒙府本、戚序本同；列藏本"态"作"憨"）

搁到这里倒白遭塌了。

庚辰双 与前文〈应〉失手碎钟遥对。通部袭人皆是如此，一丝不错。（己卯本、蒙府本同；戚序本无"应"字）

你替我剥栗子，我去铺床。

庚辰双 必如此方是。（己卯本、蒙府本、戚序本、列藏本同）

今儿那个穿红的是你什么人。

庚辰双 若是（见）过女儿之后，没有一段文字，便不是宝玉，亦非《石头记》矣。（己卯本同；蒙府本、戚序本"若是"作"若见"，"没有"作"没"）

宝玉听了，赞叹了两声。

庚辰双 这一赞叹，又是令人囫囵不解之语，只此便抵过一大篇文字。（己卯本、蒙府本、戚序本同；列藏本无"只此便"、"大"四字）

袭人道："叹什么？"

庚辰双 只一"叹"字，便引出"花解语"一回来。（己卯本、蒙府本、戚序本同）

想是说他那里配红的。

庚辰双 补出宝玉素喜红色。这是激语。（己卯本、蒙府本、戚序本同；列藏本无"出"字，"激"误作"谳"）

那样的不配穿红的，谁还敢穿。

庚辰双 活宝玉。（己卯本、蒙府本、戚序本同）

怎么也得他在咱们家就好了。

庚辰双 妙谈妙意。（己卯本、蒙府本、戚序本同；列藏本二"妙"均误作"炒"）

我一个人是奴才命罢了，难道连我的亲戚都是奴才命不成？定还要拣实在好的丫头才往你家来。

庚辰双 妙答。宝玉并未说"奴才"二字，袭人连补"奴才"二字，最是劲（筋）节。怨不得作此语。（己卯本、蒙府本同；戚序本"连补奴才二字"作"连补奴才二人"）

我说往咱们家来必定是奴才不成。

庚辰双 勉强如闻。（己卯本"勉"误作"免"；蒙府本、戚序本同）

说亲戚就使不得。

庚辰双 更〔勉〕强。（己卯本、蒙府本、戚序本同）

袭人道："那也搬配不上。"

庚辰双 说的事（是）。（己卯本"事"后朱笔添改作"是"；蒙府本、戚序本"的事"作"得是"）

你明儿赌气花几两银子买他们进来就是了。

庚辰双 总是故意激他。（己卯本、蒙府本、戚序本同）

没的我们这种浊物。

庚辰双 妙号！后文又曰"须眉浊物"之称。今古未有之一人，始有此今古未有之妙称妙号。（己卯本、蒙府本、戚序本同）

倒生在这里。

庚辰双 这皆〔是〕宝玉意中心中确实之念，非前勉强之词，所以谓今古未〔有〕之一人耳。听其囫囵不解之言，察其幽微感触之心，审其痴妄委婉之意，皆今古未见之人，亦是未见之文字。说不得贤，说不得愚，说不得不肖；说不得善，说不得恶；说不得正大光明，说不得混账恶赖；说不得聪明才俊，说不得庸俗平〔凡〕；说不得好色好淫，说不得情痴情种；恰恰只有一颦儿可对。令他人徒加评论，总未摸着他二人是何等脱胎，〔何等心臆〕，何等骨肉。余阅此书，亦爱其文字耳，实亦不能评出此二人终是何等人物。后观"情榜"评曰："宝玉情不情，黛玉情情。"此二评自在评痴之上，亦属囫囵不解，妙甚！（己卯本"这皆"后添补一朱笔"是"；己卯本、蒙府本、戚序本"脱胎"后多"何等心臆"四字；蒙府本、戚序本"这皆"作"这皆是"，"未之一人"作"未有之一人"，"庸俗平"作"庸俗又"，"令他"作"今他"；戚序本"非前"作"非"，"委婉"作"婉转"；蒙府本"委婉"误作"婉婉"，脱"说不得聪明"的"得"字，"亦属"作"亦为"）

明年就出嫁。

庚辰侧 所谓不入耳之言也。

宝玉听了"出嫁"二字，不禁又嗐了两声。

庚辰双 宝玉心思另是一样，余前评可见。（己卯本、蒙府本、戚序本同）

又听袭人叹道。

庚辰双 袭人亦叹，自有别论。（己卯本、蒙府本、戚序本同）

宝玉听这话内有文章。

庚辰双 余亦如此。（己卯本、蒙府本、戚序本同）

不觉吃一惊。

庚辰双 余亦吃惊。（己卯本、蒙府本、戚序本同）

明年他们上来，就赎我出去的呢。

庚辰双 即余今日尤（犹）难为情，况当日之宝玉哉？（己卯本、蒙府本、戚序本同）

独我一个人在这里，怎么是个了局。

庚辰双 说得极是。（己卯本、蒙府本、戚序本同）

我不叫你去也难。

庚辰双 是头一句驳，故用贵公子声口，无理。（己卯本、蒙府本、戚序本同）

便是朝庭官里，也有个定例，或几年一选，几年一入（出），也没有个长远留下人的理，别说你了。

庚辰双 一驳，更有理。（己卯本、蒙府本、戚序本同）

果然有理。

庚辰双 自然。（己卯本、蒙府本、戚序本同）

老太太不放你也难。

庚辰双 第二层仗祖母溺爱，更无理。（己卯本、蒙府本、戚序本同）

或者感动了老太太、太太。

庚辰双 宝玉并不提王夫人，袭人偏自补出，周密之至！（己卯本、蒙府本、戚序本同）

先伏侍了史大姑娘几年。

庚辰双 百忙中又补出湘云来，真是七穿八达，得空便

226

人。（己卯本"穿"误作"年"；蒙府本、戚序本同）

那伏侍的好，是分内应当的。

庚辰侧 这却是真心话。

不是没了我就不成事。

庚辰双 再一驳，更精细，更有理。（己卯本同；蒙府本、戚序本"精"作"觉精"，脱后一"更"字）

竟是有去的理，无留的理。

庚辰双 自然。（己卯本、蒙府本、戚序本同）

心内越发急了。

庚辰双 原当急。（己卯本、蒙府本、戚序本同）

他也不好意思接你了。

庚辰双 急心肠，故入于霸道，无理。（己卯本、蒙府本、戚序本同）

这件事老太太、太太断不肯行的。

庚辰双 三驳，不独更有理，且又补出贾府自家慈善宽厚等事。（己卯本同；蒙府本、戚序本无"家"字）

宝玉听了，思忖半晌。

庚辰双 正是思忖只有去理，实无留理。（己卯本同；蒙府本、戚序本"实无留理"作"无留的理"；戚序本"去理"作"去的理"）

依你说，你是去定了。

庚辰双 自然。（己卯本、蒙府本、戚序本同）

袭人道："去定了。"

庚辰侧 口气像极。

这样薄情无义。

庚辰双 余亦如此见疑。（己卯本、蒙府本、戚序本同）

早知道都是要去的。

庚辰双 "都是要去的"，妙！可谓触类旁通，活是宝

227

玉。（己卯本、蒙府本、戚序本同）

临了剩我一个孤鬼儿。

庚辰双 可谓见首知尾，活是宝玉。（己卯本、蒙府本、戚序本同）

说着，便赌气上床睡去了。

庚辰双 又到无可奈何之时了。（己卯本、蒙府本、戚序本同）

原来袭人在家听见他母兄要赎他回去。

庚辰双 补前文。（己卯本、蒙府本、戚序本同）

没有个看着老子娘饿死的理。

庚辰侧 孝女义女。

庚辰双 补出袭人幼时艰辛苦状，与前文之香菱、后文之晴雯大同小异，自是又副十二钗中之冠，故不得不补传之。（己卯本、蒙府本、戚序本同）

如今幸而卖到这个地方。

庚辰双 可谓不幸中之幸。（己卯本、蒙府本、戚序本同）

若果然还艰难，把我赎出来，再多掏澄几个钱也还罢了。

庚辰侧 孝女义女。

权当我死了。

庚辰侧 可怜可怜！

因此哭闹了一阵。

庚辰侧 我也要笑（哭）。

庚辰双 以上补在家今日（今日在家）之事，与宝玉问哭一句针对。（己卯本同；蒙府本、戚序本"针对"倒作"对针"；列藏本"以上"作"以此"，"在家今日"作"今日在家"，"事"误作"可"，"针对"倒为"对针"）

只怕身价银一并赏了，这是有的事呢。

228

庚辰双 又夹带出贾府平素施为来，与袭人口中针对。（己卯本、蒙府本、戚序本同；列藏本"出"误作"去"，"平素"作"平日"，"针对"倒为"对针"）

二则贾府中从不曾作践下人，只有恩多威少的。

庚辰双 伏下多少后文。（己卯本、蒙府本、戚序本同）

平常寒薄人家的小姐，也不能那样尊重的。

庚辰双 又伏下多少后文。先一句是传中陪客，此一句是传中本旨。（己卯本、蒙府本、戚序本同）

因此他母子两个也就死心不赎了。

庚辰双 既如此，何得袭人又作前语以愚宝玉，不知何意，且看后文。（己卯本、蒙府本、戚序本同）

他二人又是那般景况。

庚辰双 一件闲事，一句闲文皆无，警甚！（己卯本、蒙府本、戚序本同）

彼此放心，再无赎念了。

庚辰双 一段情结。 脂砚。（己卯本同；蒙府本、戚序本"脂砚"改作"妙甚"）

如今且说袭人自幼见宝玉性格异常。

庚辰双 四字好。所谓说不得好，又说不得不好也。（己卯本同；蒙府本、戚序本脱"好又说不得"五字）

更有几件千奇百怪，口不能言的毛病儿。

庚辰双 只如此说更好，所谓说不得聪明贤良，说不得痴呆愚昧也。（己卯本、蒙府本、戚序本同）

更觉放荡弛纵。

庚辰双 四字妙评。 脂砚。（己卯本同；蒙府本、戚序本，"脂砚"改作"确甚"）

任性恣情。

庚辰双 四字更好，亦不涉于恶，亦不涉于淫，亦不涉于

骄，不过一味任性耳。（己卯本、蒙府本、戚序本同）

最不喜务正。

庚辰双 这还是小儿同病。（己卯本、蒙府本、戚序本同；列藏本无"还"字）

故先用骗词，以探其情，以压其气，然后好下箴规。

庚辰双 原来如此。（己卯本、蒙府本、戚序本同）

知其情有不忍，气已馁堕。

庚辰双 不独解语，亦且有智。（己卯本、蒙府本、戚序本同；列藏本"有智"误作"有志"）

只因怕为酥酪又生事故，亦如茜雪之茶等事。

庚辰双 可谓贤而多智术之人。（己卯本、蒙府本同；戚宁本无"术"字；有正本作"可谓伶俐多智之人"；列藏本"贤"下作"而且智"）

只见宝玉泪痕满面。

庚辰双 正是无可奈何之时。（己卯本、蒙府本、戚序本、列藏本同）

宝玉见这话有文章。

庚辰双 宝玉不愚。（己卯本、蒙府本、戚序本同）

我还要怎么留你，我自己也难说了。

庚辰双 二人素常情义。（己卯本、蒙府本、戚序本、列藏本同）

你说，那几件？我都依你。好姐姐，好亲姐姐。

庚辰双 叠二语，活见从纸上走一宝玉下来，如闻其呼，〔如〕见其笑。（己卯本"见其"前朱笔补一"如"；戚序本"见其"作"如见其"；有正本"叠二语"误作"叠叠语"，戚宁本误作"叠叠话"；蒙府本同）

就是两三百件我也依。

庚辰双 "两三百"不成话，却是宝玉口中。（己卯本、

230

蒙府本、戚序本同）

等我有一日化成了飞灰。

庚辰双 脂砚斋所谓不知是何心思，始得口出此等不成话之至奇至妙之话，诸公请（将）如何解得，如何评论。

所劝者正为此，偏于劝时一犯，妙甚！（己卯本同；蒙府本、戚序本"脂砚斋"作"此评者"，"诸公请"作"请诸公"；戚序本脱"不知"二字；蒙府本"至妙之话"作"至妙之语"）

飞灰还不好，灰还有形有迹，还有知识。

庚辰双 灰还有"知识"，奇之，不可甚（胜）言矣！余则谓人尚无知识者多多。（己卯本同；蒙府本、戚序本"甚言"作"胜言"；戚序本"多多"作"多甚"；蒙府本"还有"作"还"）

我也凭你们爱那里去就去了。

庚辰双 是聪明，是愚昧，是小儿淘气，余皆不知，只觉悲感难言，奇瑰愈妙！（己卯本、蒙府本、戚序本同）

再不说这话了。

庚辰侧 只说今日一次，呵呵！玉兄，玉兄，你到底哄的那一个？

你真喜读书也罢，假喜也罢。

庚辰侧 新鲜，真新鲜！

你别只管批驳诮谤，只作出个喜读书的样子来。

庚辰侧 所谓开方便门。

庚辰双 宝玉又诮谤读书人，恨此时不能一见如何诮谤。（己卯本、蒙府本、戚序本同）

也教老爷少生些气。

庚辰侧 大家听听，可是丫鬟说的话。

凡读书上进的人，你就起个名字，叫作"禄蠹"。

庚辰双 二字从古未见，新奇之至！难怨世人谓之可杀，余却最喜。（己卯本、蒙府本、戚序本同）

又说只除"明明德"外无书，都是前人不能解圣人之书，便另出己意，混编纂出来的。

庚辰双 宝玉目中犹有"明明德"三字，心中犹有"圣人"二字，又素日皆作如是等语，宜乎人人谓之疯傻不肖。（己卯本、戚序本同；蒙府本"傻"误作"俊"）

如今再不敢说了。

庚辰双 又作是语，说不得不乖觉，然又是作者瞒人之处也。（己卯本、蒙府本、戚序本同）

再不可毁僧谤道。

庚辰双 一件。是妇女心意。（己卯本、蒙府本、戚序本同）

调脂弄粉。

庚辰双 二件。若不如此，亦非宝玉。（己卯本、蒙府本、戚序本同）

还有更要紧的一件。

庚辰双 忽又作此一语。（己卯本、蒙府本、戚序本同）

再不许吃人嘴上擦的胭脂了。

庚辰双 此一句是闻所未闻之语，宜乎其父母严责也。（己卯本、蒙府本、戚序本同）

只是百事检点些，不任意任情的就是了。

庚辰双 总包括尽矣。其所谓"花解语"者大矣，不独冗冗为儿女之分也。（己卯本、蒙府本、戚序本同）

有那个福气，没有那个道理，纵坐了也没甚趣。

庚辰双 调侃不浅。然在袭人能作是语，实可爱、可敬、可服之至！所谓"花解语"也。（己卯本、蒙府本、戚序本同）

232

袭人劝宝玉一段。

庚辰眉　"花解语"一段，乃袭卿满心满意将玉兄为终身得靠，千妥万当，故有是余（语）。阅至此，余为袭卿一叹。　丁亥春，畸笏叟。

宝玉命取表来。

庚辰双　照应前凤姐之文。（己卯本、蒙府本、戚序本同）

看时，果然针已指到亥正。

庚辰双　表则是表的写法，前形容自鸣钟则是自鸣钟，各尽其神妙。（己卯本脱后一"钟"字；蒙府本、戚序本同）

因而和衣躺在炕上。

庚辰侧　过下引线。

宝玉自去黛玉房中来看视。

庚辰双　为下文留地步。（己卯本、蒙府本、戚序本同）

忙去上来推他道："好妹妹。"

庚辰双　才住了"好姐姐"，又闻"好妹妹"，大约宝玉一日之中，一时之内，此六个字未曾暂离口角，妙！（己卯本、蒙府本、戚序本"妙"作"妙甚"；蒙府本"此"误作"比"）

将黛玉唤醒。

庚辰双　若是别部书中写此时之宝玉，一进来便生不轨之心，突萌苟且之念，更有许多贼形鬼状等丑态邪言矣。此却反推唤醒他，毫不在意，所谓"说不得淫场（荡）"是也。（己卯本同；蒙府本、戚序本"淫场"作"淫荡"；戚序本"书中"倒作"中书"，无"鬼状等"之"等"）

今儿还没有歇过来。

庚辰双　补出姣（娇）怯态度。（己卯本同；蒙府本、戚序本"姣"作"娇"）

混过困去就好了。

庚辰双 宝玉又知养身。（己卯本、蒙府本、戚序本同）

见了别人就怪腻的。

庚辰双 所谓只有一辇可对，亦属怪事。（己卯本、蒙府本、戚序本同）

宝玉道："没有枕头。"

庚辰双 绵缠密秘（切）入微。（己卯本、蒙府本同；戚序本"绵缠"作"缠绵"，"密秘"作"密切"）

咱们在一个枕头上。

庚辰双 更妙，渐逼渐近，所谓"意绵绵"也。（己卯本、蒙府本、戚序本同）

黛玉道："放屁。"

庚辰侧 如闻。

黛玉听了，睁开眼。

庚辰双 睁眼。（己卯本、蒙府本、戚序本同）

起身。

庚辰双 起身。（己卯本、蒙府本、戚序本同）

笑道。

庚辰双 笑。（己卯本、蒙府本、戚序本同）

真真你就是我命中的天魔星。

庚辰双 妙语，妙之至！想见其态度。（己卯本、蒙府本、戚序本同）

以手抚之细看。

庚辰双 想见其绵缠态度。（己卯本、蒙府本同；戚序本"绵缠"作"缠绵"）

这又是谁的指甲刮破了。

庚辰双 妙极！补出素日。（己卯本、蒙府本、戚序本同）

234

宝玉侧身一面躲，一面笑道。

庚辰侧 对"推醒"看。

只怕是才刚替他们淘漉胭脂膏子搌上了一点儿。

庚辰双 遥与后文平儿于怡红院晚妆时对照。（己卯本、蒙府本、戚序本同）

黛玉便用自己的帕子替他揩拭了。

庚辰双 想见情之脉脉，意之绵绵。（己卯本、蒙府本、戚序本、列藏本同）

你又干这些事了。

庚辰双 又是劝戒语。（己卯本、蒙府本、戚序本同）

干也罢了。

庚辰双 一转细极，这方是颦卿，不比别人一味固执死劝。（己卯本"劝"误作"切"；蒙府本、戚序本同；列藏本"细极"作"极细"，"方是"作"才是"，"颦"误作"擎"，脱"人"字）

又当奇事新鲜话儿去学舌讨好儿。

庚辰双 补前文之未到，伏后文之线脉。（己卯本同）

戚序双 补前文之未足者。（蒙府本同）

又该大家不干净惹气。

庚辰双 "大家"二字何妙之至，神之至，细腻之至！乃父责其子，纵加以笞楚，何能使"大家不干净"哉？今偏"大家不干净"，则知贾母如何管孙责子，〔迁〕怒于众，及自己心中多少抑郁，难堪难禁，代（载）忧代（载）痛，一齐托出。（己卯本、蒙府本、戚序本"怒"作"迁怒"；蒙府本脱"难禁"之"难"）

宝玉总未听见这些话。

庚辰眉 一句描写玉，刻骨刻髓，至已（矣）尽矣。壬午春。

235

庚辰双 可知昨夜"情切切"之语，亦属行云流水矣。（己卯本无"矣"字；蒙府本、戚序本同）

闻之令人醉魂酥骨。

庚辰双 却像似（是）淫极，然究意（竟）不犯一些淫意。（己卯本同；蒙府本、戚序本"像似"作"像是"，"究意"作"究竟"）

冬寒十月，谁带什么香呢。

庚辰侧 口头语，犹在寒冷之时。

黛玉道："连我也不知道。"

庚辰双 正是。按谚云："人在气中忘气，鱼在水中忘水。"余今续之曰："美人忘容，花则忘香。"此则（与）黛玉不知自骨肉中之香同。（己卯本同；戚序本"不知自"作"不自知"，"同"作"耳"；蒙府本"续之"误作"读之"）

衣服上熏染的也未可知。

庚辰双 有理。（己卯本、蒙府本、戚序本同）

不是那些香饼子、香球子、香袋子的香。

庚辰双 自然。（己卯本、蒙府本、戚序本同）

黛玉冷笑道。

庚辰双 冷笑便是文章。（己卯本、蒙府本、戚序本同）

也没有亲哥哥亲兄弟弄了花儿、朵儿、霜儿、雪儿替我炮制。

庚辰双 活颦儿，一丝不错。（己卯本、蒙府本、戚序本同）

将两支手呵了两口。

庚辰双 活画。（己卯本、蒙府本、戚序本同）

宝玉，你再闹我就恼了。

庚辰双 如见如闻。（己卯本、蒙府本、戚序本同）

一面理鬓。

己卯双 画。（蒙府本、戚序本同）

我有奇香，你有"暖香"没有。

庚辰双 奇问。（己卯本、蒙府本、戚序本同）

宝玉见问，一时解不来。

庚辰双 一时原难解，终逊黛卿一等，正在此等处。（己卯本、蒙府本、戚序本同）

黛玉点头叹笑道。

己卯双 画。（蒙府本、戚序本同）

"人家有'冷香'，你就没有'暖香'去配"，宝玉方听出来。

庚辰双 〔的〕是颦儿，活画。然这是阿颦一生心事，故每不禁自及之。（己卯本、蒙府本、戚序本"是"作"的是"）

用手帕子盖上脸。

庚辰双 画。（己卯本、蒙府本、戚序本同）

宝玉有一搭没一搭的说些鬼话。

庚辰双 先一总。（己卯本、蒙府本、戚序本同）

宝玉只怕他睡出病来。

庚辰双 原来只为此，故不暇傍（防）人嘲笑。所以放荡无忌处，不特此一件耳。（己卯本同；戚序本"傍"作"防"；蒙府本"暇"误作"暇"，"傍"作"旁"，"嘲"误作"潮"）

嗳哟，你们扬州衙门里有一件大故事，你可知道。

庚辰侧 像个亲（说）故事的。

便忍着笑顺口诌道。

庚辰侧 又哄我看书人。

黛玉笑道："就是扯谎，自来也没听见这山。"

庚辰侧 山名洞名，颦儿已知之矣。

等我说完了，你再批评。

庚辰侧 不先了此句，可知此谎再诌不完的。

老耗子升座议事。

庚辰双 耗子亦能升座且议事，自是耗子有赏罚有制度矣。何今之耗子犹穿壁啮物，其"升座"者置而不问哉？（己卯本同；蒙府本、戚序本脱"何今"的"何"；戚序本句末多"哈哈"二字；戚序本"壁"误作"璧"；蒙府本"制"误作"剞"，句末多"呵呵"二字）

如今我们洞中果品短少。

庚辰侧 难道耗子也要腊八粥吃，一笑。

趁此打劫些来方妙。

庚辰双 议的是这事，宜乎为鼠矣！（己卯本同；蒙府本、戚序本"议的"作"议问"）

遣一能干的小耗。

庚辰双 原来能于此者便是小鼠。（己卯本、蒙府本、戚序本同）

惟有山下庙里果米最多。

庚辰双 庙里原来最多，妙妙！（己卯本、蒙府本、戚序本同）

然后一一的都各领令去了。

庚辰侧 玉兄也知琐碎，以抄近为妙。

只见一个极小极弱的小耗应道。

庚辰侧 玉兄，玉兄，唐突颦儿了。

却是法术无边，口齿伶俐，机谋深远。

庚辰双 凡三句，暗为黛玉作评，讽的妙。（己卯本、蒙府本同；戚序本"凡"作"这"）

我不学他们直偷。

庚辰侧 不直偷，可畏可怕。

238

却暗暗的用分身法搬运，渐渐的就搬运尽了。

庚辰侧 可怕可畏。

岂不比直偷硬取的巧些。

庚辰双 果然巧，而且最毒，直偷者可妨（防），此法不能妨（防）矣。可惜这样才情，这样学术，却只一耗耳。（己卯本同；蒙府本、戚序本二"妨"均作"防"；戚序本"却只"作"却是"）

竟变了一个最标致美貌的一位小姐。

庚辰侧 奇文怪文。

众耗忙笑道："变错了，变错了，原说变果子的，如何变出小姐来。"

庚辰双 余亦说变错了。（己卯本、蒙府本、戚序本同）

却不知盐课林老爷的小姐才是真正香玉呢。

庚辰双 前面有"试才题对额"，故紧接此一篇无稽乱话。前无则可，此无则不可。盖前系宝玉之懒为者，此系宝玉不得不为者。世人诽谤无碍，奖誉不必。（己卯本同；蒙府本、戚序本"奖誉"误作"奖举"；蒙府本"乱话"作"乱语"）

好妹妹，饶我罢，再不敢了。我因为闻你香，忽然想起这个故典来。

庚辰眉 "玉生言（香）"是要与"小恙梨香院"对看，愈觉生动活泼。且前以黛玉，后以宝钗，特犯不犯，好看煞。

丁亥春，畸笏叟。

一语未了，只见宝钗走来。

庚辰双 妙。（己卯本、蒙府本、戚序本、列藏本同）

他肚子里的故典原多。

庚辰双 妙讽。（己卯本、蒙府本、戚序本同；列藏本误作"炒汛"）

只是可惜一件。

庚辰双 妙转。（己卯本、蒙府本、戚序本同；列藏本"妙"误作"炒"）

凡该用故典之时，他偏就忘了。

庚辰双 更妙。（己卯本、蒙府本、戚序本、列藏本同）

别人冷的那样，你急的只出汗。

庚辰双 与前"拭汗"二字针对。不知此书何妙了（至）如此，有许多妙谈妙语，机锋诙谐，各得其时，各尽其理。前梨香院黛玉之讽则偏儿越（而趣），此则正而趣，二人真是对手，两不相犯。（己卯本同；蒙府本、戚序本"妙了"作"妙至"，"儿越"作"而趣"；蒙府本"机锋"作"机讽"，"其时"作"其实"）

列本双 与前"拭汗"二字针对。

第二十回　王熙凤正言弹妒意
　　　　　林黛玉俏语谑娇音

　　一时存了食，或夜间走了困，皆非保养身体之法。

　　庚辰双　云宝玉亦知医理，却只是在频（颦）、钗等人前方露，亦如后回许多明理之语，只在闺前现露三分，越在雨村等经济人前〔越〕如痴如呆，实令人可恨。但雨村等视宝玉不是人物，岂知宝玉视彼等更不是人物，故不与接谈也，宝玉之情（呆）痴十六（真）乎，假乎？看官细评。（己卯本"许多"误作"评多"，"经济人"误作"经济之"，"十六"墨笔描改作"真"；蒙府本、戚序本"十六乎假乎"作"是真乎是假乎"；戚序本"频钗"作"颦儿"，"故不与"作"故不知"；蒙府本"频钗"只作"频"）

　　那袭人也罢了，你妈妈再要认真排场他，可见老背晦了。

　　庚辰双　袭卿能使颦卿一赞，愈见彼之为人矣。观者诸公以为如何？（己卯本同；蒙府本、戚序本"如何"倒为"何如"；列藏本无末句）

　　宝钗忙一把拉住道。

　　庚辰侧　的是宝钗行事。（蒙府侧同）

　　他老糊涂了，倒要让他一步为是。

　　庚辰双　宝钗如何，观者思之。（己卯本、蒙府本、戚序本同）

　　只见李嬷嬷拄着拐棍在当地骂袭人。

庚辰侧 活像，过时奶妈骂丫头。（蒙府侧同）

忘了本的小娼妇，我抬举起你来，这会子我来了，你大模大样的躺在炕上。

庚辰侧 在袭卿身上去（却）叫下撞天屈来。（蒙府侧同）

一心只想装狐媚子哄宝玉，哄的宝玉不理我，听你们的话。

庚辰侧 看这句几把批书人吓杀了。幸有此二句，不然，我石兄袭卿扫地矣。（蒙府侧脱"人"字，"此二句"作"此句"）

好不好拉出去配一个小子。

庚辰侧 虽写得酷肖，然唐突我袭卿，实难为情。（蒙府侧同）

看你还妖精似的哄宝玉不哄。

庚辰侧 若知好事多魔（磨），方会昨（作）者之意。（蒙府侧"昨"作"作"）

叫我问谁去。

庚辰侧 真有是语。（蒙府侧同）

谁不帮着你呢。

庚辰侧 真有是事。（蒙府侧同）

谁不是袭人拿下马来的。

庚辰侧 冤枉，冤哉！

我都知道那些事。

庚辰侧 囫囵语，难解。（蒙府侧同）

我把你奶了这么大。

庚辰侧 奶妈拿手话。

李嬷嬷骂袭人一段。

庚辰眉 特为乳母传照，暗伏后文倚势奶娘线脉。《石头

242

记》无闲文并虚字在此。　壬午孟夏，畸笏老人。

李嬷嬷见他二人来了，便拉住诉委屈。

庚辰侧　四字，嬷嬷是惵（堪－看）重二人身分。（蒙府侧"嬷嬷"作"妈妈"，"惵（堪）"作"看"）

李嬷嬷向黛玉、宝钗诉委屈，"将当日吃茶，茜雪出去"等事唠叨不清。

庚辰眉　茜雪至狱神庙方呈正文。袭人正文标昌（目曰）："花袭人有始有终。"余只见有一次誊清时，与"狱神庙慰宝玉"等五六稿，被借阅者迷失，叹叹！　丁亥夏，畸笏叟。

捞捞叨叨，说个不清。

庚辰侧　好极，妙极，毕肖极！（蒙府侧同）

正值他今儿输了钱，迁怒于人。

庚辰侧　找上文。　有是争竞事。

叫老太太生气不成。

庚辰侧　阿凤两提老太太，是叫老妪想袭卿是老太太的人；况又双关大体，勿泛泛看去。（蒙府侧同）

快来跟我吃酒去。

庚辰侧　何等现成，何等自然，的是凤卿笔法。（蒙府侧同）

丰儿，替你李奶奶拿着拐棍子，擦眼泪的手帕子。

庚辰侧　一丝不漏。

亏这一阵风来，把个老婆子撮了去了。

庚辰侧　批书人也是这样说。看官将一部书中人一一想来，收拾文字非阿凤俱有琐细引迹事。《石头记》得力处俱在此。（蒙府侧"收拾"作"收拾这"。倒二句，邓遂夫改补作：收拾文字，非阿凤，〔谁〕具有〔此〕琐细引迹（避）〔之能〕事?）

243

袭人一面哭，一面拉宝玉道："为我得罪了一个老奶奶，……还只是拉别人。"

庚辰眉 一段特为怡红袭人、晴雯、茜雪三鬟之性情、见识、身分而写。 己卯冬夜。

这屋里一刻还站不得了。

庚辰侧 实言，非谬语也。（蒙府侧同）

说的好说不好听，大家什么意思。

庚辰侧 从"狐媚子"等语来，实实好语，的是袭卿。

你吃饭不吃饭，到底老太太、太太跟前坐一会子。

庚辰侧 心中时时刻刻，正意语也。（蒙府侧"刻刻"作"刻"）

独见麝月一个人在外间房里灯下抹骨牌。

庚辰眉 麝月闲闲无语，令余酸鼻，正所谓对景伤情。丁亥夏，畸笏。（此批本在下一条眉上，蔡义江疑"无"当作"一"）

麝月道："都顽去了，这屋里交给谁呢。"

庚辰侧 正文。（蒙府侧同）

满屋里上头是灯，地下是火。

庚辰侧 灯节。（蒙府侧同）

公然又是一个袭人。

庚辰侧 岂敢。（蒙府侧同）

我在这里坐着，你放心去罢。

庚辰侧 每于如此等处，石兄何常（尝）轻轻放过不介意来。亦作〔者〕欲瞒看官，又被批书人看去（出），呵呵！（蒙府侧"常"作"尝"，脱"亦作欲瞒"，"看去"作"看出"）

咱们两个说话顽笑岂不好。

庚辰侧 全是袭人口气，所以后来代任。（蒙府侧同）

244

宝玉拿了篦子替他一一的梳篦。

庚辰侧 金闺细事如此写。

哦，交杯盏还没吃，倒上头了。

庚辰侧 虽谑语，亦少露怡红细事。（蒙府侧"细事"作"事迹"）

二人在镜内相视。

庚辰侧 此系石兄得意处。（蒙府侧同）

忙向镜中摆手。

庚辰侧 好看〔煞〕，〔有〕趣。（蒙府侧同）

晴雯又跑进来问道："我怎么磨牙了？"

庚辰侧 麝月摇手为此，可儿可儿！ 好看煞。

庚辰眉 娇憨满纸，令人叫绝！ 壬午九月。

你们那瞒神弄鬼的，我都知道。

庚辰侧 找上文。

说着，一径出去了。

庚辰双 闲上（闲）一段儿女口舌，却〔只〕写麝月一人。有（在）袭人出嫁之后，宝玉、宝钗身边还有一人，虽不及袭人周到，亦可免微嫌小敝（弊）等患，方不负宝钗之为人也。故袭人出嫁后云（有）"好歹留着麝月"一语，宝玉便依从此话。可见袭人虽去，实未去也。写晴雯之疑忌，亦为下文跌扇角口等文伏脉，却又轻轻抹去。正见此时都在幼时，虽微露其疑忌，见得人各禀天真之性，善恶不一，往后渐大渐生心矣。但观者凡见晴雯诸人则恶之，何愚也哉！要知自古及今，愈是尤物，其猜忌〔嫉〕妒愈甚。若一味浑厚大量涵养，则有何可令人怜爱护惜哉？然后知宝钗、袭人等行为，并非一味蠢拙古版（板），以女夫子自居。当绣幕灯前，绿窗月下，亦颇有或调（醋）或妒，轻俏艳丽等说。不过一时取乐买笑耳，非切切一味妒才嫉贤也，是以高诸人百倍。不然，宝玉何甘心受屈于二女夫子哉？看过后文则知矣。故观书诸君子不必恶晴雯，正该感晴雯金闺绣阁中生色方是。（己卯本"闲上"误作"关上"，"可见袭人"作"可见袭人出嫁"，"都在"作"却在"，"何愚也哉"作"何愚哉"，"女夫"脱"夫"字，"绿窗"脱"绿"字，"或妒"作"或妬"，"买笑"误作"罪笑"，"妒才"作"妬才"，"则"作"则则"；戚序本"敝"作"弊"，"猜忌妒"作"猜忌嫉妒"，"有何可"作"有何"，"古版"作"古板"，"等说"作"等语"；蒙府本、戚序本"生色方是"作"生一方法"；蒙府本"金闺"误作"今闺"）

头一回自己赢了，心中十分欢喜。

庚辰眉　写环兄先蠃（赢），亦是天生地设现成文字。己卯冬夜。

莺儿拍着手，只叫"幺"。

庚辰双　娇憨如此。（己卯本同；蒙府本、戚序本"憨"作"态"）

庚辰侧　好看煞！（蒙府侧同）
伸手便抓起骰子来，然后就拿钱。

庚辰侧　更也好看。
难道爷们还赖你？

蒙府侧　酷肖。
一个作爷的还赖我们这几个钱。

庚辰侧　酷肖。（蒙府侧同）
前儿我和宝二爷顽，他输了那些也没着急。

庚辰侧　倒卷簾法。实写幼时往事，可伤。（蒙府侧同）
都欺负我不是太太养的。

庚辰侧　蠢驴。（蒙府侧同）
说着便哭了，宝钗忙劝他："好兄弟，快别说这话，人家

246

笑话你。"

庚辰侧 观者至此，有不掩卷厌看者乎？余替宝卿实难为情。（蒙府侧同）

凡作兄弟的都怕哥哥。

庚辰双 大族规矩原是如此，一系（丝）儿不错。（己卯本同；蒙府本、戚序本"一系"作"一丝"）

饶这样，还有人背后谈论。

庚辰侧 此意不呆。

更有个呆意思存在心里。

庚辰眉 又用讳人语瞒着看官。 己卯冬辰。

因孔子是亘古第一人说下的，不可忤慢，只得要听他这句话。

庚辰侧 听了这一个人之话，岂是呆子？由你自己说罢。我把你作极乖的人看。

倒招自己烦恼，不如快去为是。

庚辰侧 呆子都会立这样意，说这样话。（蒙府侧同）

因问："又是那里垫了踹窝来了？"

庚辰侧 多事人〈等〉口〔角〕谈吐。

一问不答。

庚辰侧 毕肖。

就大口啐他，他现是主子，不好了，横竖有教导他的人，与你什么相干。

庚辰侧 反得了理了，所谓贬中褒。想赵姨即不畏阿凤，亦无可回答。

庚辰眉 嫡嫡（的的）是彼亲生，句句竟成正中贬，赵姨实难答言。至此方知标题用"弹"字甚妥协。 己卯冬夜。

赵姨娘也不敢则声。

庚辰侧 "谈（弹）妒意"正文。

你不听我的话，反叫这些人教的歪心邪意，狐媚子霸道的。

庚辰侧 借人发脱。好阿凤，好口齿，句句正言正理。赵姨安得不抿翅低头，静听发挥？批至此，不禁〔浮〕一大白又〔一〕大白矣。（蒙府侧"理"作"礼"，脱"至此"之"此"）

输了几个钱就这么个样儿。

庚辰侧 转得好。（蒙府侧同）

输了一二百钱就这样。

庚辰侧 几（作）者当（尚）记一大百乎？笑笑。（当作"一笑"）

把他送了顽去。

庚辰侧 收什（拾）得好。（蒙府侧"什"作"拾"）

为你这个不尊重，恨的你哥哥牙痒。

庚辰侧 又一折笔，更觉有味。（蒙府侧同）

喝命："去罢！"

庚辰侧 本来面目，断不可少。（蒙府侧同）

得了钱。

庚辰侧 三字写看（尽）环哥。（蒙府侧"看"作"着"）

自己和迎春等顽去，不在话下。

庚辰双 一段大家子奴妾吣吻，如见如闻，正为下文五鬼作引也。余为（谓）宝玉肯效凤姐一点余风，亦可继荣、宁之盛，诸公当为如何？（己卯本"文"误作"又"；戚序本"奴妾"误为"派妾"，"吣吻"作"吣喝"，"荣宁"倒为"宁荣"，"如何"倒作"何如"；蒙府本"奴妾"误作"奴妾"，"如何"亦倒作"何如"）

且说宝玉正和宝钗顽笑，忽见人说："史大姑娘来了。"

248

庚辰双 妙极！凡宝玉、宝钗正闲相遇时，非黛玉来，即湘云来，是恐曳（泄）漏文章之精华也。若不如此，则宝玉久坐忘情，必被宝卿见（所）弃，杜绝后文成其夫妇时无可谈旧之情，有何趣味哉？（己卯本同；蒙府本"曳漏"作"泄漏"；戚序本"曳漏"作"漏泄"）

宝钗笑道："等着。"

庚辰眉 "等着"二字大有神情，看官闭目熟思，方知趣味，非批书人谩（漫）拟也。 己卯冬夜。

忙问好厮见。

庚辰双 写湘云又一笔法，特犯不犯。（己卯本、蒙府本、戚序本同）

我说呢，亏在那里绊住，不然早就飞了来了。

庚辰侧 总是心中事语，故机括一动，随机而出。

蒙府侧 总是心中事语，故机必露。

正说着，宝钗走来道："史大妹妹等你呢。"说着便推宝玉走了。

庚辰双 此时宝钗尚未知他二人心性，故来劝；后文察其心性，故掷之不闻（问）矣。（己卯本同；蒙府本、戚序本无"他二人"的"他"，"闻"作"问"）

宝玉仍来了。

庚辰双 盖宝玉亦是心中只有黛玉，见宝钗难却其意，故暂陋（随）彼去，以完宝钗之情，故少坐仍来也。（己卯本同；蒙府本、戚序本"陋"作"随"；戚序本"故"作"是以"）

不料自己未张口。

庚辰侧 石头惯用如此笔仗。

难道连"亲不间疏，先不僭后"也不知道。

庚辰侧 八字足可消气。

难道你就知你的心，不知我的心不成。

庚辰双 此二语不独观者不解，料作者亦未必解；不但作者未必解，想石头亦不（未必）解，不过述宝、林二人之语耳。石头既未必解，宝、林此刻更自己亦不解，皆随口说出耳。若观者必欲要解，须自揣自身是宝、林之流，则洞然可解；若自料不是宝、林之流，则不必求解矣。万不可记（将）此二句不解，错谤宝、林及石头、作者等人。（己卯本"万不可"误作"方不可"；蒙府本、戚序本"石头亦不解"作"石头亦未必解"，"不可记"作"不可将"）

宝玉、黛玉口角一段。

庚辰眉 明明写湘云来是正文，只用二三答言，反接写玉、林小角口，又用宝钗岔开，仍不了局。再用千句柔言，百般温态；正在情完未完之时，湘云突在（至），"谑娇音"之文才见，真已（正）"费（卖）弄有家私"之笔也。 丁亥夏，畸笏叟。

你怎么倒反把个青肷披风脱了呢。

庚辰双 真真奇绝妙文，真如羚羊挂角，无迹可求。此等奇妙，非口中笔下可形容出者。（己卯本同；蒙府本、戚序本"笔下"误作"笔不"；戚序本"真真"作"真正"）

回来伤了风，又该饿着吵吃的了。

庚辰双 一语仍归儿女本传，却又轻轻抹去也。（己卯本、戚序本同；蒙府本"儿女"倒作"女儿"）

你学惯了他，明儿连你还咬起来呢。

庚辰双 可笑近之野史中，满纸羞花闭月，莺啼燕语。除（殊）不知真正美人方有一陋处，如太真之肥，燕飞（飞燕）之瘦，西子之病，若施于别个不美矣。今见"咬舌"二字加以（之）湘云，是何大法手眼，敢用此二字哉？不独〔不〕见〔其〕陋，且更学（觉）轻俏娇媚，俨然一娇憨湘云立于

250

纸上，掩卷合目思之，其"爱厄"娇音如入耳内。然后将满纸"莺啼燕语"之字样填粪窖可也。（己卯本"合目"误作"合自"；蒙府本、戚序本"除不知"作"殊不知"，"燕飞"作"飞燕"，"掩卷合目"作"掩书合眼"，"入耳内"作"入耳"；戚序本"今见"作"今以"，"加以"作"加之"，"不独见陋"作"不独不见其陋"，"且更学"作"且更觉"；蒙府本"今见"作"今儿"，脱末句"燕语"之"语"）

"他再不放人一点儿"一段。

庚辰眉　此作者放笔写，非褒钗贬颦也。　已卯冬夜。

回后总批

庚辰本　此回文字重作轻抹。得力处是凤姐拉李嬷嬷去，借环哥弹压赵姨。细致处〔是〕宝钗为李嬷劝宝玉，安慰环哥，断喝莺儿。至急为难处是宝、颦论心。无可奈何处是就拿今日天气比；湘云（黛玉）冷笑道："我当〔是〕谁，原来是他。"冷眼最好看处是宝钗、黛玉看凤姐拉李嬷云"〔亏〕这一阵风"，玉、麝一节；湘云到，宝玉就走，宝钗笑说"等着"；湘云大笑大说，颦儿学咬舌，湘云念佛跑了。——〔此〕数节可使看官于纸上能耳闻目睹其音其形之文。（己卯本同；蒙府本、戚序本"嬷"均作"妈"，"赵姨"作"赵姨娘"；戚序本"湘云冷笑"作"黛玉冷笑"，"我当谁"作"我当是谁"，脱"宝钗黛玉看凤姐"之"看"和"宝玉笑说"之"笑"字，"能耳闻目睹其音其形之文"作"能耳闻其音，目睹其形"；蒙府本"宝钗黛玉看凤姐"的"看"处空缺；"玉麝"误作"玉樹"，"拉李嬷"作"拉李妈妈"）

第二十一回　贤袭人娇嗔箴宝玉
俏平儿软语救贾琏

回前总批

庚辰本　有客题《红楼梦》一律，失其姓氏，惟见其诗意骇警，故录于斯：

> 自执金矛又执戈，自相戕（戕）戮自张罗。
>
> 茜纱公子情无限，脂砚先生恨几多。
>
> 是幻是真空历遍，闲风闲月枉吟哦。
>
> 情机转得情天破，"情不情"今奈我何？

凡是书题者，不可〔不以〕此为绝调。诗句警拔，且深知拟书底里，惜乎失石（名）矣！按此回之文固妙，然未见后〔之〕卅回，犹不见此〔回〕之妙。此曰"娇嗔箴宝玉"，"软语救贾琏"，后曰"薛宝钗借词含讽谏，王熙凤知命强英雄"。今只从二婢说起，后则直指其主。然今日之袭人之宝玉，亦他日之袭人，他日之宝玉也；今日之平儿之贾琏，亦他日之平儿，他日之贾琏也。何今日之玉犹可箴，他日之玉已不可箴耶？今日之琏犹可救，他日之琏已不能（可）救耶？箴与谏无异也，而袭人安在哉？宁不悲乎？救与强无别也，甚矣，今因平儿救，此日阿凤英气何如是也；他日之强，何身微运蹇，展眼何如彼耶？人世之变迁如此，光阴〔倏尔如此〕。（按上述三批，庚辰本错钉于第二册后。蒙府本、戚序本起于"按此回之文"句，"后卅回"作"后之三十回"，"此曰"作

252

"此回"，"后则"作"后文则"，"不能救"作"不可救"，脱
"今因平儿救"五字，而作"但"，又脱"他日之强何"的
"强何"二字，"光阴"后有"倏尔如此"；戚序本"后曰"
作"后回"，"展眼何如彼耶"作"亦何如是耶"；蒙府本
"后曰"作"后文"，脱"他日之平儿，他日之贾琏"的
"之"字，"展眼何如彼耶"作"亦何如是也"）

今日写袭人，后文写宝钗；今日写平儿，后文写阿凤。文
是一样情理，景况光阴，事却天壤矣！多少恨〔眼〕泪洒出
（与）此两回书。（蒙府本、戚序本"恨泪洒出"作"眼泪洒
与"，"两回书"后衍出一"中"字；蒙府本脱"后文写阿
凤"的"文"字）

此回袭人三大功，直与宝玉一生三大病映射。（蒙府本、
戚序本"三大功"误作"之大功"）

贤袭人（娇嗔箴宝玉）。

庚辰侧　当得起。

湘云见宝玉拦住门，料黛玉不能出来。

庚辰双　写得湘云与宝玉又亲厚之极，却不见疏远黛玉，
是何情思耶？（蒙府本、戚序本同）

我劝你两个看宝兄弟分上却（都）丢开了手罢。

庚辰双　好极，妙极！玉、颦、云三人已难解难分，插入
宝钗云"我劝你两个看宝玉兄弟分上"，话只一句，便将四人
一齐笼住，不知孰远孰近，孰亲孰疏，真好文字。（戚序本
同；蒙府本脱"妙极"的"极"，"两个"后衍出一"人"
字）

我不依，你们是一气的，都戏弄我不成。

庚辰双　话（活）是颦儿口吻，虽属尖利，真实堪爱堪
怜。（蒙府本、戚序本"话"作"语"）

你不打趣他，他焉敢说你。

庚辰双 好！二"你"字连二"他"字，华灼之至。（蒙府本、戚序本同）

四人正难分解。

庚辰双 好！前〔系〕三人，今忽四人，俱是书中正眼，不可少矣。（蒙府本、戚序本"前"作"前系"）

有人来请吃饭，方往前边来。

庚辰双 好文章！正是闺中女儿口角之事。若只管谆谆不已，则成何文矣。（蒙府本、戚序本"文矣"作"文字"；戚序本"谆谆"误作"哼哼"）

湘云仍往黛玉房中安歇。

庚辰双 前文黛玉未来时，湘云、宝玉则随贾母。今湘云已去，黛玉既来，年岁渐成，宝玉各自有房，黛玉亦各有房，故湘云自应同黛玉一处也。（戚序本"渐成"作"渐大"；蒙府本同）

那林黛玉。

庚辰双 写黛玉身分。

严严密密裹着一幅杏子红绫被，安稳合目而睡。（按：庚辰本误将"严严密密"作双行批）

庚辰双 一个睡态。（蒙府本、戚序本、梦觉本同）

一弯雪白的膀子掠于被外，又带着两个金镯子。

庚辰双 又一个睡态。 写黛玉之睡态，俨然就是娇弱女子，可怜；湘云之态，则俨然是个娇态（憨）女儿，可爱。真是人人俱尽〈人人俱尽〉，个个活跳！吾不知作者胸中埋伏多少裙钗。（庚辰本"人人俱尽"疑为衍文；蒙府本、戚序本脱"黛玉之睡态"的"态"，"娇态"作"姣态"，无后一"人人俱尽"；戚序本"活跳"误作"活眺"）

宝玉见了叹道。

庚辰双 "叹"字奇！除玉卿外，世人见之自曰喜也。

254

（蒙府本、戚序本同）

林黛玉早已醒了。

庚辰侧 不醒不是黛玉了。

你先出去，让我们起来。

庚辰侧 一丝不乱。

弯腰洗了两把。

庚辰侧 妙在"两把"。

再洗了两把，便要手巾。

庚辰侧 在怡红何其废（费）事多多。

还是这个毛病儿，多早晚才改。

庚辰侧 冷眼人旁点，一丝不漏。

如今我忘了。

庚辰眉 "忘了"二字，在娇憨口中自是应声而出，捉笔人却从何处设想而来，成此天然对答。 壬午九月。

这珠子只三颗了，这一颗不是的。

庚辰侧 梳头亦有文字（章），前已叙过；今将珠子一穿插，却天生有是事。

必定是外头去掉下来，不防被人拣了去，倒便宜他。

庚辰双 妙谈！〈道〉"倒便宜他"四字是大家千金口吻，近日多用"可惜了的"四字。今失一珠，不闻此四字，妙极，是极！（蒙府本、戚序本无"道"字）

庚辰眉 "倒便宜他"四字，与"忘了"二字是一气而来，将一侯府千金白描矣。 畸笏。

也不知是真丢了，也不知是给了人镶什么带去了。

庚辰双 纯用画家烘染法。

宝玉不答。

庚辰双 有神理，有文章。（蒙府本、戚序本同）

因镜台两边俱是妆奁等物，顺手拿起来赏玩。

庚辰双 何赏玩也？写来奇特。（蒙府本、戚序本"也"作"耶"）

不觉又顺手拈了胭脂，意欲要往口边送。

庚辰双 是袭人劝后余文。（蒙府本、戚序本同）

因又怕史湘云说。

庚辰双 好极！的是宝玉也。（蒙府本、戚序本同）

这不长进的毛病儿，多早晚才改过。

庚辰侧 前翠缕之言并非白写。

倒别看错了这个丫头，听说话倒有些识见。

庚辰双 此是宝卿初试，已（以）下渐成知己。盖宝卿从此〔留〕心，察得袭人果贤女子也。（蒙府本、戚序本"已下"作"以下"）

宝钗便在炕上坐了。

庚辰双 好！逐回细看，宝卿待人接物，不疏不亲，不远不近。〔可〕厌之人，亦未见〔冷谈之态形诸声色；可喜之人，亦未见〕醴（酽）密之情形诸声色。今日便在炕上坐了，盖深取袭卿矣。二人文字，此回为始，祥披（详批）于此，诸公请记之。（蒙府本、戚序本"厌之人"作"可厌之人"，"亦未见"后有"冷谈之态形诸声色可喜之人亦未见"十五字，"祥披"作"详批"）

深可敬爱。

庚辰双 四字包罗许多文章笔墨，不似近之开口便云"非诸女子之可比"者。此句大坏。然袭人故（固）佳矣，不书此句是大手眼。（戚序本"故"作"固"；蒙府本"佳"误作"佳"）

一时宝玉来了，宝钗方出去。

庚辰双 奇文！写得钗、玉二人形景较诸人皆近，何也？宝玉〔之〕心，凡女子前，不论贵贱，皆亲密之至，岂于宝

256

钗前反生远心哉？盖宝钗之行止，端肃恭严，不可轻犯，宝玉欲近之而恐一时有（冒）渎，故不敢狎犯也。宝钗待下愚尚且和平亲密，何及（反）于兄弟前有远心哉？盖宝玉之形景，已泥于闺阁，近之则恐不逊，反成远离之端也。故二人之远，实相近之至也。至颦儿于宝玉，实近之至矣，却远之至也。不然，后文如何反（凡）较胜角口诸事，皆出于颦哉？以及宝玉砸玉，颦儿之泪枯，种种孽障，种种忧岔（忿），皆情之所陷，更何辩哉？（蒙府本、戚序本"宝玉心"作"宝玉之心"，"于宝玉"作"与宝玉"，"反较胜"作"凡较胜"；戚序本"有渎"作"冒渎"，"何及于"作"何致"，"砸"作"轧"；蒙府本"何及于"作"何能"，"砸"误作"咂"，"更何"作"更可"）

此一回将宝玉、袭人、钗、颦、云等行止，大概一描，已启后大观园中文字也。今详批于此，后久（久后）不忽矣。（蒙府本、戚序本"后久"作"久后"；戚序本"启"作"起"，"不忽"作"不忘"）

钗与玉远中近，颦与玉近中远，是要紧两大船（股），不可粗心看过。（蒙府本、戚序本"船"作"股"）

怎么宝姐姐和你说的这么热闹，见我进来就跑了？

庚辰侧　此问必有。

怎么动了真气。

庚辰双　宝玉如此。（蒙府本、戚序本同）

一面说，一面便在炕上合眼倒下。

庚辰双　醋妒妍憨假态，至矣尽矣！观者但莫认真此态为幸。（蒙府本、戚序本"为幸"作"幸甚"）

宝玉见了这般景况，深为骇异。

庚辰双　好！可知未尝见袭人之如此技艺也。（蒙府本、戚序本同）

那袭人只管合了眼不管。

庚辰双 与颦儿前番姣（娇）态如何？愈觉可爱犹甚。（戚序本"姣"作"娇"；蒙府本同）

因见麝月进来。

庚辰双 偏麝月来，好文章。（蒙府本、戚序本同）

姐姐怎么了。

庚辰双 如见如闻。（蒙府本、戚序本同）

问你自己便明白了。

庚辰双 又好麝月。（蒙府本、戚序本同）

微微的打鼾。

庚辰侧 真乎？诈乎？

只听忽的一声，宝玉便掀过去。

庚辰侧 文是好文，唐突我袭卿，吾不忍也。

也仍合目装睡。

庚辰双 写得烂熳。（蒙府本、戚序本同）

这会子你又说我恼了。

庚辰侧 这是委曲（屈）了石兄。

你心里还不明白，还等我说呢。

庚辰侧 亦是囫囵语，却从有生以来肺腑中出，千斤重。

庚辰眉 《石头记》每用囫囵语处，无不精绝奇绝，且总不觉相犯。　壬午九月，畸笏。

一个大些儿的生得十分水秀。

庚辰双 二字奇绝，多少姣（娇）态包括一尽，今古野史中无有此文也。（戚序本"姣"作"娇"；蒙府本同）

那丫头便说："叫蕙香。"

庚辰双 也好。（蒙府本、戚序本同）

我原叫芸香的。

庚辰双 原俗。（蒙府本、戚序本同）

正经该叫"晦气"罢了，什么蕙香呢。

庚辰双 好极，趣极！（蒙府本、戚序本同）

那一个配比这些花，没的玷辱了好名好姓。

庚辰双 "花袭人"三子（字）在内，说的有趣。（戚序本"子"作"字"；蒙府本"子"作"人"；梦觉本"子"亦作"字"，"说的"作"说得"）

袭人和麝月在外间听了，抿嘴而笑。

庚辰侧 一丝不漏，好精神。

这一日，宝玉也不大出房。

庚辰双 此是袭卿第一功劳也。（蒙府本、戚序本同）

也不和姊妹丫头等厮闹。

庚辰双 此是袭卿第二功劳。（蒙府本、戚序本无"劳"字）

自己闷闷的，只不过拿着书解闷，或弄笔墨。

庚辰双 此虽未必成功，较往日终有微补小益，所谓袭卿有三大功也。（蒙府本、戚序本"微补"作"微裨"）

谁知四儿是个聪敏乖巧不过的丫头。

庚辰双 又是一个有害无益者。作者一生为此所误，批者一生亦为此所误。于开卷凡见如此人，世人故（固）为喜，余犯（反）抱恨。盖四字误人甚矣。 被误者深感此批。（戚序本"犯"作"反"，蒙府本类"及"字）

他变尽方法笼络宝玉。

庚辰双 他（也）好，但不知袭卿之心思何如。（蒙府本、戚序本"他"作"也"，"何如"倒作"如何"）

又怕他们得了意，以后越发来劝。

庚辰双 宝玉恶劝，此是第一大病也。（蒙府本、戚序本同）

若拿出做上的规矩来镇唬，似乎无情太甚。

庚辰双　宝玉重情不重礼，此是第二大病也。（蒙府本、戚序本同）

　　便权当他们死了，毫无牵挂，反能怡然自悦。

　　庚辰双　此意却好，但袭卿辈不应如此弃也。宝玉之情，今古无人可比，固矣；然宝玉有情极之毒，亦世人莫忍为者，看至后半部，则洞明矣。此是宝玉〔第〕三大病也。宝玉看（有）此世人莫忍为之毒，故后文方能（有）"悬崖撒手"一回。若他人得宝钗之妻、麝月之婢，岂能弃而而（为）僧哉？玉一生偏僻处。（蒙府本、戚序本"宝玉看此"作"宝玉看此为"，"方能"作"方有"，"弃而而僧"作"弃而为僧"，"偏僻处"作"偏僻之处"）

　　而天下始人有其巧矣。

　　庚辰双　此（以）上语本《庄子》。（蒙府本同；梦觉本无"语"字）

　　看至此，意趣洋洋，趁着酒兴，不禁提笔续曰。

　　庚辰眉　趁着酒兴不禁而续，是非（作）者自站（占）地步处。谓余何人耶，敢续《庄子》。然奇极怪极之笔，从何设想，怎不令人叫绝！　己卯冬夜。

　　这亦暗露玉兄闲窗净几，不寂（即）不离之功业。　壬午孟夏。

　　焚花散麝，而闺阁始人含其劝矣。

　　戚序双　奇。（庚辰本误入正文，后墨笔圈去，以朱笔小字书之；蒙府本亦窜入正文，后点去）

　　所以迷眩缠陷天下者也。

　　庚辰双　直似庄老，奇甚，怪甚！（戚序本"怪甚"作"怪极之想"，蒙府本作"怪奇之想"）

　　续毕，掷笔就寝。

　　庚辰眉　赵香梗先生《秋树根偶谭》内，兖州少陵台有

260

子美词（祠），为郡守毁为己词（祠）。先生叹子美生遭丧乱，奔走无家；孰料千百年后，数椽片瓦犹遭贪吏之毒手，甚矣，才人之厄也。固（因）改公《茅屋为秋风所破歌》数句，为少陆（陵）解嘲："少陵遗像太守欺无力，忍能对面为盗贼，公然折克（拆去）非（作）己祠，旁人有口呼不得。梦归来兮闻叹息，白日无光天地黑。安得旷宅千万官（间），太守取之不尽生钦（欢）颜，公祠免毁安如山。"读之令人感慨悲愤，心常耿耿。　　壬午九月，因索书甚迫，姑志于此。非批《石头记》也，为续《庄子因》数句，真是打破胭脂阵，坐透红粉关，另开生面之文，无可评处。

　　直至天明方醒。

　　庚辰双　此犹是袭人余功也。想每日每夜宝玉自是心忙身忙口忙之极，今则怡然自适。虽此一刻于身心无所补益，能有一时之闲闲自若，亦岂非袭卿之所使也。（蒙府本、戚序本"补益"作"裨益"，"所使也"作"所使然也"；戚序本"犹是袭人"作"犹算袭人之"，蒙府本作"犹莫袭人之"）

　　只见袭人和衣睡在衾上。

　　庚辰双　神极之笔！试思袭人不来同卧亦不成文字，来同卧更不〈同〉成文字，却云"和衣衾上"，正是来同卧不来同卧之间，何神奇文，妙绝矣！好袭人，真好！"石头"记得真，真好！述者错（述）〔得〕不错，真好！　　批者批得出。（蒙府本脱后一"不来"之"来"，"真好石头"之"好"二字。末句似作者之批）

　　戚序双　神极之笔！试思袭人不来同卧亦不成文字，来同卧更不成文，却云"和衣衾上"，正是来同卧不同卧之间，神奇妙绝之文！

　　梦觉双　若说袭人不来同卧，固不成文字，来同卧亦不成文字，却云"和衣衾上"，是何神奇妙绝文字！

宝玉将昨日的事已付与意外。

庚辰双 更好！可见玉卿的是天真烂熳之人也。近之所谓"呆公子"，又曰"老好人"，又曰"无心道人"是也。除（殊）不知〔乃〕尚古淳风。（戚序本"除不知尚古"作"殊不知上古"；蒙府本"除"作"殊"）

被袭人将手推开。

庚辰侧 好看煞！

再迟了就赶不上了。

庚辰双 说得好，通（痛）快。（有正本无"好"字；戚宁本"通"作"痛"，蒙府本原作"痛"，后涂改作"通"）

我过那里去？

庚辰双 问得更好。（蒙府本、戚序本同）

你问我，我知道？你爱往那里去就往那里去。

庚辰侧 三字如闻。

宝玉笑道："你今还记着呢？"

庚辰侧 非浑一纯翠（粹），那能至此。

比不得你，拿着我的话当耳旁风。夜里说了，早起就忘了。

庚辰双 这方是正文，直勾起"花解语"一回文字。（蒙府本、戚序本"正文"误作"正人"）

宝玉见他娇嗔满面，情不可禁，便向枕边拿起一根玉簪来，一跌两段。

庚辰侧 又用幻笔瞒过看官。

听不听什么要紧。

庚辰侧 已留后文地步。

袭人笑道。

庚辰双 自此方笑。（蒙府本、戚序本同）

快起来洗脸去罢。

262

庚辰侧 结得一星渣汁（滓）全无，且合怡红常事。

不悔自己无见识，却将丑语怪他人。

庚辰双 骂得痛快，非颦儿不可。真好颦儿，真好颦儿！好诗！若云知音者，颦儿也。至此方完"箴玉"半回。（蒙府本、戚序本无"真好颦儿好诗"六字）

庚辰侧 不用宝玉见此诗，若长若短，亦是大手法。

庚辰眉 又借阿颦诗自相鄙驳，可见余前批不谬。　己卯冬夜。

宝玉不见诗，是后文余步也，《石头记》得力所在。　丁亥夏，畸笏叟。

病虽险，却顺。

庚辰侧 在子嗣艰难化出。

一面又拿大红尺头与奶子丫头亲近人等裁衣。

庚辰双 几个"一面"写得如见其景。

贾琏只得搬出外书房来斋戒。

庚辰侧 此二字内生出许多事来。

名唤多官。

庚辰双 今是多多也，妙名。（蒙府本、戚序本只作"妙名"）

都唤他作"多浑虫"。

庚辰双 更好！今之浑虫更多也。（蒙府本、戚序本无"今之"二字；蒙府本"好"作"妙"）

都呼他作"多姑娘儿"。

庚辰双 更妙！（蒙府本、戚序本同）

便觉遍身筋骨瘫软。

庚辰双 淫极！亏想得出。（蒙府本、戚序本同）

使男子如卧绵上。

庚辰双 如此境界，自胜西方、蓬莱等处。（蒙府本、戚

263

序本同）

更兼淫态。

庚辰双 总为后文宝玉一篇作引。（蒙府本、戚序本同）

诸男子至此，岂有惜命者哉。

庚辰侧 凉水灌顶之句。

恨不得连身化在他身上。

庚辰双 亲极之语，趣极之语。（蒙府本、戚序本同）

倒为我脏了身子，快离了我这里罢。

庚辰侧 淫妇勾人惯加反语，看官着眼。

你就是娘娘，我那里管什么娘娘。

庚辰侧 乱语不伦，的是有之。

贾琏越丑态毕露。

庚辰双 可以喷饭。（蒙府本、戚序本同）

一时事毕，两个又海誓山盟，难分难舍。

庚辰侧 着眼，再从前看，如何光景。

此后遂成相契。

庚辰双 趣文。"相契"作如此用，"相契"扫地矣。（蒙府本、戚序本同）

贾琏和多姑娘一段。

庚辰眉 一部书中，只有此一段丑极太露之文，写于贾琏身上，恰极当极！　己卯冬夜。

看官熟思，写珍、琏辈当以何等文方妥方恰也。　壬午孟夏。

此段系书中情之瘕疵。写为（为写）阿凤生日泼醋回及"一大（夭）风流"宝玉悄看晴雯回作引，伏线千里外之笔也。　丁亥夏，畸笏。

一日，大姐毒尽斑回。

庚辰侧 好快日子吓！

264

更有无限恩爱，自不必烦絮。

庚辰侧 隐得好。

平儿会意，忙拽（掖）在袖内。

庚辰双 好极！不料平儿大有袭卿之身分，可谓何地无材，盖造（遭）际有别耳。（蒙府本、戚序本“造际”作“遭际”；戚序本“无材”作“无才”；蒙府本“大有”误作“文有”，“可谓”误作“何谓”）

拿出头发来，向贾琏笑道：“这是什么？”

庚辰双 好看之极！（蒙府本、戚序本同）

贾琏看见着了忙。

庚辰侧 也有今日。

我把你膀子撅了。

庚辰侧 无情太甚！

等他回来我告诉他。

庚辰侧 有是语，恐卿口不应〔心〕。

赏我罢，我再不赌狠了。

庚辰双 好听好看之极，迥不犯袭卿。（蒙府本、戚序本同）

一语未了，只听凤姐声音进来。

庚辰双 惊天骇地之文，如何？不知下文怎样了结，使贾琏及观者一齐丧胆。（蒙府本、戚序本无“如何”，“怎样”作“如何”）

庚辰侧 《石头记》大法小法，累累如是，并不为厌。

不少就好，只是别多出来罢。

庚辰双 奇！（蒙府本、戚序本同）

庚辰侧 看至此，宁不拍案叫绝？

不丢万幸，谁还添出来呢。

庚辰侧 可儿，可儿！卿亦明知故说耳。

再至于头发指甲，都是东西。

庚辰双 好阿凤，令人胆寒。（蒙府本、戚序本同）

平儿只装着看不见。

庚辰侧 余自有三分主意。

奶奶亲自翻寻一遍去。

庚辰双 好平儿，遍天下惧内者来感谢！（蒙府本、戚序本同）

凤姐笑道："傻丫头。"

庚辰双 可叹可笑，竟不知谁傻。（蒙府本、戚序本同）

他便有这些东西，那里就叫咱们翻着了。

庚辰双 好阿凤，好文字！虽系闺中女儿口角小事，读之无不（不无）聪明、得失、痴心、真假之感。（蒙府本、戚序本"女儿"倒作"儿女"，"无不"作"不无"）

平儿指着鼻子，晃着头笑道。

庚辰侧 好看煞！ 可见（儿）可见（儿）。

这件事怎么回谢我呢。

庚辰双 姣俏如见，迥不犯袭卿、麝月一笔。（戚序本"姣"作"娇"；蒙府本"麝月"误作"麝香"）

喜的个贾琏身痒难挠。

庚辰侧 不但贾兄痒痒，即批书人此刻几乎落笔。试问看官此际若何光景？

口里说着，瞅他不妨（防），便抢了过来。

庚辰侧 毕肖！琏兄不分玉石，但负我平姐。奈何奈何！

你拿着终是祸患，不如我烧了他完事了。

庚辰双 妙！说（设）使平儿再不致泄漏，故仍用贾琏抢回，后文遗失，〈后〉〔方能穿插〕过脉也。

戚序双 妙！设使平儿收了，再不致泄漏，故仍用贾琏抢回，后文遗失，方能穿插过脉也。（蒙府本"设"作"说"）

266

一定浪上人的火来他又跑了。

庚辰双　丑态如见，淫声如闻，今古淫书未有之章法。（蒙府本、戚序本同）

我浪我的，谁叫你动火了。

庚辰双　妙极之谈，直是理学工夫。所谓不可正照《风月鉴》也。（蒙府本、戚序本同）

难道图你受用一回。

庚辰侧　阿平，"你"字作（似）牵强，余不画押。一笑。

叫他知道了，又不待见我。

庚辰双　凤姐醋妒，于平儿前犹如是，况他人乎？余为（谓）凤姐必是甚于诸人。观者不信，今平儿说出，然乎，否乎？（戚序本"余为"作"余谓"；蒙府本同）

以后我也不许他见人。

庚辰双　无理之甚，却是妙极趣谈。天下惧内者背后之谈皆如此。（蒙府本、戚序本同）

你可问他，倒像屋里有老虎吃他呢。

庚辰双　好！（蒙府本、戚序本同）

凤姐、贾琏、平儿对话一段。

庚辰眉　此等章法是在戏场上得来，一笑。　畸笏。

凤姐笑道。

庚辰双　"笑"字妙！平儿反正色，凤姐反陪笑，奇极，意外之文。（蒙府本、戚序本同）

自己先摔帘子进来。

庚辰侧　若在屋里何敢如此形景，不（还）要加上许多小心。平儿平儿，有你说嘴的。

贾琏听了，已跑到炕上，拍手笑道。

庚辰侧　惧内形景写尽了。

267

"我有话和你商量。"不知商量何事，且听下回分解。

庚辰本　收后（得）淡雅之至！（庚辰本作墨笔大字，单行直书，系于正文之下，字之形体与正文同；蒙府本、戚序本作双行小字批，文同）

淑女从来多抱怨，娇妻自古便含酸。

庚辰双　二语包尽古今万万世裙钗。（蒙府本、戚序本"古今"倒作"今古"）

第二十二回　听曲文宝玉悟禅机
制灯谜贾政悲谶语

二十一是薛妹妹的生日。

庚辰双　好！（蒙府本、戚序本同）

如今他这生日，大又不是，小又不是，所以和你商量。

庚辰双　有心机人在此。（蒙府本、戚序本同）

往年怎么给林妹妹过的，如今也照依给薛妹妹过就是了。

庚辰双　此例引的极是。无怪贾政委以家务也。（蒙府本、戚序本"家务"作"家政"；蒙府本无句末之"也"字）

说着，一径去了，不在话下。

庚辰双　一段题纲写得如见如闻，且不失前篇惧内之旨。最奇者，黛玉乃贾母溺爱之人也，不闻为作生辰，却云特意与宝钗，实非人想得着之文也。此书通部皆用此法，瞒过多少见者，余故云"不写而写"是也。（戚序本"不闻为"作"不闻为他"；蒙府本"瞒"讹作"赚"）

凤姐与贾琏说宝钗生日一段。

庚辰眉　将薛、林作甄玉、贾玉看书，则不失执笔人本旨矣。　丁亥夏，畸笏叟。（靖墨眉脱"人"字）

喜他稳重和平。

庚辰双　四字评倒黛玉，是以特从贾母眼中写出。（戚序本"四"作"两"；蒙府本同）

便自己蠲资二十两。

庚辰双　写出太君高兴，世家之常事耳。（蒙府本、戚序本同）

庚辰眉　前看凤姐问琏作生日数语甚泛泛，至此见贾母蠲资，方知作者写阿凤心机无丝毫漏笔。　己卯冬夜。

一个老祖宗给孩子们作生日，不拘怎样，谁还敢争。

庚辰侧　家常话，却是空中楼阁陡然架起。

金的、银的、圆的、扁的，压塌了箱子底。

庚辰眉　小科诨解颐，却为借当伏线。　壬午九月。

说着，又引着贾母笑了一回。

庚辰侧　正文在此一句。

便总依贾母往日素喜者说了出来。

庚辰双　看他写宝钗比颦儿如何。（戚序本同；蒙府本"颦"误作"平"）

就贾母内院中搭了家常小巧戏台。

庚辰双　另有大礼所用之戏台也。侯门风俗断不可少。（蒙府本、戚序本同）

定了一班新出小戏，昆弋两腔皆有。

庚辰双　是贾母好热闹之故。（蒙府本、戚序本同）

在贾母上房排了几席家宴酒席。

庚辰双　是家宴，非东阁盛设也。非世代公子再想不及此。（蒙府本、戚序本同）

只有薛姨妈、史湘云、宝钗是客，余者皆是自己人。

庚辰双　将黛玉亦算为自己人，奇甚！（蒙府本、戚序本同）

宝玉因不见林黛玉。

庚辰双　又转至黛玉，又（文）字人（亦）不可少也。（蒙府本、戚序本"又字人"作"文字亦"）

这会子犯不上趼着人借光儿问我。

庚辰双 好听之极，令人绝倒！（蒙府本、戚序本同）

只得点了一折《西游记》。

庚辰双 是顺贾母之心也。（蒙府本、戚序本同）

凤姐亦知贾母喜热闹，更喜谑笑科诨。

庚辰双 写得周到，想得奇趣，实是必（毕）真有之。（蒙府本、戚序本同）

庚辰眉 凤姐点戏，脂砚执笔事，今知者聊聊（寥寥）矣，〔宁〕不怨（悲）夫！（靖朱眉同）

前批书（知）者聊聊（寥寥），今丁亥夏，只剩朽物一枚，宁不痛乎！

靖墨眉 前批知者聊聊（寥寥）。不数年，芹溪、脂砚、杏斋诸子皆相继别去。今丁亥夏，只剩朽物一枚，宁不痛杀！

然后便命黛玉。

庚辰双 先让凤姐点者，是非待凤先而后玉（玉后）也。盖亦素喜凤嘲笑得趣之故，今故命彼点。彼亦自知，并不推让，承命一点，便合其意。此篇是贾母取乐，非礼筵大典，故如此写。（戚序本"后玉"作"玉后"；蒙府本同）

黛玉方点了一出。

庚辰双 不提何戏，妙！盖黛玉不喜看戏也。正是与后文"妙曲警芳心"留地步，正见此时不过草草随众而已，非心之所愿也。（戚序本同；蒙府本"看戏"误作"有戏"）

你还算不知戏呢。

庚辰双 是极。宝钗可谓博学矣，不似黛玉只一《牡丹亭》便身心不自主矣。真有学问如此，宝钗是也。（蒙府本、戚序本同）

一任俺芒鞋破钵随缘化。

庚辰双 此阕出自《山门》传奇。近之唱者，将"一任俺"改为"早辞却"，无理不通之甚。必从"一任俺"三字，

则"随缘"二字方不脱落。（蒙府本、戚序本同）

还没唱《山门》，你倒《装疯》了。

庚辰双　趣极！今古利口莫过于优伶。此一诙谐，优伶亦不得如此急速得趣，可谓才人百技也。一段醋意可知。（蒙府本、戚序本"趣极"作"趣语"，无"不得"之"得"，"可知"作"已见"）

细看时亦发可怜见。

庚辰双　是贾母眼中之内之想。（蒙府本、戚序本无"之内之想"四字。邓遂夫于"之内"间补"态心"二字）

这个孩子扮上活像一个人。

庚辰侧　明明不叫人说出。

便只一笑不肯说。

庚辰双　宝钗如此。（蒙府本、戚序本同）

宝玉也猜着了，亦不敢说。

庚辰双　"不敢"，少（妙）！（蒙府本、戚序本作"不可少"）

倒像林妹妹的模样儿。

庚辰双　口直心快，无有不可说之事。（蒙府本、戚序本同）

庚辰侧　事无不可对人言。

庚辰眉　湘云、探春二卿正"事无不可对人言"芳性。丁亥夏，畸笏叟。

看人家的鼻子眼睛什么意思。

庚辰双　此是真恼，非颦儿之恼可比；然错怪宝玉矣。亦不可不恼。（戚序本同；蒙府本"颦"误作"平"）

我要有外心，立刻就化成灰，叫万人践踏。

庚辰双　千古未闻之誓，恳切尽情。宝玉此刻之心为如何？（蒙府本、戚序本"如何"作"何如"）

272

庚辰眉　玉兄急了。

湘云道："大正月里少信嘴胡说。"

庚辰侧　回护石兄。

说给那些小性儿、行动爱恼的人，会辖制你的人听去。

庚辰侧　此人为谁？

袭人早知端的，当此时断不能劝。

庚辰双　宝玉在此时一劝必崩了，袭人见机，甚妙！（蒙府本、戚序本"必崩"作"便恼"）

你还要比，你还要笑。

庚辰侧　可谓官断十条路是也。

庚辰眉　此书如此等文章多多，不能救（枚）举，机括神思自从天分而有。其毛锥写人口气传神摄魄处，怎不令人拍案称奇叫绝！　丁亥夏，畸笏叟。

无可分辩，不则一声。

庚辰双　何便无言可辩，真令人不解。前文湘云方来，"正言弹妒意"一篇中，颦、玉角口，后收至"袿子"一篇，余已注明不解矣。回思自心自身：是玉、颦之心，则洞然可解，否则无可解也；身非宝玉，则有辩有答，若〔是〕宝玉，则再不能辩不能答。何也？总在二人心上想来。（蒙府本、戚序本"若宝玉"作"若是宝玉"；戚序本"辩"均误作"辨"；蒙府本"妒"讹作"姤"）

只是那一个偏又不领你这好情，一般也恼了。

庚辰双　颦儿自知云儿恼，用心甚矣。（戚序本同；蒙府本"颦"误作"平"）

你又拿我作情，倒说我小性儿。

庚辰双　颦儿却又听见，用心甚矣。（戚序本同；蒙府本"颦"误作"平"）

我恼他，与你何干；他得罪了我，又与你何干？

庚辰双 问的却极是，但未必心应。若能如此，将来泪尽夭亡已化乌有，世间亦无此一部《红楼梦》矣。（蒙府本、戚序本同）

庚辰眉 神工乎，鬼工乎？文思至此尽矣。 丁亥夏，畸笏。

又曰"山木自寇"。

庚辰双 按原注，"山木"，漆树也，精脉自出，岂人所使之？故云"自寇"，言自相戕（戕）贼也。（戚序本同；蒙府本"戕"作"戕"）。

"源泉自盗"等语。

庚辰双 源泉味甘，然后人争取之，自寻干涸也；亦如山木。意皆寓人智能聪明多知之害也。前文无心；云看《南华经》，不过袭人等恼时，无聊之甚，偶以释闷耳。殊不知用于今日，大解误（悟）大觉迷之功甚矣。市徒见此，必云前日看的是外篇《胠箧》，如何今日又知若许篇；然则彼〔时〕只曾看外篇数语乎？想其理，自然默默看过几篇，适至外篇，故偶触其机，方续之也。若云只看了那几句便续，则宝玉彼时之心是有意续《庄子》，并非释闷时偶续之也。且更有见前所续，则曰续的不通，更可笑矣。试思宝玉虽愚，岂有安心立意与庄叟争衡哉？且宝玉有生以来，此身此心为诸女儿应酬不暇，眼前多少现〔成〕有益之事尚无暇去作，岂忽然要分心于腐言糟粕之中哉？可知除闺阁之外，并无一事是宝玉立意作出来的。大则天地阴阳，小则功名荣枯，以及吟篇琢句，皆是随分触情，偶得之不喜，失之不悲，若当作有心，〔则〕谬矣。只看大观园题咏之文，以（已）算平生得意之句，得意之事矣。然亦总不见再吟一句，再题一事，据此可见矣。然后可知前夜是无心顺手拈了一本《庄子》在手，且酒兴醺醺（醺醺），芳愁默默，顺手不计工拙，草草一续也。若使顺手

274

拈一本近时鼓词，或如《钟无艳赴会》、《其（齐）太子走国》等草野风邪之传，必亦（亦必）续之矣。观者试看此批，然后谓余不谬。所以可恨者，彼夜却不曾拈了《山门》一出传奇；若使《山门》在案，彼时捻（拈）着，又不知于《寄生草》后续出何等超凡入圣大觉大误（悟）诸语录来。（蒙府本、戚序本"大解误"作"大解悟"，"然则彼"作"然则彼时"，"去作"作"去做"，"之外"作"外"，"立意作"作"立意做"，"谬矣"作"则谬矣"，"必亦"作"亦必"，"大误"作"大悟"；戚序本"以算"作"已算"；蒙府本"释闷耳"作"释闷矣"，"暇"均误作"假"，"岂忽然"作"立忽然"，"有心"误作"者心"，"大观园"作"大观因"，"捻着"作"拈着"）

黛玉一生是聪明所误。宝玉是多事所误。多事者，情之事也，非世事也。多情曰多事，亦宗庄笔而来。盖余亦偏矣，可笑。阿凤是机心所误，宝钗是博知所误，湘云是自爱所误，袭人是好胜所误。皆不能跳出庄叟言外，悲亦甚矣！再笔。（蒙府本、戚序本"跳出"作"跳出于"）

将来犹欲何为。

庚辰双 看他只这一笔，写得宝玉又如何用心于世道。言闺中红粉尚不能周全，何碌碌僭欲治世待人接物哉？视闺中自然女（如）儿戏，视世道如虎狼矣，谁云不然？（蒙府本、戚序本同）

自己转身回房来。

庚辰双 颦儿云"与你何干"，宝玉如此一回则曰"与我何干"可也。口虽未出，心已误（悟）矣，但恐不常耳。若常存此念，无此一部书矣。看他下文如何转拆（折）。（蒙府本、戚序本"误"作"悟"，"拆"作"折"；蒙府本"颦"误作"平"）

不禁自己越发添了气。

庚辰双 只此一句，又勾起波浪。去则去，来则来，又何气哉？总是断不了这根孽肠，忘不了这个衬（祸）害，既无而又有也。（蒙府本、戚序本"衬"作"祸"）

这一去，一辈子也别来，也别说话。宝玉不理。

庚辰双 此是极心死处，将来如何？（蒙府本、戚序本同）

袭人深知原委，不敢就说。

庚辰双 一说必崩。（蒙府本、戚序本"必崩"作"就恼"）

他还不还，管谁什么相干。

庚辰双 大奇大神之文。此"相干"之语仍是近文与颦儿之语之相干也。上文来说终存于心，却于宝钗身上发泄。素厚者惟颦、云，今为彼等尚存此心，况于素不〔相〕契者，有不直言者乎？情理笔墨无不尽矣。（戚序本"不契"作"不相契"；蒙府本"颦"作"平"）

他们娘儿姊妹们欢喜不欢喜也与我无干。

庚辰双 先及宝钗，后及众人，皆一颦之衬（祸）流毒于众人。宝玉之心实仅有一颦乎？（蒙府本、戚序本"衬"作"祸"；蒙府本"颦"作"平"）

我是赤条条来去无牵挂。

庚辰双 拍案叫好！当此一发，西方诸佛亦来听此棒喝，参此语录。（蒙府本、戚序本同）

谈及此句，不觉泪下。

庚辰双 还是心中不净不了，斩不断之故。（蒙府本、戚序本同）

不禁大哭起来。

庚辰双 此是忘机大悟，世人所谓疯颠（癫）是也。（戚

276

序本同；蒙府本"悟"讹作"误"）

无可云证，是立足境。

庚辰双　已悟已觉，是好偈矣。　宝玉悟禅亦由情，读书亦由情，读（续）《庄》亦由情，可笑。（戚序本同；蒙府本"读书亦由情"的"亦"误作"之"）

自虽解悟，又恐人看此不解。

庚辰双　自悟则自了，又何用人亦解哉？此正是犹未正觉大悟也。（蒙府本、戚序本同）

因此亦填一支《寄生草》，也写在偈后。

庚辰双　此处亦续《寄生草》。余前批云不曾见续，今却见之，是意外之幸也。盖前夜〔续〕《庄子》是道悟，此日是禅悟，天花散漫之文也。（蒙府本、戚序本同）

中心自得，便上床睡了。

庚辰双　前夜已悟，今夜又悟，二次翻身不出，故一世堕落无成也。不写出曲文何辞，却留与宝钗眼中写出，是交待过节也。（蒙府本、戚序本"却留与"作"却要留于"）

以寻袭人为由来视动静。

庚辰双　这又何必，总因蕙（慧）力（刀）不利，未斩毒龙之故也。大都如此，叹叹！（戚序本"叹叹"作"可叹"；蒙府本"慧刀"误作"慧力"）

不觉可笑可叹。

庚辰双　是个善知觉。何不趁此大家一解，齐证上乘，甘心堕落迷津哉？（蒙府本、戚序本同）

作的是顽意儿，无甚关系。

庚辰双　黛玉说无关系，将来必无关系。

余正恐颦、玉从此一悟，则无妙文可看矣。不想颦儿视之为漠然，更曰"无关系"，可知宝玉不能悟也。余心稍慰。盖宝玉一生行为颦知最确，故余闻颦语则信而又信，不必定玉而后证之方信也。

余云恐他二人一悟则无妙文可看，然欲为闻（开）我怀，为醒我目，却愿他二人永堕迷津，生出孽障。余心甚不公矣。世云损人利己者，余此愿是矣。试思之，可发一笑。今自呈于此，亦可为后人一笑，以助茶前酒后之兴耳。而今后天地间岂不又添一趣谈乎？凡书皆以趣谈读去，其理自明，其趣自得矣。（蒙府本、戚序本误将"将来必无关系。余正恐颦玉从此一悟"句串位颠倒，"宝玉不能悟"讹作"黛玉不能悟"；戚序本"而今后"倒为"今而后"，将"余云恐他二人……却愿他二人永"诸句脱漏；蒙府本脱"余云恐他二人一悟则无妙文可看"句，"然欲为开我怀……二人永"中脱"欲为"的"为"，且夹于两行文字间，呈侧批形式，显为后补所致；又蒙府本"颦"均作"平"，"兴耳"作"兴矣"，"天地间"误作"天地问"）

（黛玉）与湘云同看。

庚辰双　却不仝（同）湘云分崩，有趣。（蒙府本、戚序本"仝"作"同"，"分崩"作"分争"；梦觉本"仝"亦作"同"，"有趣"作"有意"）

次日又与宝钗看。宝钗看其词。

庚辰双　出自宝钗目中，正是大关键处。（蒙府本、戚序本同）

从前碌碌却因何。

庚辰双　到如今。（当为正文衬字，庚辰本误作双行小字批）

回头试想真无趣。

庚辰双　看此一曲，试思作者当日发愿不作此书，却立意要作传奇，则又不知有如何词曲矣。（戚序本同；蒙府本"立意"讹作"正意"）

278

这些道书禅机最能移性。

庚辰双 拍案叫绝！此方是大悟彻语录，非宝卿不能谈此也。（蒙府本、戚序本同）

你有何贵，你有何坚。

庚辰双 拍案叫绝！大都（和）尚来答此机锋，想亦不能答也。非颦儿，第二人无此灵心慧性也。（蒙府本、戚序本"和尚"亦误作"都尚"，"来"作"未"；蒙府本"颦"作"平"）

无立足境，是方干净。

庚辰双 拍案叫绝！此又深一层也。亦如谚云："去年贫只立锥，今年贫锥也无。"其理一也。（戚序本同；蒙府本"谚"误作"该"）

南宗六祖惠能一段。

庚辰眉 用得妥当之极！

五祖便将衣钵传他。

庚辰双 出语录。总写宝卿博学宏览，胜诸才人；颦儿却聪慧灵智，非学力所致：皆绝世绝伦之人也。宝玉宁不愧杀！（戚序本同；蒙府本"颦"作"平"）

说着，四人仍复如旧。

庚辰双 轻轻抹去也。"心净难"三字不谬。（蒙府本、戚序本同）

宝玉悟禅机一段。

庚辰眉 前以《庄子》为引，故偶续之；又借颦儿诗一鄙驳，兼不写着落，以为瞒过看官矣。此回用若许曲折，仍用老庄引出一偈来，再续一《寄生草》，可为（谓）大觉大悟已（矣）。以之上承（乘）果位，以后无书可作矣。却又轻轻用黛玉一问机锋，又续偈言二句，并用宝钗讲五祖六祖问答二实偈子，使宝玉无言可答，仍将一大善知识，始终跌（跳）不出警幻幻（情）榜中，作下回若干回书。真有机心游龙不则（测）之势，安得不叫绝！且历来小说中万写不到者。　己卯冬夜。

宝玉、黛玉、湘云、探春。

庚辰双　此处透出探春，正是草蛇灰线，后文方不突然。（戚序本同，蒙府本"处"误作"意"，"正是"倒作"是正"）

一并将贾环、贾兰等传来，一齐各揣心机。

庚辰双　写出猜迷人形景。看他偏于两次禅机后写此机心机事，足见用意至深至远。（蒙府本、戚序本同）

惟二小姐与三爷猜的不是。

庚辰双　迎春、贾环也，交错有法。（蒙府本、戚序本同）

每人一个宫制诗筒。

庚辰双　诗筒，身边所佩之物，以待偶成之句草录暂收之，其归至窗前不致有亡也；或茜牙成，或琢香屑，或以绫素为之，不一。想来奇特事，从不知也。　二物极微极雅。（戚序本"其归"误作"共归"；蒙府本"亡"作"忘"。又蒙府本、戚序本"二物极微极雅"移至"一柄茶筅"后，是也）

一柄茶筅。

庚辰双　破竹如帚，以净茶具之积（渍）也。（蒙府本、戚序本文同；列藏本"破竹"前注为"音毫"，"茶具"倒为"具茶"）

迎春自为顽笑小事，并不介意。

庚辰双　大家小姐。（蒙府本、戚序本同）

贾环迷下。

庚辰双　可发一笑，真环哥之谜。　诸卿勿笑，难为了作者摹拟。（蒙府本、戚序本连写；蒙府本"诸"误作"者"）

一个枕头，一个兽头。

庚辰双 亏他好才情，怎么想来。（蒙府本、戚序本同）

李宫裁、王熙凤二人在里间又一席。

庚辰侧 细致。

怎么不见兰哥。

庚辰双 看他透出贾政极爱贾兰。（蒙府本、戚序本同）

今日贾政在这里，便惟有唯唯而已。

庚辰双 写宝玉如此。非世家曾经严父之训者，段（断）写不出此一句。（蒙府本、戚序本"段"作"断"，"一句"作"二句"）

今日贾政在席，也自钳口禁言。

庚辰双 非世家经明训者，段（断）不知此一句。写湘云如此。（蒙府本、戚序本"段"作"断"）

黛玉本性懒与人共，原不肯多语。

庚辰双 黛玉如此。与人多话则不肯，问（岂）得与宝玉话更多哉？（蒙府本、戚序本"问"作"岂"）

便此时亦是坦然自若。

庚辰双 瞧他写宝钗，真是又曾经严父慈母之明训，又是世府千金，自己又天性从礼合节，前三人之长并归于一身。前三人向（尚）有捏作之态，故惟宝钗一人作坦然自若，亦不见逾规踏（蹋）矩也。（戚序本"世府"作"公府"，"踏矩"作"越矩"；蒙府本"写宝钗"误作"看宝钗"，"慈母"误作"慈父"，"明训"后多一"也"，"踏矩"作"蹋矩"）

故此一席虽是家常取乐，反见拘束不乐。

庚辰双 非世家公子，断写不及此。想近时之家，纵其儿女哭笑索饮，长者反以为乐，其〔无〕礼不法何如是耶？（蒙府本、戚序本"反以"误作"又以"，"其礼"作"其无礼"；蒙府本"儿女"倒作"女儿"）

贾母亦知因贾政一人在此所致之故。

庚辰双 这一句又明补出贾母亦是世家明训之千金也，不然断想不及此。（戚序本同；蒙府本"断想"误作"断然"）

何疼孙子孙女之心便不略赐以（与）儿子半点。

庚辰双 贾政如此，余亦泪下。（蒙府本、戚序本"亦"作"已"）。

猴子身轻站树梢。

庚辰双 所谓"树倒猢狲散"是也。（蒙府本、戚序本同；梦觉本"猢"作"猴"）

贾政已知是荔枝。

庚辰双 的是贾母之谜。（蒙府本、戚序本批在"打一果名"下）

身自端方，体自坚硬。虽不能言，有言必应。

庚辰双 好极！的是贾老之谜。包藏贾府祖宗自身，"必"字隐"笔"字。妙极，妙极！（蒙府本、戚序本均脱一"妙极"，戚序本"隐"上多一"暗"）

贾母想了想。

庚辰侧 太君身分。

一声震得人方恐，回首相看已成灰。

庚辰双 此元春之谜。才得侥倖（幸），奈寿不长，〔深〕可悲哉！（蒙府本、戚序本"可"上多一"深"字；蒙府本"侥倖（幸）"误作"倖倖"；列藏本作"此是元春之作"；梦觉本"侥幸"误作"徵倖"，"可悲"作"耳惜"）

因何镇日纷纷乱，只为阴阳数不同。

庚辰双 此迎春一生遭际，惜不得其夫何！（蒙府本、戚序本同；列藏本作"此是迎春之作"；梦觉本"夫何"作"夫乎"）

游丝一断浑无力，莫向东风怨别离。

庚辰双 此探春远适之谶也。使此人不远去，将来事败，诸子孙不至流散也。悲哉，伤哉！（蒙府本、戚序本"此人"作"其人"，"不至"作"不致"；列藏本作"此是探春之作"；梦觉本无"使此人"以下诸句）

莫道此生沉黑海，性中自有大光明。

庚辰双 此惜春为尼之谶也。分（公）府千金，至缁衣乞食，宁不悲夫！（戚序本同；蒙府本"分"作"公"；列藏本"此是惜春之作"）

庚辰眉 此后破失，俟再补。

庚辰本 暂记宝钗制谜云。（文略，即"朝罢谁携两袖烟"一诗）

此回未〔补〕成而芹逝矣，叹叹！　丁亥夏，畸笏叟。（靖墨眉"未成"作"未补成"，无"叟"字）

第二十三回　《西厢记》妙词通戏语
　　　　　《牡丹亭》艳曲警芳心

想了几句话，便回王夫人说。

庚辰侧　一派心机。

只是昨儿晚上我不过是要改个样儿，你就扭手扭脚的。

庚辰侧　写凤姐风月之文如此，总不脱漏。

嗤的一声笑了。

庚辰侧　好章法！

如今且说贾元春因在宫中自编大观园题咏之后。

庚辰眉　大观园原系十二钗栖止之所，然工程浩大，故借元春之名而起，再用元春之命以安诸艳，不见一丝扭捏（捏）。　己卯冬夜。

也不使佳人落魄，花柳无颜。

庚辰侧　韵人行韵事。（蒙府本批在"不敢使人进去骚扰岂不寥落"之侧，无"行"字）

忽见丫鬟来说："老爷叫宝玉。"宝玉听了，好似打了个焦雷，登时扫去兴头，脸上转了颜色。

庚辰侧　多大力量写此〔一〕句。余亦惊骇，况宝玉乎？回思十二三时，亦曾有是病来。想时不再至，不禁泪下。（靖墨眉"此句"作"此一句"，"惊骇"误作"骇警"，"乎"误作"手"，"曾"误作"会"，无"病来"二字）

侦到这边来。

庚辰眉　侦，撑去声。

金钏一把拉住宝玉。

庚辰侧　有是事，有是人。

我这嘴上是才擦的香浸胭脂。

庚辰侧　活像活现。

神彩飘逸，秀色夺人。

庚辰侧　消气散用的好。

忽又想起贾珠来。

庚辰侧　批至此，几乎失声哭出。（靖墨眉"几乎失声哭出"作"几令人失声"）

如今叫禁管，同你姊妹在园里读书写字。

庚辰眉　写宝玉可入园，用"禁管"二字，得体，理之至。　壬午九月。

袭人天天晚上想着打发我吃。

庚辰侧　大家细细听去，活似小儿口气。

究竟也无碍，又何用改。

庚辰侧　几乎改去好名。

断喝一声："作业的畜生，还不出去。"

庚辰侧　好收什（拾）。

刚至穿堂门前。

庚辰双　妙！这便是凤姐扫雪拾玉之处，一丝不乱。（蒙府本、戚序本"拾玉之"窜至"是凤姐扫雪"之上）

只见袭人倚门立在那里，一见宝玉平安回来，堆下笑来问道。

庚辰侧　等坏了，愁坏了，所以有"堆下笑来问"问（之）话。

不过怕我进园去淘气，吩咐吩咐。

庚辰侧　就说大话，毕肖之至。

林黛玉正心里盘算这事。

庚辰侧 颦儿亦有盘算事，拣择清幽处耳，未知择邻否？一笑。

咱们两个又近，又都清幽。

庚辰侧 择邻出于玉兄，所谓真知己。

登时园内花招绣带，柳拂香风。

庚辰双 八字写得满园之内处处有人，无一处不到。（蒙府本、戚序本同）

每日只和姊妹丫头们一处，或读书，或写字。

庚辰侧 未必。

以及描鸾刺凤。

庚辰侧 有之。

《冬夜即事》诗上。

庚辰眉 四诗作尽安福（富）尊荣之贵介公子也。 壬午孟夏。

只在外头鬼混，却又痴痴的。

庚辰双 不进园去，真不知何心事。（蒙府本、戚序本同）

惟有这件宝玉不曾看见过。

庚辰侧 书房伴读累累如是，余至今痛恨。

只见一阵风过。

庚辰侧 好一阵凑趣风。

恐怕脚步践踏了。

庚辰双 情不情。（蒙府本、戚序本同）

肩上担着花锄，锄上挂着花囊，手内拿着花帚。

庚辰侧 一幅采芝图，非葬花图也。

庚辰眉 此图欲画之心久矣，誓不遇仙笔不写，恐袭（褒）我颦卿故也。 己卯冬。

286

丁亥春间，偶识一浙省发（客），其白描美人，真神品物，甚合余意。奈彼因宦缘所缠无暇，且不能久留都下，未几南行矣。余至今耿耿，怅然之至。恨与阿颦结一笔墨缘之难若此，叹叹！　丁亥夏，畸笏叟。

靖墨眉　丁亥春日，偶识一浙省客，书〔其〕白描美人，真神品物，甚合余意。奈彼〔因〕宦缘所缘（缠）无暇，且不能久留都下，来（未）几南行矣。余至今耳火又（耿耿），怅然之至，恨与阿颦结一书（笔）墨缘之难若此，叹叹。丁亥□奇笏叟。（夏字被蛀去，"畸"字残半）

好好，来把这个花扫起来。

庚辰侧　如见如闻。

我有一个花冢。

庚辰侧　好名色，新奇！葬花亭里埋花人。

日久不过随土化了。

庚辰侧　宁使香魂随土化。

岂不干净。

庚辰双　写黛玉又胜宝玉十倍痴情。（蒙府本、戚序本同）

待我放下书，帮你来收拾。

庚辰侧　顾了这头，忘却那头。

我就是多愁多病的身，你就是那倾国倾城貌。

庚辰侧　看官说宝玉忘情有之，若认作有心取笑，则看不得《石头记》。

早又把眼睛圈儿红了，转身就走。

庚辰侧　唬杀急杀。

变个大忘八，等你明儿做了一品夫人，病老归西的时候，我往你坟上替你驼一辈子的碑去。

庚辰侧　虽是混话一串，却成了最新最奇的妙文。

说的林黛玉嗤的一声笑了。

庚辰侧 看官想，用何等话令黛玉一笑收科。

别了黛玉，同袭人回房换衣不提。

庚辰双 一语度下。（蒙府本、戚序本同）

自己闷闷的。

庚辰双 有原故。（蒙府本、戚序本同）

只听墙内笛韵悠扬，歌声婉转。

庚辰侧 入正文方不牵强。

只是林黛玉素习不大喜看戏文。

庚辰双 妙法，必云不大喜看。（蒙府本、戚序本同）

偶然两句吹到耳内，明明白白，一字不落。

庚辰双 却一喜便总不忘，方见契（楔）得紧。（蒙府本、戚序本同）

原来姹紫嫣红开遍，似这般都付与断井颓垣。

庚辰眉 情小姐故以情小姐词曲警之，恰极当极！　己卯冬。

心下自思道："原来戏上也有好文章。"

庚辰侧 非不及钗，系不曾于杂学上用意也。

可惜世人只知看戏，未必能领略这其中的趣味。

庚辰侧 将进门便是知音。

回后总批

庚辰本 〔此回〕前以《会真记》文，后以《牡丹亭》曲，加以有情有景消魂落魄诗词，总是争（急）于令颦儿种病根也。看其一路不迹（即）不离，曲曲折折写来，令观者亦难技（支）持，况瘦怯怯之弱女乎！

288

第二十四回　醉金刚轻财尚义侠
痴女儿遗帕惹相思

回前总批

庚辰本　夹写醉金刚一回，是处（剧）中之大净场，聊醉（醒）看官倦眠（眼）耳。然亦书中必不可少之文，必不可少之人，今写在市井俗人身上，又加一"侠"字，则大有深意存焉。（蒙府本、戚序本"处"作"书"，"净场"作"文字"，"醉"作"醒"；戚序本"眠"作"眼"；蒙府本"大有"倒作"有大"）

靖藏本　醉金刚一回文字，伏芸哥仗义探庵。余卅年来得遇金刚之样人不少，不及金刚者亦复不少，惜不便一一注明耳。　壬午孟夏。（按：此批应为眉批。）

你这个傻丫头，唬我这么一跳好的。

庚辰侧　此"傻"字加于香菱，则有多少丰神跳于纸上，其娇憨之态可想而知。（蒙府侧"娇憨"倒作"憨娇"）

你们紫鹃也找你呢。

庚辰侧　一丝不漏。

走罢，回家去坐着。

庚辰侧　是（回）家去坐着之言，是恐石上冷意。

况他们有甚正事谈讲。

庚辰侧　为学诗伏线。

又下一回棋，看两句书。

庚辰双 棋不论盘，书不论章，皆是娇憨女儿神理。写得不迹（即）不离，似有若无，妙极！ （戚序本"迹"作"即"；蒙府本"憨"作"态"）

庚辰眉 是书最好看如此等处，系画家山水、树头、邱壑俱备，末用浓淡墨点苔法也。 丁亥夏，畸笏叟。

好姐姐，把你嘴上的胭脂赏我吃了罢。

庚辰侧 胭脂是这样吃法，看官阿（可）经过否？

袭人，你出来瞧瞧，你跟他一辈子，也不劝劝。

庚辰侧 不向宝玉说话，又叫袭人，鸳鸯亦是幻情洞天也。

你再这么着。

庚辰侧 此五字内有深意深心。

只见贾琏请安回来了。

庚辰侧 一丝不漏。

只见旁边转出一个人来："请宝叔安。"

庚辰侧 芸哥此处一现，后文不见突然。

倒也十分面善，只是想不起是那一房的。

庚辰侧 大族人众，毕真，有是理。

你倒比先越发出挑了，倒像我的儿子。

庚辰侧 何尝是十二三岁小孩语。

自从我父亲没了，这几年也无人照管教导。

庚辰侧 虽是随机而应，伶俐人之语，余却伤心。

你听见了，认儿子不是好开交的呢。

庚辰侧 是兄凑弟趣，可叹。

别和他们鬼鬼祟祟的。

庚辰侧 何其唐皇正大之语。

贾赦先站起来，回了贾母话。

庚辰侧 一丝不乱。

290

邢夫见了他来，先倒站了起来，请过贾母安。

庚辰侧 一丝不乱。

方问别人，又命人倒茶来。

庚辰侧 好层次，好礼法，谁家故事。

贾环见宝玉同邢夫人坐在一个坐褥上，邢夫人又百般摸娑抚弄他，早已心中不自在了。

庚辰侧 千里伏线。

闹的我头晕，今儿不留你们吃饭了。

庚辰侧 明显薄情之至。（蒙府侧同）

各自回房安置，不在话下。

庚辰双 一段为五鬼压（魇）魔法〔作〕引。 脂砚。（蒙府本、戚序本、梦觉本"法引"作"作引"，无署名；又梦觉本"压"作"魇"）

偏生你婶子再三求了我，给了贾芹了。

庚辰侧 反说体面话，惧内人累累如是。

叔叔也不必先在婶子跟前提我今儿来打听的话。

庚辰侧 已得了主意了。

提他作什么，我那里有这些工夫说闲话儿呢。

庚辰侧 已被芸哥瞒过了。

便一径往他母舅卜世仁家来。

庚辰侧 既云不是人，如何肯共事，想芸哥此来空了。

八月里按数送了银子来。

庚辰双 甥舅之谈如此，叹叹！（蒙府本、戚序本"叹叹"作"可叹"；蒙府本"如"误作"好"）

再休提赊欠一事。

庚辰侧 何如，何如？余言不谬。

你就拿现银子到我们这不三不四的铺子里来买，也还没有这些。

庚辰侧 推脱之辞。（蒙府侧"辞"误作"乱"）

要是别的涎皮赖脸，三日两头儿来缠着舅舅要三升米二升豆子的，舅舅也就没有法呢。

庚辰侧 芸哥亦善谈，井井有理。 余二人亦不曾有是气。（蒙府侧无"余二人"句，余同）

便下个气和他们的管家或者管事的人们嬉和嬉和，弄个事儿管管。

庚辰侧 可怜可叹！余竟为之一哭。

骑着大叫驴，带着五辆车，有四五十和尚道士。

庚辰双 妙极！写小人口角，羡慕之言加一倍。毕肖，却又是背面傅粉法。（戚序本同；蒙府本"倍"误作"部"）

便起身告辞。

庚辰侧 有志气，有果断。

一句未完，只见他娘子说道："你又糊涂了。"

庚辰侧 虽写小人家涩细，一吹一唱，酷肖之至，却是一气逼出，后文方不突然。《石头记》笔杖（仗）全在如此样者。

那贾芸早说了几个"不用费事"，去的无影无踪了。

庚辰侧 有知识有果断人自是不同。

把贾芸唬了一跳。

庚辰侧 自上看来，可是一口气否？

贾芸撞倪二一段。

庚辰眉 这一节对《水浒》记杨志卖刀遇设（没）毛大虫一回看，觉好看多矣。 己卯冬夜，脂砚。

翘趄着笑道。

庚辰侧 写生之笔。

原来是贾二爷。

庚辰侧 如此称呼，可知芸哥素日行止，是"金盆虽破

292

分两（量）在”也。

告诉不得你，平白的又讨了个没趣儿。

庚辰侧 本无心之谈也。

倪二道："不妨，不妨。"

庚辰侧 如闻。

这三街六巷，平（凭）他是谁，有人得罪了我醉金刚倪二的街坊，管叫他人离家散。

庚辰侧 写得酷肖。总是渐次逼出，不见一丝勉强。

老二，你且别气。

庚辰侧 可是一顺而来？

要不是令舅，便骂不出好话来，真真气死我倪二。

庚辰侧 仗义人岂有不知礼者乎？何常（尝）是破落户？冤杀金刚了。

也不知你厌恶我是个泼皮。

庚辰侧 知己知彼之话。

若说怕低了你的身分，我就不敢借给你了。

庚辰侧 知己知彼之话。

却因人而使，颇颇有义侠之名。

庚辰侧 四字是评，难得难得，非豪杰不可当。

似我们这等无能无为的，你倒不理。

庚辰侧 芸哥亦善谈，好口齿。

好会说话的人，我却听不上这话。

庚辰侧 "光棍眼内揉不下砂子"是也。

既说"相与交结"四个字，如何放账给他，使他的利钱。

庚辰侧 如今〔不〕单是亲友言利，不但亲友，即闺阁中亦然；不但生意新发户，即大户旧族颇颇有之。

趁早把银子还我，让我放给那些有指望的人使去。

庚辰侧 爽快人，爽快话。

醉金刚借钱与贾芸一段。

庚辰眉　读阅醉金刚一回，务吃刘铉丹家山查（楂）丸一付。一笑。

余卅年来得遇金刚之样人不少，不及金刚者亦不少，惜书上不便历历注上芳讳。是余不足（足）心事也。　壬午孟夏。（"余卅年"一批已见靖本回前，文小异）

明儿一早到马贩子王短腿家来找我。

庚辰侧　常起作（坐）处〈人〉，毕真。

一面说，一面趔趄着脚儿去了。

庚辰侧　仍应前。

到明日加倍的要起来，便怎处，心内犹豫不决。

庚辰侧　芸哥实怕倪二，并非以小人之心度君子也。

贾芸恐他母亲生气，便不说起卜世仁的事来。

庚辰侧　孝子可敬。此人后来荣府事败，必有一番作为。（靖墨眉无"此人"二字）

靖墨眉　果然。（与上批相接，隔数字）

只见一群人簇着凤姐出来了。

庚辰侧　当家人，有是派〔头〕。

贾芸深知凤姐是喜奉承尚排场的。

庚辰侧　那一个不喜奉承。

怎么好好的你娘儿们在背地里嚼起我来。

庚辰侧　过下无痕，天然而来文字。

贾芸道："有个原故。"

庚辰侧　接得如何？

只因我有个朋友，家里有几个钱，现开香铺。

庚辰眉　自往卜世仁处去已安排下的。芸哥可用。　己卯冬夜。

前儿选了云南，不知那一处。

庚辰侧 随口语，极妙。

我就和我母亲商量。

庚辰侧 像得紧，何尝撒谎。

便命丰儿："接过芸哥儿的来，送了家去。"

庚辰侧 像个婶子口气，好看煞。（蒙府侧"婶子"作"婶母"，"口气"误作"只气"，"煞"误作"趋"）

说你说话儿也明白，心里有见识。

庚辰侧 看官须知，凤姐所喜者是奉承之言，打动了心，不是见物而欢喜。若说是见物而喜，便不是阿凤〈阿凤〉。（蒙府本、戚序本"欢喜"作"喜"，脱"而喜"之"而"，"阿凤阿凤"作"阿凤矣"，"矣"当作"了"）

心下想道："我如今要告诉他那话，倒叫他看着我见不得东西似的。"

庚辰侧 的是阿凤行事、心机、笔意。（蒙府侧同）

还有引泉、扫花、挑云、伴鹤。

庚辰侧 好名色。（蒙府侧同）

二爷说什么，替你哨探哨探。

庚辰侧 五遁之外名曰哨探遁法。

便说道："好，好，正抓不着个信儿。"

庚辰侧 二"好"字是遮饰半句（日）来不到语。

这就是宝二爷房里的，好姑娘，你进去带个信儿。

庚辰侧 口气极像。

便不似先前那等回避。

庚辰侧 一句礼当。

下死眼把贾芸盯了两眼。

庚辰侧 这句是情孽上生。

那丫头冷笑了一笑。

庚辰侧 神情是深知房中事的。

"今儿晚上得空儿我回了他。"焙茗道："这是怎么说?"那丫头道："他今儿也没睡中觉。"

庚辰侧 一连两个"他"字，怡红院中使得，否则有假矣。

我倒茶去。

庚辰侧 滑贼。

你竟有胆子在我的跟前弄鬼。

庚辰侧 也作的不像撒谎，用心机人，可怕是此等处。

你们要拣远路儿走，叫我也难说。

庚辰侧 曹操语。

这个我看着不大好。

庚辰侧 又一折。

要不是你叔叔说，我不管你的事。

庚辰侧 总不认受冰、麝贿。

找到花儿匠方椿家里去买树，不在话下。

庚辰双 至此便完种树工程。 一者见得趱赶工程原非正文，不过虚描盛时光景，借此以出情文；二者又为避难法。若不如此了，必曰其树、其价、怎么买、定几株，岂不烦絮矣？（蒙府本、戚序本二评连写；戚序本"矣"作"乎"；蒙府本同）

因而便忘怀了。

庚辰侧 若是一个女孩儿，可保不忘的。

不想这一刻的工夫。

庚辰双 妙！必用"一刻"二字方是宝玉的房中，见得时时原有人的；又有今一刻无人，所谓凑巧具一也。（戚序本同；蒙府本"妙"误作"抄"，"具"作"其"）

偏生的。

庚辰双 三字不可少。（蒙府本、戚序本同）

296

方见两三个老嬷嬷走进来。

庚辰双 妙！文字细密，一丝不落，非批得出者。（蒙府本、戚序本同）

罢罢，不用你们了。

庚辰双 是宝玉口气。（蒙府本、戚序本同）

只听背后说道："二爷仔细烫了手，让我们来倒。"

庚辰侧 神龙变化之文，人岂能测？

一面说，一面走上来，……那丫头一面递茶，一面回说，……宝玉一面吃茶，一面仔细打量那丫头。

庚辰双 六个"一面"，是神情，并不觉厌。（戚序本同；蒙府本"六"作"两"）

却十分俏丽干净。

庚辰双 与贾芸目中所见不差。（蒙府本、戚序本同）

宝玉看了便笑问道。

庚辰双 神情写得出。（蒙府本、戚序本同）

你也是我这屋里的人么？

庚辰双 妙问！必如此问方是笼络前文。（蒙府本、戚序本同）

便冷笑了一声道。

庚辰双 神理如画。（蒙府本、戚序本同）

你为什么不作那眼见的事？

庚辰侧 这是下情不能上达意语也。

这话我也难说。

庚辰侧 不服气语，况非尔可完（定），故云"难说"。

那丫头便忙迎去接。

庚辰侧 好！有眼色。

忙进房来东瞧西望。

庚辰侧 四字渐露大丫头素日，怡红细事也。（蒙府侧同）

297

庚辰眉 怡红细事俱用带笔白描，是大章法也。 丁亥夏，畸笏叟。

待宝玉脱了衣裳，二人便带上门出来。

庚辰侧 清楚之至。

你可等着做这个巧宗儿。

庚辰侧 难说，小红无心，白写〔描〕。（蒙府侧同）

你也拿镜子照照，配递茶递水不配。

庚辰侧 "难说"二句（字）全在此句〔上〕来。（蒙府侧"二句"作"二字"，"来"前多一"上"）

秋纹便问："明儿不知是谁带进匠人来监工？"

庚辰侧 用秋纹问是暗透之法。

那小红听见了，心内却明白。

庚辰侧 可是暗透法？

原来这小红本姓林。

庚辰双 又是个林。（蒙府本、戚序本同）

小名红玉。

庚辰双 "红"字切绛珠，"玉"字则直通矣。（蒙府本、戚序本"直"作"真"）

只因"玉"字犯了林黛玉、宝玉。

庚辰双 妙文！（蒙府本、戚序本同）

却因他原有三分容貌。

庚辰双 有三分容貌尚且不肯受屈，况黛玉等一干才貌者乎？（蒙府本、戚序本同）

心内着实妄想痴心的向上攀高。

庚辰双 争夺者同来一看。（蒙府本、戚序本同）

只是宝玉身边一干人都是能（伶）牙俐爪的。

庚辰侧 "难说"的原故在此。

不想今儿才有些消息。

庚辰侧　余前批不谬。

心内早灰了一半。

庚辰双　争名夺利者齐来一哭。（蒙府本、戚序本同）

那红玉急回身一跑，却被门槛绊倒。

庚辰侧　隆（睡）梦中当然一跑，这方是怡红之鬓。

回后总批

庚辰本　《红楼梦》写梦章法总不雷同。此梦更写的新奇，不见后文不知是梦。

红玉在怡红院为诸鬓所掩，亦可谓生不遇时，但看后四章供阿凤驱使可知。

第二十五回　魇魔法叔嫂逢五鬼
通灵玉蒙蔽遇双真

一则怕袭人等寒心。

甲戌侧　是宝玉心中想，不是袭人拈酸。（庚辰本、蒙府本、戚序本同）

二则又不知红玉是何等行为，若好还罢了。

甲戌侧　不知"好"字是如何讲，答曰：在"何等行为"四字上看便知。玉兄每"情不情"，况有情者乎？（庚辰本、蒙府本、戚序本"玉兄"误作"玉儿"）

都擦胭抹粉，簪花插柳的。

甲戌侧　八字写尽蠢鬓，是为衬红玉；亦如用豪贵人家浓〔妆〕艳饰插金戴银的衬宝钗、黛玉也。（庚辰本、蒙府本、戚序本"浓"作"浓妆"；戚序本"带"作"戴"）

只装着看花儿。

庚辰侧　文字有层次。

却恨面前有一株海棠花遮着，看不真切。

甲戌双　余所谓此书之妙，皆从诗词句中泛（翻）出者，皆系此等笔墨也。试问观者，此非"隔花人远天涯近"乎？可知上几回非余妄拟也。（庚辰本、蒙府本、戚序本无句末"也"字；戚序本"泛"作"翻"）

蒙府双　余所谓此书词句中翻出者之妙皆从诗非隔花人远天皆系此等笔墨也试问观者此涯近乎可知上几回非余妄拟

300

（经校读同戚序本）

忽见袭人招手叫他。

甲戌侧 此处方写出袭人来，是衬贴法。（庚辰本"衬"误作"櫬"；戚序本同；蒙府本"衬"误作"傶"）

只说他一时身上不快，都不理论。

甲戌侧 文字到此一顿，狡猾之甚（至）。（庚辰本"猾"作"滑"；蒙府本、戚序本"狡猾之甚"作"狡滑之至"）

展眼过了一日。

甲戌侧 必云"展眼过了一日"者，是反衬红玉"捱一刻似一夏"也，知乎？（庚辰本、蒙府本、戚序本同）

王夫人见贾母不去，自己也便不去了。

甲戌侧 所谓一笔两用也。（庚辰本、蒙府本、戚序本同）

王夫人见贾环下了学，便命他来抄个《金刚咒》唪诵。

甲戌侧 用《金刚咒》引五鬼法。（庚辰侧同）

那贾环在王夫人炕上坐了，命人点上灯，拿腔作势的抄写。

甲戌侧 小人乍得意者齐来一玩。（庚辰本、蒙府本、戚序本同）

只有彩霞还和他合的来。

甲戌侧 暗中又伏一风月之隙。（庚辰本、蒙府本、戚序本同）

没良心的，才是狗咬吕洞宾，不识好人心。

甲戌双 风月之情皆系彼此业障所牵，虽云"惺惺惜惺惺"，但〔亦〕从业障而来。蠢妇配才郎，世间固不少，然俏女摹（慕）村夫者犹（尤）多，所谓业障牵魔，不在才貌之论。（庚辰本、戚序本"但"作"但亦"，蒙府本作"但一"；蒙府本、戚序本"业"作"孽"，"惺"误作"猩"，"摹"作

301

"慕"，"犹"作"尤"）

庚辰眉 此等世俗之言亦因人而用，妥极，当极！ 壬午孟夏雨窗，畸笏。

不过规规矩矩说了几句话。

甲戌侧 是大家子弟模样。（庚辰本、蒙府本、戚序本同）

便一头滚在王夫人怀内。

甲戌侧 余几几失声哭出。

王夫人便用手满身满脸摩挲抚弄他。

甲戌侧 普天下幼年丧母者齐来一哭。（庚辰本、蒙府本、戚序本同）

宝玉也搬着王夫人的脖子说长说短的。

甲戌侧 慈母娇儿写尽矣。

虽不敢明言，却每每暗中算计。

甲戌侧 已伏金钏回矣。

凤姐三步两步跑上炕去。

甲戌侧 阿凤活现纸上。

赵姨娘时常也该教导教导他。

庚辰侧 为下文紧一步。

几番几次我都不理论。

甲戌侧 补出素日来。

急的又把赵姨娘数落一顿。

甲戌侧 总是为楔紧五鬼一回文字。（庚辰本同；戚序本"楔"误作"吃"；蒙府本颠倒错乱为"总鬼是为吃紧五一回文字"，经校读与戚序本同）

凤姐笑道。

甲戌侧 两笑坏急（极）。（庚辰本、蒙府本、戚序本"急"作"极"；蒙府本"笑"误作"美"）

302

便说自己烫的，也要骂人。

甲戌侧 玉兄自是悌弟之心性，一叹！

到明儿凭你怎么说去罢。

甲戌侧 坏急（极），总是调唆口吻，赵氏宁不觉乎？（庚辰本、蒙府本、戚序本"急"作"极"）

宝玉被烫一段。

庚辰眉 为五鬼法作耳（引），非泛文也。　雨窗。

知道他的癖性喜洁，见不得这东西。

甲戌双 写宝玉文字，此等方是正紧（经）笔墨。（庚辰本同；戚序本"紧"作"经"；蒙府本颠倒错乱为"写宝玉文字方是正紧笔此等墨"，经校读与甲戌本、庚辰本同）

林黛玉自己也知道有这件癖性。

甲戌双 写林黛玉文字，此等方是正紧（经）笔墨。故二人文字虽多，如此等暗伏淡写处亦不少，观者实实看不出。（庚辰本句末衍出一"者"字；戚序本"紧"作"经"；蒙府本颠倒错乱为"写林此等黛玉文字笔墨故二人文字虽多如此等暗伏方是正紧淡写处亦不少观者实实看不出"，经校读同甲戌本）

知道宝玉的心内怕他嫌脏。

甲戌双 将二人一并，真真写他二人之心玲珑七窍。（庚辰本、蒙府本、戚序本同）

甲戌侧 二人纯用体贴工夫。

免不得贾母又把跟从的人骂一顿。

甲戌侧 此原非正文，故草草写来。（庚辰本、蒙府本、戚序本"来"作"去"）

又向贾母道："祖宗老菩萨那里知道那经典佛法上说的利害。"

甲戌侧 一段无伦无理信口开河的浑话，却句句都是耳闻

目睹者，并非杜撰而有。作者与余实实经过。（庚辰侧"河"误作"合"，"浑"作"混"。末句作另一条）

一天是四十八斤油，一斤灯草。

甲戌侧 贼婆，先用大铺排试之。（庚辰侧、蒙府侧同）

贾母听了，点头思忖。

甲戌眉 "点头思忖"是量事之大小，非吝涩（啬）也。日费香油四十八斤，每月油二百五十余斤，合钱三百余串，为一小儿如何服众。太君细心若是。（庚辰眉无"日费香油"下诸句，批后署"壬午夏雨窗，畸笏"）

若是为父母尊亲长上点，多舍些不妨；像老祖宗如今为宝玉，若舍多了倒不好。

甲戌侧 贼盗（道）婆。是自太君思忖上来，后用如此数语收之，使太君必心悦诚服愿行。贼婆，贼婆！废（费）我作者许多心机摹写也。（庚辰侧"贼道婆"下空一格，"盗"作"道"；蒙府侧无"贼盗婆"三字，余同）

便又往各院各房问安，闲逛了一回，一时来至赵姨娘房内。

甲戌侧 有各院各房，接此方不觉突然。

可是我正没有鞋面子。

甲戌侧 见者有分是也。（庚辰侧同）

长的得人意儿，大人偏疼他些也还罢了。

甲戌侧 赵姬数语，可知玉兄之身分，况在背后之言。（庚辰侧、蒙府侧同）

我只不服这个主儿。

甲戌侧 活现赵姬。（庚辰侧"现"作"像"）

一面说，一面又伸出俩指头来。

甲戌侧 活现阿凤。（庚辰侧同）

走到门前，掀簾子向外看看无人。

甲戌侧 是心胆俱怕破。（似衍一"怕"字）

这一份家私，要不都叫他搬送到娘家去我也不是个人。

庚辰侧 这是妒心，正题目。 （蒙府侧"正"上有一"的"字）

便探他口气说道。

庚辰侧 有隙即入，所谓"贼婆"，是极。（蒙府侧"即"作"便"）

鼻子里一笑。

庚辰侧 二笑。

明不敢怎么样，暗里也就算计了。

甲戌侧 贼婆操必胜之权（券），赵姬已堕街（术）中，故敢直出明言。可畏，可怕。 （庚辰侧、蒙府侧"街"作"术"；蒙府本"堕"作"入"）

我那里知道这些事，罪过，罪过。

甲戌侧 远一步却是近一步，贼婆，贼婆！（庚辰侧同；蒙府本侧"近"误作"匠"）

靠你又有什么东西能打动了我。

甲戌侧 探谢礼大小是如此说法。可怕，可畏。（庚辰侧"探"误作"深"，"大小"作"轻重"，"如此"作"这样"）

在耳根底下嘁嘁喳喳说了几句话，那婆子出去了，一时回来，果然写了个五百两的欠契来。

甲戌侧 所谓狐群狗党，大家难免，看官着眼。

庚辰侧 所谓狐群狗党是也。大族所在（在所）不免，看官着眼。（蒙府侧"所在"作"在所"）

赵姨娘便印了手模。

甲戌侧 痴妇，痴妇！

并不顾青红皂白，满口里应着。

甲戌侧 有道婆作干娘者来看此句。"并不顾"三字怕弑

（杀）人，千万件恶事皆从三字生出来。可怕可畏可警，可长存，戒之。

庚辰侧 "并不顾"三字写得怕杀人，细想千万件坏事皆从此三字上作来，叹叹！（蒙府侧"写得"作"写来"，"千"误作"十"，"叹"前衍出"一"字）

掏出十几个纸铰的青脸红发的鬼来。

甲戌侧 如此现成，更可怕。

庚辰侧 如此现成。想贼婆所害之人岂止宝玉、阿凤二人哉？大家太君夫人诚（诚）之慎〔之〕。

马道婆一段。

甲戌眉 宝玉乃贼婆之寄名儿，况阿凤乎？三姑六婆之为害如此，即贾母之神明在所不免，其他只知吃斋念佛之夫人太君岂能防悔（慊—嫌）得来？此作者一片婆心，不避嫌疑，特为写出，看官再四着眼，吾家儿孙慎之戒之！（庚辰眉"乃贼婆之寄名儿"作"系马道婆寄名干儿一样下此毒手"，"防悔"作"防慊"，"此作者一片婆心"作"此系老太君一大病。作者一片婆心"，"看官再四着眼"作"使看官再四思之"，"吾家儿孙慎之戒之"作"慎之戒之戒之"）

便倚着房门出了一回神。

甲戌侧 所谓"间（闲）倚绣房吹柳絮"是也。（庚辰本、戚序本"间"作"闲"；蒙府本同）

看阶下新迸出的稚笋。

甲戌侧 妙妙！"笋根稚子无人见"，今得颦儿一见，何幸如之。

庚辰侧 好好，妙妙！是番（翻）"笋根稚子无人见"句也。（蒙府侧则无"番"，"句也"作"是也"）

一望园中，回（四）顾无人，惟见花光柳影，鸟语溪声。

甲戌侧 恐冷落园亭花柳，故有是十数字也。

306

纯用画家笔写。（庚辰侧"纯"作"全"，"笔写"作"笔意写法"）

都在回廊上围着看画眉洗澡呢。

甲戌侧　闺中女儿乐事。（庚辰侧、蒙府侧同）

前儿我打发了丫头送了两瓶茶叶去，你往那去了？

庚辰侧　有照应。（蒙府本同，作正文）

可是我倒忘了。

甲戌侧　该云我正看《会真记》呢，一笑。（庚辰侧同）

宝玉便说道："论理可倒罢了。"

庚辰眉　二宝答言，是补出诸艳俱领过之文。　乙酉冬雪窗，畸笏老人。

黛玉道："我吃着好。"

甲戌侧　卿爱因味轻也。卿如何担得起味厚之物耶？

你既吃了我们家的茶，怎么还不给我们家作媳妇。众人听了，都一齐笑起来。

甲戌侧　二玉事，在贾府上下诸人，即看书人、批书人，皆信定一段好夫妻，书中常常每每道及，岂其不然？叹叹！

庚辰侧　二玉之配偶，在贾府上下诸人，即观者、批者、作者皆为（谓）无疑，故常常有此等点题语。我也要笑。（蒙府侧无"即"，"疑"误为"移"，"故"误作"放"，无"我也要笑"句）

李宫裁笑向宝钗道："真真我们二婶子的诙谐是好的。"

庚辰侧　好赞，该他赞。

不过是贫嘴贱舌，讨人厌恶罢了。

甲戌侧　此句还要候查。（庚辰侧同）

你瞧瞧人物儿，门第配不上，还是根基配不上，……

甲戌侧　大大一泻，好接后文。（庚辰侧无"一"字，"后"作"下"）

宝玉拉着黛玉的袖子，只是嘻嘻的笑。

庚辰侧　此刻好看之至。

心里有话，只是口里说不出来。

甲戌侧　是已受镇说不出来，勿得错会了意。（庚辰侧同）

宝玉忽然"嗳哟"了一声，说："好头疼。"

甲戌侧　自黛玉看书起分三段写来，真无容针之空。如夏日乌云四起，疾闪长雷不绝，不知雨落何时，忽然霹雳一声，倾盆大注，何快如之，何乐如之，其（真）令人宁不叫绝！（庚辰侧"分三段"作"闲闲一段"，"其令人"作"真令人"）

林黛玉道："该！阿弥陀佛！"

庚辰眉　黛玉念佛，是吃茶之语在心故也；然摹写神妙，一丝不漏如此。　己卯冬夜。

登时乱麻一般。

甲戌侧　写玉兄惊动若许〈多〉人忙乱，正写太君一人之钟爱耳。看官勿被作者瞒〔过〕。（庚辰侧无"多"，"瞒"作"瞒过"）

见鸡杀鸡，见狗杀狗，见人就要杀人。

甲戌双　此处焉用鸡犬？然辉煌富丽，非处家之常也，鸡犬闲闲，始为儿孙千年之业，故于此处必用"鸡犬"二字，方是一簇腾腾大舍。（庚辰本、蒙府本"辉"误作"烨"；蒙府本、戚序本无"常也"之"也"；蒙府本"大舍"误作"犬舍"）

独有薛蟠，比诸人忙到十分去。

甲戌侧　写呆兄忙，是愈觉忙中之愈忙，且避正文之絮烦。好笔伏（仗），写得出！

庚辰侧　写呆兄忙，是躲烦碎文字法。好想头，好笔力！

308

《石头记》最得力处在此。

又恐香菱被人搓皮，知道贾珍等是在女人身上做工夫的。

甲戌侧　从阿呆兄意中又写贾珍等一笔，妙！

忽一眼瞥见了林黛玉，风流婉转，已酥倒在那里。

甲戌双　忙中写闲，真大手眼，大章法。（庚辰本、蒙府本、戚序本同）

甲戌侧　忙到容针不能。以（此）似唐突颦儿，却是写"情"字，万不能禁止者，又可知颦儿之丰神若仙子也。

次日王子腾自己亲来瞧问，接着小史侯家……

甲戌侧　写外戚亦避正文之繁。

因此把他二人都抬到王夫人的上房内。

甲戌侧　收拾得干净有着落。

庚辰侧　收什（拾）的得体正大。

贾政见都不灵效，着实懊恼。

甲戌侧　四字写尽政老矣。（庚辰侧同）

想天意该当如此，也只好由他们去罢。

甲戌侧　念书人自应如是语。（庚辰侧"念"作"读"，无"语"字）

赵姨娘、贾环等心中欢喜趁愿。

甲戌侧　补明赵妪进怡红为作法也。（庚辰本、蒙府本、戚序本"作"改为"行"，余同）

只见宝玉睁开眼说道："从今已（以）后，我可不在你家了。"

甲戌侧　"语不惊人死不休"，此之谓也。（庚辰侧"惊"误作"警"，余同）

老太太也不必过于悲痛，哥儿已是不中用了。

庚辰侧　断不可少此句。

这口气不断，他那世里也受罪不安生。

庚辰侧 大遂心人必有是语。

素日都是你们调唆着，逼他写字念书。

甲戌双 奇语，所谓溺爱者不明，然天生必有是一段文字的。（庚辰本、戚序本同此；蒙府本错乱为"奇语，所不者是一段明然天生必有溺爱文字的"，经校读仅脱一"谓"字）

一时又有人来回，说两口棺材都作齐备了。

甲戌侧 偏写一头不了又一头之文，真步步紧之文。（庚辰侧无后一"之文"二字，余同）

只闻得隐隐的木鱼声响。

甲戌侧 不费丝毫勉强，轻轻收住数百言文字，《石头记》得力处全在此处。 以幻作真，以真为幻，看书人亦要如是看为本（幸）。 （庚辰侧"丝毫"前作"你看他不废（费）"，"文字"作"之文"，"此处"作"如此"，"为幻"作"作幻"，"看书人"句作"看官亦要如此看法为幸"，余同）

又想如此深宅，何得听的如此真切。

甲戌侧 作者是幻笔，合屋俱是幻耳，焉能无闻。

心中亦是希罕。

甲戌侧 政老亦落幻中。

原来是一个癞头和尚与一个疯（跛）足道人。

甲戌双 僧因凤姐，道因宝玉，一丝不乱。（庚辰本、蒙府本、戚序本无"姐"、"宝"二字，余同）

长官不须多言。

甲戌侧 避俗套法。（庚辰侧同此）

虽带了一块宝玉下来，上面说能除邪祟。

庚辰侧 点题。

只因他如今被声色货利所迷。

甲戌双 石皆（且）能迷，可知其害不小。现（观）者

310

着眼，方可读《石头记》。（庚辰本、蒙府本同，戚序本"皆"作"且"，余同）

　　庚辰侧　棒喝之声。

　　故此不灵验了。

　　甲戌侧　读书者观之。（庚辰本、蒙府本、戚序本同此）

　　待我们持颂持颂，只怕就好了。

　　庚辰侧　"只怕"二字，是不知此石肯听持诵否。

　　青埂一别，展眼已过十三载矣。

　　庚辰侧　正点题，大荒山手捧时语。

　　尘缘满日，若似弹指。

　　甲戌双　见此一句，令人可叹可惊，不忍往后再看矣。（庚辰本、戚序本同此；蒙府本无"可叹"）

　　心头无喜亦无悲。

　　甲戌双　所谓越不聪明越快活。（庚辰本亦双行，蒙府本作侧批，又此二本"聪"误作"听"，句末多出"是也"二字）

　　沈酣一梦终须醒。

　　甲戌侧　无百年的筵席。（蒙府侧"年"后作"不散之场是也"）

　　冤孽偿清好散场。

　　甲戌侧　三次煅炼，焉得不成佛作祖。（庚辰本"三次"作"又是一番"，余同）

　　除亲身妻母外，不可使阴人冲犯。

　　庚辰侧　是要紧语，是不可不写之套语。

　　将玉悬在门上。

　　庚辰眉　通灵玉除邪，全部百回只此一见，何得再言。僧道踪迹虚实，幻笔幻想，写幻人于幻文也。　壬午孟夏雨窗。

　　他二人竟渐渐的醒来。

甲戌侧　能领持颂（诵），故如此灵效。

庚辰侧　肯听持诵，故有是灵。

甲戌眉　通灵玉听懒（癞）和尚二偈即刻灵应，抵却前回若于（干）《庄子》反（及）语录、机锋、偈子。正所谓物各有主也。

叹不得见玉兄"悬崖撒手"文字为恨。（庚辰本有此二批。"懒"作"癞"，"若于庄子反"作"若干藏子及"，"机锋"误作"讥锋"，"不得见"作"不能得见"，"玉兄"作"宝玉"，"撒手"误作"撒于"，且批后署"丁亥夏，畸笏叟"）

贾母王夫人等如得了珍宝一般。

甲戌侧　昊天罔极之恩如何报得，哭杀幼而丧亲者。（庚辰侧"报得"倒作"得报"，"亲"作"父母"，余同）

林黛玉先就念了声阿弥陀佛。

甲戌侧　针对得病时那一声。（庚辰侧无"那"字，余同）

宝钗笑道："我笑如来佛比人还忙。"

庚辰侧　这一句作正意看，余皆雅谑，但此一谑抵颦儿半部之谑。

回末总批

甲戌本　先写红玉数行引接正文，是不作开门见山文字。

灯油引"大光明普照菩萨"，"大光明普照菩萨"引五鬼魇魔法，是一线贯成。

通灵玉除邪，全部只此一见，却又不灵，遇癞和尚、疲（跛）道人一点方灵应矣。写利欲之害如此。（庚辰本作眉批，已见前文，有异于此）

此回本意是为禁三姑六婆进门之害，难以防范。

庚辰末　此回书因才干乖觉太露引出事来，作者颇（婆）心，为世之乖觉人为鉴。

第二十六回　蜂腰桥设言传蜜意
潇湘馆春困发幽情

忽听窗外问道："姐姐在屋里没有？"

甲戌侧　岔开正文，却是为正文作引。

庚辰侧　你看他偏不写正文，偏有许多闲文，却是补遗。

宝玉叫往林姑娘那里送茶叶。

甲戌侧　交待，井井有法。（庚辰本、蒙府本、戚序本同此）

庚辰侧　前文有言。

可巧老太太那里给林姑娘送钱来。

庚辰侧　是补写否？

正分给他们的丫头们呢。

甲戌侧　潇湘常事，出自别院婢口中反觉新鲜。

庚辰眉　此等细事，是旧族大家闺中常情。今特为暴发钱奴写来作鉴，一笑。　壬午夏雨窗。

我想起来了，林姑娘生的弱，时常他吃药，你就和他要些来吃也是一样。

甲戌侧　闲言中叙出黛玉之弱，草蛇灰线。（庚辰本同；戚序本"闲"误作"闻"，蒙府本误作"间"；又蒙府本"草"误作"章"，余同）

庚辰侧　是补写否？

胡说，药也是混吃的。

313

庚辰侧 如闻。

你这也不是个长法儿，又懒吃懒喝的。

庚辰侧 从旁人眼中、口中出，妙极！

红玉道："怕什么？还不如早些儿死了倒干净。"

甲戌侧 此句令人气噎，总在无可奈何上来。（庚辰侧同此）

就像昨儿老太太因宝玉病了这些日子，说跟着服侍的这些人都辛苦了，……

庚辰侧 是补文否？

如今身上好了，各处还完了愿。

庚辰侧 是补写否？

叫把跟着的人都按着等儿赏他们。

庚辰侧 是补写否？

像你怎么也不算在里头。

庚辰侧 道着心病。

袭人那怕他得十个份儿也不恼，他原该的，说良心话，谁还敢比他呢。

庚辰侧 却（确）论公论，方见袭卿身分。

千里搭长棚，没有个不散的筵席。

甲戌侧 此时写出此等言语，令人堕泪。（庚辰本、蒙府本、戚序本同此）

这两句话不觉感动了佳蕙的心肠。

庚辰侧 不但佳蕙，批书者亦泪下矣。

昨儿宝玉还说明儿怎么样收拾房子，怎么样做衣裳。

庚辰侧 还是补文。

倒像有几百年的熬煎。

甲戌双 却是小女儿口中无味之谈，实是写宝玉不如一鬟婢。（庚辰本、蒙府本、戚序本同此）

314

红玉听了，冷笑了两声，方要说话。

甲戌侧 文字又一顿。（庚辰本、蒙府本、戚序本同此）

甲戌眉 红玉一腔委曲（屈）怨愤，系身在怡红不能遂志。看官勿错认为芸儿害相思也。（庚辰本墨眉同此，然署年为"己卯冬"）

狱神庙红玉、茜雪一大回文字，惜迷失无稿。（庚辰本墨眉"庙"后多"回有"二字，颠倒了"红玉茜雪"之次序，"稿"后作"叹叹"，落款为"丁亥夏，畸笏叟"，余同）

只说得一声是绮大姐姐的。

甲戌侧 又是不合式〔之〕言，攉（戳）心语。（甲戌本"式"后空二格，缺"之"字，庚辰侧连写，有"之"字）

抬起脚来咕咚咕咚又跑了。

甲戌侧 活现（龙）　活现之文。（庚辰侧连写，前一"活现"作"活龙"）

庚辰侧 如画。（与上批隔数字）

红玉便赌气把那样子掷在一边。

庚辰侧 何如？

前儿一枝新笔。

庚辰侧 是补文否？

放在那里了？怎么一时想不起来。

庚辰侧 既在矮檐下，怎敢不低头！

一面说，一面出神。

甲戌侧 总是画境。（庚辰本、蒙府本、戚序本同此）

是了，前儿晚上莺儿拿了去。

庚辰侧 还是补文。

花大姐姐还等着我替他抬箱子呢。

庚辰侧 袭人身分。

说着自己便出房来。

庚辰侧 曲折再四，方逼出正文来。

只见宝玉的奶娘李嬷嬷从那边走来。

甲戌侧 奇文，真令人不得机关。（庚辰本、蒙府本、戚序本同此）

好好的又看上了那个种树的什么芸哥儿雨哥儿的。

甲戌侧 囫囵不解语。　奇文神文。（庚辰本、蒙府本、戚序本同此）

明儿叫上房里听见，可又是不好。

甲戌侧 更不解。

你老人家当真的就依着他去叫了。

甲戌侧 是遂心语。（庚辰本同；蒙府本、戚序本"语"作"话"，余同）

李嬷嬷道：可怎么样呢。

甲戌侧 妙！的是老妪口气。（庚辰本、蒙府本、戚序本同此）

那一个要是知道好歹，就回不进来才是。

甲戌侧 更不解。

甲戌双 是私心语，神妙。（庚辰本同，蒙府本、戚序本"语"作"话"）

回来叫他一个人乱碰可是不好呢。

甲戌双 总是私心语，要直问又不敢，只用这等语漫漫（慢慢）套出，有神理。（庚辰本、蒙府本、戚序本"漫漫"作"慢慢"，后多一"的"字；蒙府本"神理"误作"神圣"）

便站着出神，且不去取笔。

甲戌双 总是不言神情，另出花样。（庚辰本、戚序本同此；蒙府本"神"误窜至"花样"之间）

316

红玉抬头，见是小丫头子坠儿。

甲戌双 坠儿者，赘儿也。人生天地间已是赘疣（疣），况又生许多冤情孽债，叹〔叹〕！（庚辰本、蒙府本、戚序本无"赘儿也"之"儿"，"疣"作"疣"；庚辰本"叹"作"叹叹"；戚序本"债"后作"是可为之一叹"，蒙府本作"是可为之叹叹"，又蒙府本"况"字窜至句末"叹"后）

叫我带进芸二爷来。

庚辰侧 等的是这句话。

只见那边坠儿引着贾芸来了。

甲戌双 妙！不说红玉不走，亦不说走，只说"刚走到"三字，可知红玉有私心矣。若说出必定不走必定走，则文字死板，亦且稜（棱）角过露，非写女儿之笔也。（庚辰本、戚序本"稜"正作"棱"；蒙府本"刚"字窜至"若说出"间，作"若说刚出"）

四目恰相对时，红玉不觉脸红了。

甲戌双 看官至此，须掩卷细想，上三十回中，篇篇句句点"红"字处，可与此处想（相比），如何？（庚辰本同，蒙府本、戚序本"三"作"二"，余同）

原来匾上是恁样四个字。

甲戌双 伤哉！睚眼便红稀绿瘦矣，叹叹！（庚辰本同；蒙府本"睚"作"展"，"瘦"误作"庾"；戚序本"睚"作"转"，"叹叹"作"可叹"，余同）

只听里面隔着纱窗子笑道。

甲戌侧 是文若〔张〕僧繇点睛之龙破壁飞矣，焉得不拍案叫绝！（庚辰侧"是"作"此"，"僧繇"作"张僧繇"，余同）

只见金碧辉煌。

甲戌侧 器皿叠叠。（庚辰本、蒙府本、戚序本俱只作

317

"器皿")

庚辰侧　不能细览之文。

文章闪灼。

甲戌侧　陈设垒垒。（庚辰本、蒙府本、戚序本俱只作"陈设"）

庚辰侧　不得细玩之文。

却看不见宝玉在那里。

甲戌侧　武夷九曲之文。（庚辰侧"夷"作"彝"）

倚在床上，拿着本书看。

甲戌侧　这是等芸哥看，故作款式者。〔若〕果真看书，在隔纱窗子说话时已放下了。玉兄若见此批，必云：老货，他处处不放松我，可恨可恨。回思将余此作钗钏等，乃一知己，全（余）何幸也。一笑。（庚辰侧无"款式者"之"者"字，"果"前有一"若"字，无"放松"后之"我"字，"全"作"余"，余同）

早堆着笑，立起身来。

庚辰侧　小叔身段。

叔叔大安了，也是我们一家子的造化。

甲戌侧　不论（伦）不理，迎合字样，口气逼肖，可笑可叹。

庚辰侧　谁一家子？可发一大笑。

那贾芸口里和宝玉说着话，眼睛却溜瞅那丫鬟。

甲戌侧　前写不敢正眼，今又如此写。是因茶来，有心人故留此神，于接茶时站起，方不突然。

庚辰侧　此句是认人，非前溜红玉之文。

不是别人，却是袭人。

甲戌侧　《水浒》文法，用的恰当，是芸哥眼中也。（庚辰"恰"误作"怯"，余同）

318

他却把那有名人口认记了一半。

甲戌双 一路总是（写）贾云（芸）是个有心人，一丝不乱。（庚辰本、蒙府本、戚序本"云"作"芸"，余同）

他也知道袭人在宝玉房中比别个不同。

庚辰侧 何如？可知前批非谬。

让我自己倒罢了。

甲戌双 总写贾云（芸）乖觉，一丝不乱。（庚辰本、蒙府本、戚序本"云"亦作"芸"，余同）

叔叔房里姐姐们，我怎么敢放肆呢。

甲戌侧 红玉何以使得？

宝玉便和他说些没要紧的散话。

甲戌双 妙极，是极！况宝玉又有何正紧（经）可说的。（庚辰本同；蒙府本、戚序本"紧"作"经"，余同）

庚辰本后加小字双行朱批：此批被作者俪（偏－骗）过了。

又说道谁家的戏子好……又是谁家有异物。

甲戌双 几个"谁家"，自北静王，公侯、驸马诸大家包括尽矣。写尽纨绔口角。（庚辰本、戚序本同；蒙府本"北"误为"此"）

庚辰双 脂砚斋再笔：对芸兄原无可说之话。（此批与上批空一格而书；甲戌本无之。蒙府本、戚序本无"脂砚斋再笔"五字，改作"故闲叙"三字）

在宝叔房内几年了？

甲戌侧 渐渐入港。 （庚辰本、蒙府本、戚序本末无"港"字，余同）

今儿他又问我，他说我替他找着了。

庚辰侧 "传"字正文，此处方露。

送出贾芸，回来找红玉，不在话下。

甲戌双 至此一顿，狡猾之甚。原非书中正文之人，写来门（间）色耳。（庚辰本"原非书中"句为朱笔双行，明系后补；又"门"正作"间"，余同。蒙府本、戚序本无"原非书中"句，余同此）

我要去，只是舍不得你。袭人笑道："快起来罢。"

甲戌侧 不答的妙。

庚辰侧 不答上文，妙极。

可往那里去呢？怪腻腻烦烦的。

庚辰侧 玉兄最得意之文，起笔却如此写。

只见那边山坡上两只小鹿箭也似的跑来，宝玉不解何意。

甲戌侧 余亦不解。

只见贾兰在后面拿着一张小弓儿追了下来。

甲戌侧 前文。

庚辰侧 此等文可是人能意料的。

这会子不念书，闲着作什么？所以演习演习骑射。

甲戌侧 奇文奇语，默思之方意会。为玉兄毫无一正事，只知安富尊荣而写。

庚辰侧 答的何其唐皇正大，何其坦然之至。

说着顺着脚一径来至一个院门前。

庚辰侧 像无意。

只见凤尾森森，龙吟细细。

甲戌双 与后文"落叶萧萧，寒烟漠漠"一对，可伤可叹。（庚辰本、蒙府本、戚序本同此）

举目望门上一看。

甲戌侧 无一丝心迹，反似初至者，故接有忘形忘情话来。

庚辰侧 原无意。

只见匾上写着"潇湘馆"三字。

320

庚辰侧 三字如此出，足见真出无意。

觉得一缕幽香从碧纱窗中暗暗透出。

甲戌侧 写得出，写得出！

耳内忽听得细细的长叹了一声。

甲戌双 未曾看见先听见，有神理。（庚辰本、蒙府本、戚序本同此）

每日家情思睡昏昏。

甲戌侧 用情忘情，神化之文。

只见黛玉在床上伸懒腰。

甲戌侧 有神理，真真画出！（庚辰本、蒙府本、戚序本同此）

潇湘馆与黛玉一段。

庚辰眉 先用"凤尾森森，龙吟细细"八字，"一缕幽香自〔碧〕纱窗中暗暗透出"，〔又用〕"细细的长叹一声"等句，方引出"每日家情思睡昏昏"仙音妙音来，非纯化工夫之笔不能，可见行文之难。（甲戌本作回后总批。无"先用"、"来"、"不能，可见行文之难"数字，"自纱窗"作"从碧纱窗"，"细细"前有一"又"字，"非纯化"作"俱纯化"）

二玉这回文字，作者亦在无意上写来，所谓"信手拈来无不是"是也。（甲戌本亦作回后总批，无"回"字，余同）

只见黛玉的奶娘并两个婆子都跟了进来，说妹妹睡觉呢。

甲戌侧 一丝不漏，且避若干咬（嚼）蜡之文。

黛玉便翻身向外坐起来，笑道："谁睡觉呢？"

甲戌侧 妙极！可知黛玉是怕宝玉去也。（庚辰本、蒙府本、戚序本同此）

好丫头，若共你多情小姐同鸳帐，怎舍得叠被铺床。

甲戌侧 真正无意忘情。（庚辰侧"忘情"后多出"冲口而出之语"六字）

庚辰眉 方才见芸哥所拿之书，一定〈见〉是《西厢》，不然如何忘情至此？

林黛玉登时撂下脸来。

甲戌侧 我也要恼。（庚辰侧同此）

快回去穿衣服，老爷叫你呢。

庚辰眉 若无如此文字收什（拾）二玉，写颦无非至再哭恸笑（哭），玉只以陪尽小心软求漫（慢）恳，二人一笑而止；且书内若此亦多多矣，未免有犯雷同之病，故用险句结住，使二玉心中不得不将现事抛却，各怀一惊心意，再作下文。 壬午孟夏雨窗，畸笏。（甲戌本作回后总批。无"若无如此"四字，"文字"置于"二玉"之后，"无非"后作"哭玉再哭恸哭"，"陪尽"作"陪事"，"漫"作"慢"，"故用"无"用"字，"险句"作"险语"，"一惊"作"以惊"；无纪年、署名款识）

宝玉听了，不觉的打了个焦雷一般，也顾不得别的，急忙回来穿衣服出园来。

甲戌侧 不止玉兄一惊，即阿颦亦不免一唬。作者只顾写来收拾二玉之文，忘却颦儿也。想作者亦似宝玉道《西厢》之句，忘情而出也。（庚辰侧"亦不免"作"也不免"，"唬"作"吓"，"收拾"作"收什"，脱"道"字，句末多"呵呵"二字）

回头看时，见是薛蟠拍着手跳了出来。

甲戌侧 如此戏弄，非呆兄无人。欲释二玉，非此戏弄不能立解，勿得泛泛看过。不知作者胸中有多少丘壑。

庚辰侧 非呆兄行不出此等戏弄，但作者有多少丘壑在胸中，写来酷肖。

薛蟠连忙打恭作揖陪不是。

庚辰侧 酷肖。

322

改日你也哄我，说我的父亲就完了。

甲戌侧　写粗豪无心人毕肖。

庚辰侧　真真乱话。

他不知那里寻了来的这么粗这么长粉脆的鲜藕。

庚辰侧　如见如闻。

我要自己吃，恐怕折福。

甲戌侧　呆兄亦有此语，批书人至此诵《往生咒》至恒河沙数也。（庚辰侧"语"作"话"，余同）

除我之外，惟有你还配吃，所以特请你来。

甲戌侧　此语令人哭不得，笑不得，亦真心语也。（庚辰侧同此）

众小厮七手八脚摆了半天。

庚辰侧　又一个写法。

可是呢，明儿你送我什么？

庚辰侧　毕真，酷肖。

若论银钱吃穿等类的东西，究竟还不是我的。

甲戌侧　谁说得出？经过者方说得出，叹叹！（庚辰侧"说得"作"说的"，余同）

昨儿我看人家一张春宫画的着实好。

庚辰侧　啊，呆兄所见之画也。

只看落的款，原来是庚黄画的。

甲戌侧　奇文，奇文！

怎么看不真？

甲戌眉　闲事顺笔，骂死不学之纨绔，叹叹！（庚辰本"骂"前有"将"字，无"叹叹"二字，批后款识为：壬午雨窗，畸笏）

薛蟠只觉没意思。

庚辰侧　实心人。

只见冯紫英一路说笑已进来。

甲戌侧 一派英气如在纸上。特为金闺润色也。

庚辰侧 如见如闻。

好呀！也不出门了，在家里高乐罢。

庚辰侧 如见其人于纸上。

冯紫英一段。

庚辰眉 紫英豪侠小小一段，是为金闺间色之文。 壬午雨窗。

庚墨眉 写倪二、〔紫〕英、湘莲、玉菡侠文，皆各得传真写照之笔。 丁亥夏，畸笏叟。

庚墨眉 惜"卫若兰射圃"文字迷失无稿，叹叹！ 丁亥夏，畸笏叟。（此二墨批在甲戌本为回后总批，且连为一条，"写"作"前回"，"英"作"紫英"，"侠文"作"四样侠文"，"各得"作"得"；又均无款识）

在铁网山教兔虎（鹘）捎一翅膀。

庚辰侧 如何看（着）想，新奇字样。

这一次大不幸之中又大幸。

甲戌侧 似又伏一大事样（疑为衍文），英侠人，累累如是，令人猜摹。

且入席，有话慢慢的说。

庚辰侧 余文再述。

冯紫英笑道："这又奇了。"

庚辰侧 如闻如见。

若必定叫我领，拿大杯来。

庚辰侧 写豪爽人如此。

那冯紫英站着一气而尽。

甲戌侧 令人快活煞！

庚辰侧 爽快人如此，令人羡煞！

324

多早晚才请我们，告诉了也免的人犹疑。

庚辰侧 实心人如此，丝毫形迹俱无，令人痛快煞！

众人回来，依席又饮了一回方散。

甲戌侧 收拾得好。

袭人正记挂他去见贾政，不知是祸是福。

甲戌侧 生员（本是）切己之事，时刻难忘。

庚辰侧 下文伏线。

我知道我的命小福薄，不配吃那个。

甲戌侧 暗对呆兄言宝玉配吃语。

心中也替他忧虑。

甲戌侧 本是切己事。

闻得宝玉来了，心里要找他问是怎么样了。

甲戌侧 呆兄比（此）席的是合和筵也，一笑。

庚辰侧 这席东道是和事酒不是。

见宝钗进宝玉的院内去了。

甲戌侧 《石头记》是最好看处此等章法。（"是"宜在"此"前）

因而站住看了一会。

庚辰侧 避难法。

那晴雯正把气移在宝钗身上。

庚辰眉 晴雯遣（迁）怒是常事耳，写〔于〕钗颦二卿身上，与踢袭人之文，令人于何处设想着笔。 丁亥夏，畸笏叟。（甲戌本作回末总批。"遣怒是"作"迁怒系"，"写"作"写于"，"袭人"下有"打平儿"三字；无款识，余同）

有事没事跑了来坐着。

甲戌侧 犯宝钗如此写法。（庚辰侧"钗"作"卿"）

叫我们三更半夜不得睡觉。

甲戌侧 指明人，则暗写。（庚辰侧同）

也并不问是谁，便说道："都睡下了。"

甲戌侧 犯代玉如此写明。 不知人，则明写。（前批庚辰侧作"写黛玉如此犯"，后与甲戌本同）

因而又高声说道："是我还不开么？"

甲戌侧 想黛玉高声亦不过你我平常说话一样耳，况晴雯素昔浮躁多气之人，如何辨得出？此刻须得批书人唱"大江东〔去〕"的喉咙，嚷着"是我林黛玉叫门"方可。又想，若开了门，如何有后面许多好字样，好文章。看官〈者〉意（以）为是否？（庚辰侧"开了"作"开开"，"看官者"作"看观者"，余同。则"看"属上句，下句校作"观者意（以）为是否"）

虽说是舅母家如同自己家一样。

甲戌侧 寄食者着眼，况颦儿何等人乎？（庚辰侧同）

独立墙角边花阴之下。

甲戌侧 可怜杀，可疼杀！余亦泪下。

那附近柳枝花朵上的宿鸟栖鸦，一闻此声，俱忒楞楞飞起远避。

甲戌侧 "沉鱼落雁"、"闭月羞花"来（原）来哭止（出）的，一笑。（庚辰侧批在"花魂默默无情绪，鸟梦痴痴何处惊"之侧，"来来哭止的"作"原来是哭了出来的"）

院门开处，不知是那一个来，且看下回。

甲戌双 每阅此本，掩卷者十有八九，不忍下阅看完，想作者此时泪下如豆矣。

回末总批

甲戌本 此回乃颦儿正文，故借小红许多曲折琐琐（屑）之笔作引。

怡红院见贾芸，宝玉心内似有如无，贾芸眼中应接不暇。

（"凤尾森森"、"二玉这〔回〕文字"、"收拾二玉文字"

326

以及"前回倪二"、"惜卫若兰射圃文字"、"晴雯迁怒"等六条回后总批已见前庚辰本眉批，此略）

黛玉望怡红之泣，是"每日家情思睡昏昏"上来。

第二十七回　滴翠亭杨妃戏彩蝶
埋香冢飞燕泣残红

回前总批

庚辰本　《葬花吟》是大观园诸艳之归源小引，故用在饯花日诸艳毕集之期。饯花日不论其典与不典，只取其韵耳。（蒙府本、戚序本同此。甲戌本是回后总评，为二条，文有异，故分别辑录之）

犹望着门洒了几点泪。

庚辰侧　四字闪煞颦儿也。

无事闷坐，不是愁眉便是长叹。

庚辰侧　画美人之秘诀。

便常常的就自泪自乾。

庚辰侧　补写，却是避繁文法。

谁知后来一年一月竟常常的如此。

甲戌侧　补潇湘馆常文也。

所以没人去理，由他去闷坐，只管睡觉去了。

庚辰侧　所谓"久病床前少孝子"是也。

那林黛玉倚着床栏杆，两手抱着膝，眼睛含着泪。

甲戌侧　画美人秘诀。

庚辰侧　前批得画美人秘诀，今竟画出《金闺夜坐图》来了。

好似木雕泥塑的一般。

328

甲戌侧 木是旃檀，泥是金沙方可。（庚辰侧"木"误作"本"，"旃"作异体之"栴"，"方可"作"才用得"，余同）

众花皆卸，花神退位。

庚辰侧 无论事之有无，看去有理。

满园中绣带飘飘，花枝招展。

甲戌侧 数句大观园景，倍胜省亲一回。在一园人俱得闲闲寻乐上看，被（彼）时只有元春一人闲耳。

庚辰侧 数句抵省亲一回文字，反觉闲闲有趣有味的领略。

更又兼这些人打扮的桃羞杏让，燕妒莺惭。

甲戌侧 桃杏燕莺是这样用法。（庚辰侧同）

且说宝钗、迎春、探春、惜春、李纨、凤姐等。

庚辰眉 写凤姐随大众一笔，不见红玉一段则认为泛文矣，何一丝不漏若此？ 畸笏。

只见文官等十二个女孩子也来了。

庚辰侧 一人不漏。

说着便往潇湘馆来，忽见宝玉进去了。

甲戌侧 安插一处，好写一处，正一张口难说两家话也。（庚辰侧同此）

宝玉和黛玉是从小一处长大，他二人间多有不避嫌疑之处，嘲笑喜怒无常。

庚辰侧 道尽二玉连日事。

况且黛玉素习猜忌好弄小性儿，此刻自己也进去，一则宝玉不便，二则黛玉嫌疑，倒是回来的妙。

甲戌侧 道尽黛玉每每小性，全不在宝钗身（心）上。（庚辰侧、蒙府侧"小性"作"尖刺"，"身上"作"心上"，余同）

宝钗意欲扑了来顽耍，遂向袖中取出扇子来，向草地下来扑。

甲戌侧 可是一味知书识礼女夫子行止？ 写宝钗无不相宜。（庚辰侧同；蒙府侧只作"写宝钗无不相宜"）

香汗淋漓，娇喘细细。

庚辰侧 若玉兄在，必有许多张罗。

宝钗也无心扑了。

庚辰侧 原是无可无不可。

只听亭子里面嘁嘁喳喳有人说话。

甲戌侧 无闲纸闲笔之文如此。

只听说道："你瞧瞧这手帕子，果然是你丢的那块，你就拿着……"

庚辰眉 这桩风流案，又一体写法，甚当。 己卯冬夜。

嗳呀，咱们只顾说话，看有人来悄悄在外头听见。

庚辰侧 岂敢！

庚辰眉 这是自难自法，好极，好极！

惯用险笔如此。 壬午夏雨窗。

不如把这槅子都推开了。

庚辰侧 贼起飞志，不假。

宝钗在外面听见这话，心中吃惊。

甲戌侧 四字写宝钗守身如此。（庚辰侧同，蒙府侧"宝钗"作"钗"，余同）

怪道从古至今那些奸淫狗盗的人心机都不错。

庚辰侧 道尽矣。

只听咯吱一声，宝钗便故意放重了脚步，笑着叫道"颦儿。"

庚辰侧 闺中弱女机变，如此之便，如此之急。

那亭内的红玉、坠儿刚一推窗，只听宝钗如此说着往前赶。

330

庚辰眉　此节实借红玉反写宝钗也，勿得认错作者章法。

你们把林姑娘藏在那里了？

庚辰侧　像极！好煞，妙煞！焉得不拍案叫绝？

别是藏在这里头了。

庚辰侧　像极，是极！

一面故意进去寻了一寻，抽身就走。

庚辰侧　像极。　是极。

一面说，一面走，心里又好笑。

庚辰侧　真弄婴儿，轻便如此。即余至此，亦要发笑。
（庚辰侧同）

谁知红玉见了宝钗的话，便信以为真。

甲戌侧　宝钗身分。

庚辰侧　宝钗身分，实（定）有这一句的。

林姑娘蹲在这里一定听了话去了。

庚辰侧　移东挪西，任意写去，却是（似）真有的。

坠儿听说，也半日不言语。红玉又道："这可怎么样呢？"

甲戌侧　二句系黛玉身分。（庚辰侧同）

便是听了，管谁筋疼，各人干各人的就完了。

庚辰侧　勉强话。

若说不齐全，误了奶奶的事，凭奶奶责罚罢了。

甲戌侧　操必胜之权（券）。红儿机括志量，自知能应阿
凤使令意。（按：末句吴恩裕校作："自知应能使阿凤合意。"）

凤姐笑道："你是谁房里的？"

庚辰侧　反如此问。

他回来找你，我好替你答应。

庚辰侧　问那小姐为此。

嗳哟，你原来是宝玉房里的，怪道呢。

甲戌侧　"嗳哟"、"怪道"四字，一是玉兄手下无能为

者。前文打谅生的"干净俏丽"四字，合而观之，小红则活现于纸上矣。

庚辰侧　夸赞语也。

要当面称给他，瞧了再给他拿去，再里头屋里床上有个小荷包拿了来给我。

庚辰侧　一件。　二件。

因见司棋从山洞里出来，站着系裙子。

庚辰侧　小点缀，一笑。

司棋道："没理论。"

庚辰侧　妙极！

顶头只见晴雯、绮霰、碧痕、紫绡……莺儿等一群人来了。

庚辰侧　又一折。

你只是疯罢，花儿也不浇，雀儿也不喂。

庚辰侧　必有此数句，方引出称心得意之语来。

茶炉子也不笼，就在外头逛。

庚辰侧　再不用本院人见小红。此差只九分遂心。

碧痕道："茶炉子呢？"

甲戌侧　岔一人问，俱是不受用意。

二奶奶才使唤我说话取东西去的。

甲戌侧　非小红夸耀，系尔等逼出来的。离怡红意已定矣。

说着将荷包举给他们看。

庚辰侧　得意，称心如意，在此一举荷包。

方没言语了。

甲戌侧　众女儿何苦自讨之。

从今儿出了这园子，长长远远的在高枝儿上才算得。

庚辰侧　虽是醋语，却与（过）下无痕。

332

平姐姐说，奶奶刚出来了，他就把银子收起来了。

甲戌侧 交待不在盘架下了。

说着将荷包递了上去。

庚辰侧 两件完了。

凤姐笑道："他怎么按我的主意打发去了？"

甲戌侧 可知前红玉云"就把那按奶奶的主意"，"主意"是欲俭（简），但恐累赘耳，故阿凤有是问，彼能细答。

我们奶奶还会了五奶奶来瞧奶奶呢。

甲戌侧 又一门。

还要和这里的姑奶奶寻两丸"延年神验万全丹"。

甲戌侧 又一门。

明儿有人去，就顺路给那边舅奶奶带去的。

甲戌侧 又一门。

话未说完，李纨笑道："嗳哟哟，这话我就不懂了。"

甲戌侧 红玉今日方遂心如意，却为宝玉后〔文〕伏线。

庚辰侧 又一润色。

别像他们扭扭捏捏的蚊子似的。

庚辰侧 写（骂）死假斯文。

我就问着他，难道必定装蚊子哼哼，就是美人了。

庚辰侧 贬杀，骂杀。

凤姐又道："这个丫头就好。"

甲戌侧 红玉，听见么？（庚辰侧同）

方才说话虽不多，听那口气就简断。

甲戌侧 红玉此刻心内想，可惜晴雯等不在旁。（庚辰侧同）

我一调理，你就出息了。

庚辰侧 不假。

我妈是奶奶的女儿。

庚辰侧 所以说"比你大的大的"。

凤姐道："谁是你妈？"

庚辰侧 晴雯说过。

他就是林之孝之女。

甲戌侧 管家之女，而晴卿辈挤之，招祸之媒也。

因笑问道："哦，原来是他的丫头。"

甲戌侧 传神。

我成日家说他们倒是配就了的一对夫妻，一双天聋地哑。

甲戌侧 用得（的）是阿凤口角。

又问名子。

甲戌侧 真真不知名，可叹！

讨人嫌的狠，得了玉的宜似的，你也玉我也玉。

庚辰侧 又一下针。

既这么着，明儿我和宝玉说。

甲戌侧 有悌弟之心。

可不知本人愿意不愿意？

甲戌侧 总是追写（足）红玉十分心事。（庚辰侧"写"作"足"，余同）

愿意不愿意我们不敢说。

甲戌侧 好答，可知两处俱是主儿。

庚辰侧 有话。 好答。

只是跟着奶奶，我们也学些眉眼高低。

庚辰侧 千愿意万愿意之言。

出入上下大小的事也得见识见识。

甲戌侧 且系本心本意，"狱神庙"回内〔方见〕。

红玉回答凤姐一段。

庚辰眉 奸邪婢岂是怡红应答者，故即逐之。前良儿，后篆（坠）儿，便是却（确）证。作者又不得可（已）也。

334

己卯冬夜。（吴恩裕"应答"作"答应"，"得可"作"可得"）

此系未见"抄没"、"狱神庙"诸事，故有是批。　丁亥夏，畸笏。

刚说着，只见王夫人的丫头来请。

庚辰侧　截得真好！

红玉回怡红院去。

庚辰侧　好！接得更好。

好妹妹，昨儿可告我不曾。

甲戌侧　明知无是事，不得不作开设（谈）。（庚辰侧"得"作"可"，"设"作"谈"，余同）

叫我悬了一夜心。

庚辰侧　并不为告悬心。

林黛玉便回头叫紫鹃道："把屋子收拾了，下一扇纱屉子。……"

甲戌侧　不见宝玉，阿颦断无此一段闲言。总在（有）欲言不言难禁之意，了却"情情"之正文也。（邓遂夫于"欲言"后补"又忍"二字）

庚辰侧　倒像不曾听见的。

还认作是昨日中晌的事。

甲戌侧　毕真，不错。（庚辰侧同）

再没有冲撞了他的去处。

庚辰侧　毕真，不错。

只见宝钗、探春正在那边看仙鹤。

庚辰侧　二玉文字岂是容易写的，故有此载（截）。

庚辰眉　《石头记》用载（截）法、岔法、突然法、伏线法、由近渐远法、将繁改简法、重作轻抹法、虚敲实应法。种种诸法，总在人意料之外，且不曾见一丝牵强，所谓"信手拈来无不是"是也。　己卯冬夜。（甲戌本作回末总评，文小异。"载"作"截"，"简"讹作"俭"，"敲"误作"稿"，无"不曾"的"曾"字，无纪年，余同）

宝哥哥身上好，整整三天没见了。

甲戌侧　横云裁（截）岭，好极，妙极！二玉文原不易写，《石头记》得力处在兹。

宝哥哥，你往这里来。

庚辰侧　是移一处语。

昨儿我恍惚听见说老爷叫你出去的。

甲戌侧　老爷叫宝玉再无喜事，故园中合宅皆知。（庚辰侧同）

那想是别人听错了。

甲戌侧　非谎也，避繁也。

庚辰侧　怕文繁。

宝玉、探春一段。

庚辰眉　若无此一岔，二玉和合则成嚼腊（蜡）文字，《石头记》得力处正此。　丁亥夏，畸笏叟。

这不值什么，拿五百钱出去给小子们，管拉两车来。

庚墨侧　不知物理（力）艰难公子口气也。　（蒙府侧"理"作"力"，余同）

你拣那朴而不俗，直而不作者。

甲戌侧　是论物，是论人，看官着眼。（庚辰侧同）

可巧遇见了老爷。

庚墨侧　补遗法。（蒙府侧同此）

正经兄弟鞋搭拉袜搭拉的没人看见。

甲戌侧　何至如此，写妒妇信口逗。

庚辰侧　指环哥。

但他特昏愦的不像了，还有笑话儿呢。

甲戌侧 开一步，妙妙！

探春一段。

庚辰眉 这一节特为"兴利除弊"一回伏线。

正说着，只见宝钗那边笑道。

庚辰侧 截得好。

宝玉因不见林黛玉，便知他是躲了别处去了。

甲戌侧 兄妹话虽久长，心事总未少歇。接得好。（庚辰侧同，蒙府侧"虽"误作"难"，余同）

越性迟两日，等他的气消一消再去也罢了。

甲戌侧 作书人调侃耶？

因低头看见许多凤仙、石榴等各色落花锦重重落了一地。

庚辰眉 不因见落花，宝玉如何突至埋香冢；不至埋香冢，如何写《葬花吟》。《石头记》无闲文闲字正此。 丁亥夏，畸笏叟。（甲戌本作回后总评。"如何"作"又如何"，无"《石头记》无闲文闲字正此"句，又无款识；靖藏本亦有之，有异文，见于第八十回末）

待我送了去，明儿再问他。

甲戌侧 至埋香冢方不牵强。好情理（思）。（庚辰本作墨侧，"埋"误作"理"；蒙府侧误作"裡"，又戚序本"情理"作"情思"，余同）

只见宝钗约着他们往外头去。

甲戌侧 收拾得干净。（庚辰侧同）

等他二人去远了。

甲戌侧 怕人笑说（话）。（庚辰侧"笑说"作"说笑"）

将已到了花冢。

庚辰侧 新鲜。

只听山坡那边有呜咽之声，一行数落着，哭的好不伤感。

甲戌侧 奇文异文，俱出《石头记》上，且念出，愈奇

〈文〉。

　　这不知是那房里的丫头受了委屈。

　　甲戌侧　岔开线络（路），活泼之至。

　　一面想，一面煞住脚步，听他哭道是。

　　甲戌侧　诗词歌赋，〔有〕如此章法写于书上者乎？

　　庚辰侧　诗词文章，试问有如此行笔者乎？

　　林黛玉葬花诗上。

　　甲戌眉　开生面，立新场，是书多多矣。惟此回处（更）生更新，非颦儿断无是佳吟，非石兄断无是情聆〔赏〕。难为了作者了，故留数字以慰之。

　　庚辰眉　开生面，立新场，是书不止《红楼梦》一回，惟是回更生更新。且读去非阿颦无是且（佳）吟，非石兄断无是章法行文。愧杀古今小说家也。　　畸笏。

　　按：靖藏本有此批，有异文，见于第八十回之末。

　　宝玉听了，不觉痴倒，要知端底，再看下回。

　　甲戌末　余读《葬花吟》至再至三四，其凄楚感慨，令人身世两忘，举笔再四不能下批。有客曰：先生〔想〕身非宝玉，何能下笔？即字字双圈，批词通仙，料难遂颦儿之意，俟看〔过〕玉兄之后文再批。噫唏！阻余者想亦《石头记》来的，故停笔以待。（庚辰本批在《葬花吟》之上，作眉批形式，文有异。"至再至三四"作"凡三阅"，"令"误作"今"，"下批"作"加批"，无"有客曰"三字，"先生身非"作"先生想身"，"何能"作"何得而"，无"批词通仙"四字，"俟看"作"俟看过"，"玉兄"后无"之"字，"噫"下作"噫嘻！客亦《石头记》化来之人，故掷笔以待"。余同）

　　回后总批

　　甲戌本　饯花辰不论典与不典，只取其韵致生趣耳。（已见庚辰本回前批，文有异）

338

池边戏蝶，偶而（尔）适兴；亭外急智，〔金蝉〕脱壳。明写宝钗非拘拘然一迂女夫子。

凤姐用小红，可知晴雯等理（埋）没其人久矣。无怪〔其〕有私心私情。且红玉后有宝玉大得力处，此于千里外伏线也。（"《石头记》用截法……"，"不因见落花……"二批已见前庚辰本眉批，此略）

埋香冢葬花，乃诸艳归源，《葬花吟》又系诸艳一偈也。（此亦见庚辰本回前批，文有异）

第二十八回　蒋玉菡情赠茜香罗
薛宝钗羞笼红麝串

回前总批

庚辰本　茜香罗、红麝串写于一回，盖琪官虽系优人，后回与袭人供奉玉兄、宝卿得同终始者，非泛泛之文也。（甲戌本作回后总批，"琪"作"棋"，无"盖"字。蒙府本、戚序本同此）

自"闻曲"回以后，回回写药方，是白描颦儿添病也。（甲戌本作回后总批，文同。蒙府本亦同此，戚序本脱"闻曲"后之"回"字，余同）

听到"侬今葬花人笑痴，他年葬侬知是谁。一朝春尽花颜老，花落人亡两不知"等句，不觉恸倒山坡之上，怀里兜的落花撒了一地。

甲戌眉　不言炼句炼字，词藻工拙，只想景、想情、想事、想理，反复追（推）求，悲伤感慨，乃玉兄一生天性。真颦儿不（之）知己，则实无再有者。昨阻余批《葬花吟》之客，嫡（的）是玉兄之化身无疑。余几〔作〕点金成镄（铁）之人，笨甚，笨甚！（庚辰本"词藻"作"辞藻"，脱"想事"之"想"字，"追求"作"推求"，"悲伤感慨"简作"悲感"，"天性"作"之天性"，"不知己"作"之知己"，"则实无再有者"作"玉兄外实无一人"，"昨阻余"作"想昨阻"，"玉兄之化身"作"宝玉之化身"，"无疑"误作"无

340

移"，"余几"作"余几作"，"成锇"作"为铁"，"笨甚"作
"幸甚"，余同；靖藏本亦有此批，然仅有其后半，有异文，
见于第八十回之末）

因此一而二，二而三，反复推求了去。

庚辰侧　百转千回矣。

逃大造，出尘网，使可解释这段悲伤。

甲戌侧　非大善知识说不出这句话来。（庚辰侧"说不出
这句话来"作"道不出此等语来"）

正是"花影不离身左右，鸟声只在耳东西"。

甲戌侧　二句作禅语参。（庚辰侧同）

甲戌眉　一大篇《葬花吟》却如此收拾，真好机思（轴）
笔伏（仗），令人焉得不叫绝称奇！

难道还有一个痴子不成。

甲戌侧　岂敢，岂敢。

刚说道（到）"短命"二字上，又把口掩住，长叹了一
声。

甲戌侧　情情。不忍道出"的"字来。

庚辰侧　情情。　不忍也。（蒙府侧同此）

抖抖土，起来下山寻归旧路。

甲戌侧　折得好，誓不写开门见山文字。

可巧看见林黛玉在前头走。

庚辰侧　哄人字眼。

从今已（以）后摺开手。

甲戌侧　非此三字难留莲步，玉兄之机变如此。（庚辰侧
同）

宝玉笑道："两句话说了，你听不听。"

甲戌侧　相离尚远，用此句补空，好近阿颦。（庚辰侧
"离"误作"难"，余同）

黛玉听说，回头就走。

庚辰侧 走的是。

宝玉在身后面叹道："既有今日，何必当初。"

甲戌侧 自言自语，真是一句话。（庚辰侧同此）

当初姑娘来了，那不是我陪着顽笑……。

甲戌侧 以下乃答言，非一句话也。（庚辰侧"以"误作"此"）

我阿颦之恼，玉兄实模（摸）〔头〕不着，不得不将自幼之苦心实事一诉，方可明心，以白今日之故，勿作闲文看。（庚辰侧无"我"字，"之恼"作"恼者"，"玉兄"前多一"在"，"模不着"作"摸头不着"，脱"方可"之"可"、"今日"之"日"，末句作"勿作闲文为幸"，余同）

和气到了头，才见得比人好。

庚辰侧 要紧语。

如今谁承望姑娘人大心大，不把我放在眼里。

庚辰侧 反派不是。

倒把外四路的什么宝姐姐、凤姐姐的放在心坎儿上，倒把我三日不理，四日不见的。

甲戌侧 用此人瞒看官也，瞒颦儿也，心动阿颦在此数句也。一节颇似说闻（词－辞），玉兄口中却是衷肠话。（庚辰侧作"心事。 用此人瞒看官也。""一节颇似……"作眉批，其中"说闻"作"说辞"，"玉兄"误作"在兄"，"话"作"之语"，纪年为"己卯冬夜"）

也不觉滴下泪来。

甲戌侧 玉兄泪非容易有的。（庚辰侧"非"作"不是"，蒙府侧与庚辰本同）

万不敢在妹妹跟前有错处。

庚辰侧 有是语。

你倒是或教导我，戒我下次。

庚辰侧 可怜语。

谁知你总不理我。

庚辰侧 实难为情。

不知怎么样才好。

庚辰侧 真有是事。

任凭高僧高道忏悔，也不能超生。

庚辰侧 又瞒看官及批书人。

黛玉听了这话，不觉将昨晚的事都忘在九霄云外了。

甲戌侧 "情情"本来面目也。

庚辰侧 "情情"衷肠。

昨儿为什么我去了，你不叫丫头开门。

庚辰侧 正文，该问。

这话从那里说起。

庚辰侧 实实不知。

我要是这么样，立刻就死了。

甲戌侧 急了。（庚辰侧作"真急了"）

林黛玉碎道："大清早起，死呀活的，也不忌讳。"

庚辰侧 如闻。

就是宝姐姐坐了一坐就出来了。

庚辰侧 不用兄言，彼已亲睹。

教训教训他们就好了。

庚辰侧 玉兄口气，毕真。

你的那些姑娘们。

庚辰侧 不快活之称。

也该教训教训。

庚辰侧 照样的妙。

倘或明儿宝姑娘来，什么贝姑娘来。

庚辰侧 也还一句，的是心坎上人。

说着，抿着嘴笑。

甲戌侧 至此心事全无矣。（庚辰侧同）

只见丫头来请吃饭，遂都往前头来了。

甲戌侧 收拾得干净。（庚辰侧"拾"作"什"）

大姑娘，你吃那鲍太医的药可好些。

庚辰侧 是新换了的口气。

老太太还叫我吃王大夫的药呢。

庚辰侧 何如？

不过吃两剂煎药，疏散了风寒，还是吃丸药的好。

甲戌侧 引下文。（庚辰侧同）

我只记得有个"金刚"两个字的。

甲戌侧 奇文奇语。（庚辰侧同）

宝玉扎手笑道。

甲戌侧 慈母前放肆了。（庚辰侧同）

若有了金刚丸，也自然有菩萨散了。

甲戌侧 宝玉因黛玉事完，一心无挂碍，故不知不觉手之舞之，足之蹈之。（庚辰侧同此）

庚辰眉 此写玉兄亦是释却心中一夜半日要事，故大大一拽（洩－泄）。　己卯冬夜。

想是天王补心丹。

甲戌侧 慧心人自应知之。（庚辰侧同）

太太倒不糊涂，都是叫金刚菩萨支使糊涂了。

甲戌侧 是语甚对，〔与〕余幼时可（所）闻之语合符。哀哉，伤哉！（庚辰侧"可"作"所"，余同）

又欠你老子捶你了。

庚辰侧 伏线。

我老子再不为这个捶我的。

344

甲戌侧　此语耳（亦）不假。（庚辰侧"语耳"作"言亦"）

太太给我三百六十两银子，我替妹妹配一料丸药。

庚辰眉　写药案是暗度颦卿病势渐加之笔，非泛泛闲文也。　丁亥夏，畸笏叟。

只讲那头胎紫河车。

庚辰侧　只闻名。

人形带叶参，三百六十两不足，龟大何首乌，千年松根茯苓胆（脂）。

庚辰侧　听也不曾听过。

庚辰眉　写得不犯冷香丸方子。

前"玉生香"回中，颦云他有"金"，你有"玉"，他有"冷香"，你岂不该有"暖香"，是宝玉无药可配矣。今颦儿之剂，若许材料皆系滋补热性之药，兼有许多奇物，而尚未拟名，何不竟以"暖香"名之，以代补宝玉之不足，岂不三人一体矣？　己卯冬夜。（甲戌本作回后总批，无纪年）

诸如此类的药都不算为奇。

庚辰侧　还有奇的。

只见林黛玉坐在宝钗身后，抿着嘴笑，用手指头在脸上画着羞他。

庚辰侧　好看煞！在颦儿必有之。

凤姐因在里间屋里看着人放桌子。

庚辰侧　且不接宝玉文字，妙！

人家死了几百年，如今翻尸盗骨的，作了药也不灵。

甲戌侧　不止阿凤圆谎，今作者亦为圆谎了，看此数句则知矣。（庚辰侧脱"数句"之"句"，余同）

何况如今在里头住着呢，自然是越发不知道了。

庚辰侧　分晰（析）的是，不敢正犯。

理他呢，过一会子就好了。

庚辰侧　后文方知。

二哥哥，你成日家忙些什么？

甲戌侧　冷眼人自然了了。（庚辰侧同）

凤姐登着门槛子拿耳挖子剔牙，看着小子们挪花盆呢。

庚辰侧　也才吃了饭。　是阿凤身段。

你来的好，进来，进来。

庚辰侧　如闻。

横竖我自己明白就罢了。

庚辰侧　有是语，有是事。

今儿见你才想起来。

甲戌侧　字眼。

我屋里的人也多的狠，姐姐喜欢谁只管叫了来，何必问我。

甲戌侧　红玉接杯到（倒）茶，自纱屉内觅至回廊下，再见此处如此写来，可知玉兄除颦儿外俱是行云流水。又了却怡红一孽冤，一叹！（庚辰侧只有"又了却"句，且又脱"一孽冤"的"一"字）

说着便要走。

甲戌侧　忙极。

老太太叫我呢。

甲戌侧　非也，林妹妹叫我，一笑。（庚辰侧"非也"倒作"也非"，"我"后多一"呢"字，"一笑"误作"一叹"）

也没什么好的，我倒多吃了一碗饭。

甲戌侧　安慰祖母之心也。

因问林妹妹在那里呢。

甲戌侧　何如？余言不谬。　（庚辰本"何如"作"如何"）

346

宝玉走进来笑道："哦。"

庚辰侧 句。

黛玉把剪子一撂，说道："理他呢，过一会子就好了。"

甲戌侧 有意无意，暗合针对，无怪〔玉兄纳闷〕。（庚辰侧"无怪"下作"玉兄纳闷"，余同）

林黛玉道："理他呢，过一会子就好了。"

甲戌眉 连重二次前言，是颦宝气味暗合，勿认作有小人过言也。（此批甲戌本窜至上页眉上）

庚辰眉 连重两遍前言，是颦玉气味相仿，无非偶然暗合相符，勿认作有过言小人也。

黛玉向外说道："阿弥陀佛。"

甲戌侧 仍丢不下，叹叹！

赶你回来，我死了也罢了。

甲戌侧 何苦来，余不忍听。（庚辰侧同）

自己便往书房里来。焙茗一直到了二门前等人。

甲戌侧 此门请出玉兄来，故信步又至书房。文人弄笔，虚点赘（缀）也。（庚辰侧"赘"作"缀"，余同）

放你娘的屁。

庚辰侧 活现活跳。

宝二爷如今在园子里住着。

甲戌侧 与夜间叫人对看。

前日不过是我的设辞，诚心请你们一饮，恐又推托，故说下这句话。

甲戌眉 若真有一事，则不成《石头记》文字矣。作者得三昧在兹，批书人得书中三昧亦在兹。（庚辰本误批在"听了知道是昨日的话"书眉，"矣"作"也"，末纪年为："壬午孟夏"，余同）

"两个冤家都难丢下"一曲末。

甲戌双 此唱一曲为直刺宝玉。（庚辰本、蒙府本、戚序本同此。甲戌本和庚辰本皆在曲文末句之下，单行直书；一为朱批，一为墨批）

我先吃一大海。

庚辰眉 大海饮酒，西堂产九台灵芝日也。批书至此，宁不悲乎！ 壬午重阳日。

有不遵者，连罚十大海，逐出席外，与人斟酒。

甲戌侧 谁曾经过，叹叹。西堂故事。

薛蟠未等说完，先站起来拦住道："我不来，别算我。"

甲戌侧 爽人爽语。（庚辰侧同）

这竟是捉弄我呢。

庚辰侧 岂敢！

你如今一乱令，倒喝十大海，下去斟酒不成。

庚辰侧 有理。

"女儿乐，私向花园掏蟋蟀"下。

甲戌侧 紫英口中应当如是。

"女儿悲，将来终身指靠谁"下。

甲戌侧 道着了。

"我不开了你怎么钻"下。

甲戌侧 双关，妙。

又咳嗽了两声说道。

甲戌侧 受过此急者，大都不止呆兄一人耳。

薛蟠说酒令一段。

甲戌眉 此段与《金瓶梅》内西门庆、应伯爵在李桂姐家饮酒一回对看，未知孰家生动活泼（泼）。

女儿愁，绣房窜出个大马猴。

甲戌侧 不愁，一笑。

女儿乐，一根乜把往里戳。

348

甲戌侧　有前韵句，故有是句。

你们要懒怠听，连酒底都免了。

甲戌侧　何常（尝）呆。

女儿喜，灯花并头结双蕊。

甲戌侧　佳谶也。

可巧只记得这句。

甲戌侧　真巧。

幸而席上还有这件东西。

甲戌侧　瞒至（过）众人。

该罚，该罚，这席上并没有宝贝。

甲戌侧　奇谈。

云儿便告诉了出来。

甲戌侧　用云儿细说，的是章法。（庚辰侧"细说"作"说出"，无"的"字）

庚辰眉　云儿知怡红细事，可想玉兄之风情意也。　壬午重阳。

将自己一条松花汗巾解了下来递与棋（琪）官。

甲戌侧　红绿牵（汗）巾是这样用法，一笑。

袭人见扇子上的坠儿没了。

庚辰侧　身上事。

宝玉道："马上丢了。"

庚辰侧　随口谎言。

你的同宝姑娘的一样。

甲戌侧　金姑玉郎是这样写法。

我们不过是草木之人。

甲戌侧　自道本是绛珠草也。

只见宝玉在这里呢。

甲戌侧　宝钗往王夫人处去，故宝玉先在贾母处，一丝不

349

乱。

等日后有玉的方可结为婚姻等语，所以总远着宝玉。

甲戌侧　此处表明，以后二宝文章宜换眼看。

甲戌眉　峰峦全露，又用烟云截断，好文字。

只见脸若银盆，眼似水杏，唇不点而红，眉不画而翠。

甲戌侧　太白所谓"清水出芙蓉"。

不觉就呆了。

甲戌侧　忘情，非呆也。

回末总批

甲戌本　"茜香罗红麝串"、"自闻曲回以后"已见于前庚辰本回前批。"前玉生香"已见庚辰本眉批，此略。

宝玉忘情露于宝钗，是后回累累忘情之引。（靖藏本亦有之，仅存后半，文字颠倒残缺，见于第八十回之末）

茜香罗暗系于袭人腰中，系伏线之文。（靖藏本亦有之，多讹脱，见于第八十回之末）

第二十九回　享福人福深还祷福
痴情女情重愈斟情

回前总批

庚辰本　清虚观贾母、凤姐原意大适意大快乐，偏写出多少〔小〕不适意事来，此亦天然至情至理必有之事。（蒙府本、戚序本"多少不适"作"多少小不适"，余同）

二玉心事此回大书，是难了割，却用太君一言以定，是道（透？）悉通部书之大旨。（蒙府本、戚序本同）

第三十回　宝钗借扇机带双敲
龄官划蔷痴及局外

回前总批

庚辰本　指（借）扇槁（敲）双玉，是写宝钗金蝉脱壳。银钗画蔷学（字）是〔写〕痴女梦中说梦。

脚踢袭人是断无是理，竟有是事。（蒙府本、戚序本并二段为一段；"槁"作"敲"，"画"作"划"，"学"作"字"，"是痴女"作"是写痴女"；又戚序本"指"作"借"，"银钗"作"银簪"，余同）

靖藏本　画蔷文字，无限痴情，可知前缘有定，非人力强求。

第三十一回　撕扇子作千金一笑
因麒麟伏白首双星

回前总批

庚辰本　撕扇子是以不知情之物，供姣〔娇〕嗔不知情时之人一笑，所谓"情不情"。

金玉姻缘已定，又写一金麒麟，是间色法也。何颦儿为其所感（惑），故颦儿谓"情情"。（己卯本"感"作"惑"；蒙府本、戚序本"感"亦作"惑"，并二段为一段；戚序本"姣"作"娇"，余同）

回末总批

庚辰本　后数十回若兰在射圃所佩之麒麟，正此麒麟也。提纲伏于此回中，所谓草蛇灰线在千里之外。（此实系批回末金麒麟一段，并非总批。己卯本、蒙府本、戚序本同此）

第三十二回　诉肺腑心迷活宝玉
含耻辱情烈死金钏

回前总批

庚辰本　前明显祖汤先生有怀人诗一截（绝），读之堪合此回，故录之以待知音。

无情无尽却情多，情到无多得尽么。

解到多情情尽处，月中无树影无波。

（己卯本、蒙府本同此；戚序本"截"作"绝"，末句作"月中无影水无波"）

第三十三回　手足眈眈小动唇舌
　　　　　不肖种种大承笞挞

　　我们娘儿们不敢含怨，到底在阴司里得个依靠。

　　庚辰双　未丧母者来细玩，既丧母者来痛哭。（己卯本、蒙府本、戚序本同）

第三十四回　情中情因情感妹妹
错里错以错劝哥哥

宝玉便命晴雯来。

庚辰双　前文晴雯放肆，原有把柄所恃（持）也。（己卯本、蒙府本、戚序本、列藏本"恃"均作"持"，余同）

第三十五回　白玉钏亲尝莲叶羹
　　　　黄金莺巧结梅花络

不命他们进来，恐薄了傅秋芳。

庚辰双　痴想。（己卯本同；蒙府本、戚序本窜入正文）

两个人一面说，一面走出园来，辞别众人回去，不在话下。

庚辰双　宝玉之为人，非此一论亦描写不尽；宝玉之不肖，非此一鄙亦形容不到。试问作者，是丑宝玉乎，是赞宝玉乎？试问观者，是喜宝玉乎，是恶宝玉乎？（己卯本同；蒙府本、戚序本"赞"作"嫌"，余同）

第三十六回　绣鸳鸯梦兆绛芸轩
识分定情悟梨香院

回前总批

庚辰本　绛芸轩梦兆是金针暗度法。夹写月钱是为袭人渐入金屋步位。梨香院是明写大家蓄戏，不免奸淫之陋，可不慎哉，慎哉！（己卯本、蒙府本、戚序本"步位"作"地步"；蒙府本、戚序本"可不慎哉"作"可慎哉"。又蒙府本、戚序本将此回前批移至回后）

你们那里知道袭人那孩子的好处。

庚辰双　"孩子"二字愈见亲热，故后文连呼二声"我的儿"。（己卯本"亲"误作"视"；蒙府本、戚序本同；蒙府本"儿"后衍出一"子"字）

比我的宝玉强十倍。

庚辰双　忽加"我的宝玉"四字，愈令人堕泪。加"我的"二字者，是明显袭人是被（彼）的。然彼的何如此好，我的何如此不好，又气又恨（愧），宝玉罪有万重矣。作者有多少眼泪写此一句，观者又不知有多少眼泪也。（己卯本、蒙府本、戚序本"被"作"彼"，"恨"作"愧"，余同）

能够得他长长远远的伏侍他一辈子也就罢了。

庚辰双　真好文字，此（非）批得出者。（己卯本同；蒙府本、戚序本"此批"作"写"，余同）

说了那么些无情无义的生分话唬我。

358

庚辰双 "唬"字妙！尔果系明决男子，何得畏女子唬哉？（己卯本同；蒙府本、戚序本"条"作"系"，"何得畏"脱"畏"字）

众人送至二门前，宝玉还要往外送。

庚辰双 每逢此时就忘却严父，可知前云"为你们死也情愿"不假。（己卯本、蒙府本、戚序本同此）

第三十七回　秋爽斋偶结海棠社
蘅芜苑夜拟菊花题

回前总批

庚辰本　美人用别号，亦新奇花样，且韵且雅，呼去觉满口生香。起社出自探春意，作者已伏下〈回〉兴利除弊之文也。（己卯本同。蒙府本、戚序本此回总评误入第三十八回前，且与下条连书，无"下回"之"回"字）

此回才放笔写诗、写词、作扎（札），看他诗复诗，词复词，扎（札）又扎（札），总不相犯。（己卯本"犯"误作"放"，又己卯本、蒙府本、戚序本"扎"正作"札"；蒙府本、戚序本"又"也作"复"）

湘云诗客也，前回写之。其（至）今才起社，后用不寂（即）不离闲人数语数折，仍归社中，何巧活之笔如此？（己卯本同；戚序本"寂"作"即"，蒙府本作"接"；戚序本"何巧活"作"巧活"，蒙府本误作"巧话"）

上托大人金福，竟认得许多花儿匠。

庚辰双　直欲喷饭，真好新鲜文字。（己卯本同；蒙府本、戚序本"文字"误作"之字"）

大人若视男是亲男一般。

庚辰双　皆千古未有之奇文。初读令人不解，思之则喷饭。（己卯本同；蒙府本、戚序本"喷饭"作"令人喷饭"）

男芸跪书。

戚序双 一笑。（蒙府本同；列藏本、舒序本、梦觉本、程甲本作正文）

只见宝钗、黛玉、迎春、惜春已都在那里了。

庚辰双 却因芸之一字〔工〕夫，已将诸艳请来，省却多少闲文；不然必云如何请，如何来，则必至有犯宝玉，终成重复之文矣。（己卯本、蒙府本、戚序本"夫"作"工夫"；蒙府本、戚序本"却"作"都"，"有"误作"齐"，无"矣"字）

你不敢谁还敢呢。

庚辰双 必得如此，方是妙文。（己卯本、蒙府本、戚序本同）

若也如宝玉说兴头说（话），则不是黛玉矣。（己卯本同）

只管说出来，大家平章。

庚辰双 "这是正紧（经）大事"已妙，且曰"平章"更妙，的是宝玉的口角。（己卯本无"的"字；蒙府本、戚序本无"这是"，"且曰"作"且为"，无"的是"句；又戚序本"正紧"作"正经"）

你忙什么，人还不全呢。

庚辰双 妙！宝钗自有主见，真不诬也。（己卯本同；蒙府本、戚序本无"妙"和"真不诬也"）

我就帮你作兴起来。

庚辰双 看他又是一篇文字，分叙单传之法也。（己卯本同；蒙府本、戚序本无"看他"和句末的"也"字，蒙府本"又"作"只"，余同）

先把这些姐妹叔嫂的字样改了才不俗。

庚辰双 看他写黛玉，真可人也。（己卯本同；蒙府本、戚序本无"看他写"和"真"四字）

何不大家起个别号，彼此称呼则雅。

庚辰双　未起诗社，先起别号。（己卯本、蒙府本、戚序本同）

我是定了"稻香老农"，再无人占的。

庚辰双　最妙！一个花样。（己卯本同；蒙府本、戚序本无"一个花样"）

戚序双　最妙！（蒙府本同）

林黛玉低了头，方不言语。

庚辰双　妙极，趣极！所谓"夫人必自侮，然后人侮之"。看因（伊）一谑便勾出一笑（美）号来，何等妙文哉？另一花样。（己卯本同；蒙府本、戚序本无"妙极趣极"、"何等妙文哉另一花样"，"看因"作"看伊"；戚序本"笑号"作"美号"，余同）

惜春、迎春都问是什么。

庚辰双　妙文！迎春、惜春故（固）不能答言，然不便撕（置）之不序（叙），故插他二人问。试思近日诸豪宴集雄语伟辩之时，座上或有一二愚夫不敢接谈，然偏好问，亦真可厌之事。（己卯本句末多一"也"，余同；蒙府本、戚序本无"妙文""试思""雄语伟辩""然""真"诸字，亦有"也"；"座"写为"坐"，余同；戚序本"故"作"固"，"撕"作"置"，"序"作"叙"）

我呢？你们也替我想一个。

庚辰双　必有是问。（己卯本同）

"无事忙"三字恰当的很。

庚辰双　真恰当，形容的尽。（己卯本同）

戚序双　果真确（恰）当，形容的尽。（蒙府本"确"作"恰"，"形容"误作"刑客"）

你还是你的旧号"绛洞花王"就好。

庚辰双　妙极！又点前文。通部中从头至末，前文已过

362

者，恐去之冷落，使人忘怀，得便一点；未来者恐来之突然，或先伏一线：皆行文之妙诀也。（己卯本同）

戚序双 又点前文。通部中从头至末，与后文先伏一线，行文妙绝（诀）。（蒙府本同）

小时候干的营生，还提他作什么。

庚辰双 赧言如闻，不知大时又有何营生？（己卯本同）

戚序双 赧颜（言）如闻。（戚序本同；蒙府本"赧"误作"赦"）

我们爱叫你什么，你就答应着就是了。

庚辰双 更妙！若只管挨次一个一个乱起，则成何文字？另一花样。（己卯本同）

戚序本 只挨次一个一个乱起，便不成文。（蒙府本同）

我们又不大会作诗，白起个号作什么。

庚辰双 假斯文守钱虏来看这句。（己卯本同；蒙府本、戚序本只作"假斯文"）

你们何不就咏起他来。

庚辰双 真正好题目，妙在未起诗社先得了题目。（己卯本同；蒙府本、戚序本仅作"真正好题"）

若都是等见了作，如今也没这些诗了。

庚辰双 真诗人语。（己卯本同；蒙府本、戚序本"语"误作"话"；戚序本"诗"误作"時"）

独黛玉或抚梧桐，或看秋色，或又和丫鬟们嘲笑。

庚辰双 看他单写黛玉。（己卯本、蒙府本、戚序本同）

如香尽未成便要罚。

庚辰双 好香，专能撰此新奇字样。（己卯本同；蒙府本、戚序本仅作"好香"）

稻香老农虽不善作，却善看，又最公道。

庚辰双 理岂不公？（己卯本同）

珍重芳姿昼掩门。

庚辰双 宝钗诗全是自写身分，讽刺时事，只以品行为先，才技为末。纤巧流荡之词，绮靡秾艳之语，一洗皆尽，非不能也，屑而不为也。最恨近日小说中，一百美人诗词语气，只得一个艳稿。（己卯本同；蒙府本、戚序本到"才技为末"止）

冰雪招来露砌魂。

庚辰双 看他清洁自厉，终不肯作一轻浮语。（己卯本同；蒙府本、戚序本无"终不肯"句）

淡极始知花更艳。

庚辰双 好极！高情巨眼能几人哉？正"一鸟不鸣山更幽"也。（己卯本同；蒙府本、戚序本到"能几人哉"止）

愁多焉得玉无痕。

庚辰双 看他讽刺林、宝二人，省手（乎）？（己卯本同；戚序本"林宝"作"宝黛"，无"省手"二字；蒙府本亦无"省手"二字，余同庚辰本）

欲偿白帝凭清洁。

庚辰双 看他自己收到（收到自己）身上来，是何等身分。（己卯本、蒙府本、戚序本"自己收到"作"收到自己"；蒙府本、戚序本"看他"下误窜入上批中的"讽刺林"三字，又无"来"字）

晓风不散愁千点。

庚辰双 这句直是自己一生心事。（己卯本同）

宿雨还添泪一痕。

庚辰双 妙在终不忘黛玉。（己卯本同）

清砧怨笛送黄昏。

庚辰双 宝玉再细心作，只怕还有好的，只是一心挂着黛玉，故手（平）妥不警也。（己卯本同）

半卷湘簾半掩门。

庚辰双 且不说花，且说看花的人，起的突然别致。（己卯本同；蒙府本、戚序本"别致"作"令人阅之有别致"，余同）

碾冰为土玉为盆。

庚辰双 极妙！料定他白（自）与别人不同。（己卯本"白"作"自"；蒙府本、戚序本无"极妙""自"三字）

月窟仙人缝缟袂，秋闺怨女拭啼痕。

庚辰双 虚敲旁比，真逸才也，且不脱落自己。（己卯本同）

娇羞默默同谁诉，倦倚西风夜已昏。

庚辰双 看他终结道（到）自己。一人是一人口气。逸才仙品固让颦儿，温雅沉着终是宝钗，今日之作，宝玉自应居末。（己卯本"终结道"作"终结到"，是）

这评的最公。

庚辰双 话内细思，则似有不服先评之意。（己卯本同）

戚序双 似有不服之心。（蒙府本同）

当下别人无话。

庚辰双 一路总不大写薛林兴头，可见他二人并不着意于此。　不写薛、林，正是大手笔，独他二人长于诗，必使他二人为之则板腐矣。全是错综法。（己卯本同；蒙府本、戚序本无"独他二人"句，又脱"并不"之"并"字，蒙府本"于此"误作"与此"）

且说袭人。

庚辰双 忽然写到袭人，真令人不解，看他如何终此诗社之文。（己卯本同；蒙府本、戚序本"写到"作"写入"，"袭人"作"妙袭人"，无"真令人不解"句，又脱"之文"二字）

拿碟子盛东西，与史湘云送去。

庚辰双 线头却牵出，观者犹不理〔会〕。 不知是何碟何物，令人犯思夺。（己卯本、蒙府本、戚序本"不理"作"不理会"；蒙府本、戚序本"牵"误作"索"，无"犹"字，"思夺"作"思索"，且二评连写）

却见榼子上碟槽空着。

庚辰双 妙极，细极！因此处系依古董式样抠成槽子，故无此件，此槽遂空。若忘却前文，此句不解。（己卯本同；蒙府本、戚序本"遂"作"随"，"不解"作"不能解矣"；蒙府本"忘却"误作"亡却"）

他说这个碟子配上鲜荔枝才好看。

庚辰双 自然好看，原该如此。可恨今之有一二好花者，不背（肯）象景而用。（己卯本"背"正作"肯"，"象"作"像"；蒙府本、戚序本到"如此"止）

你们谁取了碟子来是正经。

庚辰双 看他忽然夹写女儿喁喁一段，总不脱落正事。所谓此书一回是两段，两段中却有无限事体，或有一语透至一（下）回者，或有反补上回者，错综穿插，从不一气直起真（直）泻，至终为了。（己卯本"错综"作"综错"，"真泻"正作"直泻"）

叫过本处的一个老宋妈妈来。

庚辰双 宋，送也。随事生文，妙！ （己卯本同；蒙府本、戚序本无"妙"字）

里面装的是红菱和鸡头米。（"米"小字，后补；己卯本朱笔旁补）

庚辰双 妙！（己卯本、蒙府本、戚序本同）

姑娘就留下顽罢。

庚辰双 妙！隐这一件公案。余想袭人必要玛瑙碟子盛

366

去，何必骄奢轻发如是耶？固（因）有此一案，则无怪矣。（己卯本同此）

　　心内早已和成，即用随便的纸笔录出。

　　庚辰双　可见起（越）是好文字，不管怎样就有了；越用工夫越讲完（究）笔墨，终成涂雅（鸦）。（己卯本"讲完"正作"讲究"；蒙府本、戚序本脱"越是好"的"越"字，"怎样就"作"怎么"，且至"有了"为止）

　　我却依韵和了两首。

　　庚辰双　更奇！想前四律已将形容尽矣，一首犹恐重犯，不知二首又从何处着笔。（己卯本同）

　　戚序双　更奇！想前四首已将形容尽矣，此二首不知从何处着笔。（蒙府本无"此二首"的"此"字，"着笔"作"提笔"，余同）

　　神仙昨日降都门。

　　庚辰双　落想便新奇，不落彼四套。（己卯本同；蒙府本、戚序本到"新奇"止）

　　种得蓝田玉一盆。

　　庚辰双　好！"盆"字押得更稳，总不落彼三（四）套。（己卯本同；蒙府本、戚序本只作"押得稳"）

　　自是霜娥偏爱冷。

　　庚辰双　又不脱自己将来形景。（己卯本同；蒙府本、戚序本无"又"字）

　　秋阴捧出何方雪。

　　庚辰双　拍案叫绝，压倒群芳在此一句。（己卯本同；蒙府本、戚序本无"拍案叫绝"句，"群芳"作"群英"）

　　岂令寂寞度朝昏。

　　庚辰双　真好！（己卯本同；戚序本"好"作"妙"，蒙府本作"竗"）

367

也宜墙角也宜盆。

庚辰双 更好！（己卯本、蒙府本同此，戚序本"好"作"妙"）

无奈虚廊夜色昏。

庚辰双 二首真可压卷。 诗是好诗，文是奇奇怪怪之文，总令人想不到，忽有二首末（来）压卷。（己卯本"末"作"未"；蒙府本、戚序本无"诗是好诗"句，且与上连写，"文是"句作"是奇怪之文"，末句无"末"字）

湘云作海棠诗一段。

靖墨眉 观湘云作《海棠》诗，如见其娇憨之态。是乃实有其事，非作者杜撰也。

宝钗听他说了半日，皆不妥当。

庚辰双 却于此刻方写宝钗。（己卯本、戚序本同；蒙府本"于"作"与"，后又点去）

我今儿已请下人了。

庚辰双 必得如此叮咛，阿呆兄方记得。（己卯本同；戚序本"叮咛"后作"呆子"，蒙府本作"呆兄"）

第三十八回　林潇湘魁夺菊花诗
薛蘅芜讽和螃蟹咏

回前总批

庚辰本　题曰"菊花诗"、"螃蟹咏"，伪（偏）自太君前阿凤若许诙谐中不失体，鸳鸯、平儿宠婢中多少放肆之迎合取乐，写来似难入题，却轻轻用弄水戏鱼〈之〉看花等游玩事，及王夫人云"这里风大"一句收住入题，并无纤毫牵强。此重作轻抹法也。妙极，好看煞！（己卯本"伪"作"偏"，无"之"字）

是他有兴头，须要扰他这雅兴。

庚辰双　若在世俗小家，则云"你是客，在我们舍下，怎么反扰你的呢"，一何可笑！（己卯本"你的呢"作"你的"；蒙府本、戚序本"舍下"作"家"，"你的"作"他的"，戚序本"一何"作"益发"，蒙府本作"一发"）

贾母因问："哪一处好？"

庚辰双　必如此问方好。（己卯本、蒙府本、戚序本同此）

凭老太太爱在那一处就在那一处。

庚辰双　必是王夫人如此答方妙。（己卯本、蒙府本、戚序本"妙"作"好"，蒙府本"夫"误作"大"）

看着水眼也清亮。

庚辰双　智者乐水，岂其然乎？（己卯本、蒙府本、戚序

369

本"智"作"知")

这竹子桥规矩是咯吱咯喳的。

庚辰双 如见其势,如临其上,飞(非)走过者必形容不到(出)。(己卯本同;蒙府本、戚序本"飞"正作"非",无"必"字,"不到"作"不出")

芙蓉影破归兰桨,菱藕香深写竹桥。

庚辰双 妙极!此处忽有(又)补出一处,不入贾政试才一回,皆错综其事,不作一直笔也。(己卯本"忽有"作"忽又","其事"误作"其势";蒙府本、戚序本"直"误作"真",余同己卯本)

贾母与众人都笑软了。

庚辰双 看他忽用贾母数语,闲闲又补出此书之前似已有一部《十二钗》的一般,令人遥忆不能一见。余则将欲补出枕霞阁中十二钗来,定(岂)不又添一部新书。(己卯本同;蒙府本、戚序本无"数语"的"数"字,无"令人遥忆"下诸句)

家常没人,娘儿们原该这样,横竖礼体不错就罢,没的倒叫他从神儿似的作什么。

庚辰双 近之暴发〔户〕专讲理(礼)法,竟不知礼法;此似无礼,而礼法井井。所谓"整瓶不动半瓶接(摇)",又曰"习惯成自然",真不谬也。 (己卯本"专讲理法"的"理"字后朱笔点去,旁改为"礼","接"作"摇";蒙府本、戚序本改"理"为"礼",脱"礼法井井"的"法"字,"接"亦作"摇")

迎春又独在花阴下拿着花针穿茉莉花。

庚辰双 看他各人各式,亦如画家有孤耸独出,则有攒三聚五,疏疏密密,直是一幅百美图。(己卯本同;蒙府本、戚序本无"亦"字,脱"孤耸独出则有"六字,"直"作"真";

370

又蒙府本脱"攒"字)

拿起那乌银梅花自斟壶来。

庚辰双 写壶非写壶，正写黛玉。（己卯本同；蒙府本、戚序本无句首"写壶"二字）

拣了一个小小的海棠冻石蕉叶杯。

庚辰双 妙杯！非写杯，正写黛玉。"拣"字有神理。盖黛玉不善饮，此任兴（性）也。（己卯本同）

戚序双 "拣"字有神理。盖黛玉不善饮，此天性也。（蒙府本同）

便命将那合欢花浸的酒烫一壶来。

庚辰双 伤哉！作者犹记矮𬵩舫前以合欢花酿酒乎？屈指二十年矣。（己卯本同；蒙府本"矮"误作"诿"，"前以合欢"作"将以合欢"，"屈指"作"屈指已"，句末多"伤哉"二字；戚序本无）

又赘了一个"蘅"字。

庚辰双 妙极，韵极！（己卯本、蒙府本、戚序本同）

也赘一个"潇"字。

庚辰双 这两个妙题，料定黛玉必喜，岂让〔他〕人作去哉？（己卯本"黛玉"作"黛卿"，"岂让"作"岂让他"；蒙府本、戚序本有"他"，均无"哉"字；戚序本"岂让"作"岂肯让"）

湘云笑道："我们家里如今虽有几处轩馆，我又不住着，借了来也没趣。

庚辰双 近之不读书暴发户，偏爱起一别号，一笑。（己卯本同）

戚序双 近之不读书者，爱起一别号，可笑可笑。（蒙府本同）

《忆菊》 蘅芜君。

庚辰双 真用此号，妙极！（己卯本同）

这几句还罢了。

庚辰双 总写宝玉不及，妙绝（极）！（己卯本"妙绝"作"妙极"）

戚序双 宝玉不及。（蒙府本"及"讹作"反"，余同）

今日持螯赏桂，亦不可无诗。

庚辰双 全是他忙，全是他不及，妙极！（己卯本同）

戚序双 总写宝玉不及。（蒙府本同）

便忙洗了手，提笔写出。

庚辰双 且莫看诗，只看他偏于如许一大回诗后，又写一回诗，岂世人想的到的？（己卯本同；蒙府本、戚序本"偏于"作"于"，无"如许一大回"诸字，"写一回诗"作"写诗"，"世人"倒作"人世"，句末多出"奇极怪极"四字）

这样的诗要一百首也有。

庚辰双 看他这一说。（己卯本同；蒙府本、戚序本"看他"作"可有"）

第三十九回　村姥姥是信口开河
情哥哥偏寻根究底

众人见他进来，都忙站起来了。

庚辰双　妙文！上回是先见平儿后见凤姐，此则先见凤姐后见平儿也。何错综巧妙得情得理之至耶？（己卯本"错综"作"综错"）

戚序双　上回是先见平儿后见凤姐，此又不同。何错综巧妙得情得理之至耶？妙妙！（蒙府本"错综"作"综错"，余同）

想是见过奶奶了。

庚辰双　写平儿伶俐如此。（己卯本同；蒙府本、戚序本"平儿"下衍出一"到"字；蒙府本"伶俐"讹作"怜悧"）

说着又往窗外看天气。

庚辰双　是八月中，当开窗时，细致之甚！（己卯本同；蒙府本、戚序本句末多一"也"字）

有两个又跑上来赶着平儿叫"姑娘"。

庚辰双　想这一个"姑娘"，非下称上之"姑娘"也。按北俗以姑母曰"姑姑"，南俗曰"娘娘"，此"姑娘"定是"姑姑娘娘"之称。每见大家风俗，多有小童称少主妾曰"姑姑娘娘"者。按此书中若干人说话语气及动用前照（器物）饮食诸赖（类），皆东西南北互相兼用，此"姑娘"之称，亦南北相兼而用无疑矣。（己卯本同；蒙府本、戚序本三处"娘

373

娘"均误作"姑娘","此'姑娘'定"作"此定","大家风俗多有"作"大家有";戚序本"若干人"误作"千人",蒙府本作"千家";又戚序本"前照"作"器物",又蒙府本、戚序本"诸赖"作"诸类","无疑"前衍出一"者"字)

还说我作了情,你今儿又来了。

庚辰双 分明几回没写到贾琏,今忽闲中一语,便补得贾琏这边天天闹热,令人却如看见听见一般,所谓不写之写也。刘姥姥眼中耳中,又一番识(世)面,奇妙之甚!(己卯本同此)

就越性送他使罢。

庚辰双 交待过袭人的话。看他如此说,真比凤姐又甚一层,李纨之语不谬也。不知阿凤何等福得此一人。(己卯本无"等"字,"何等福"作"何福";蒙府本、戚序本无"如此说真"四字)

彼时大观园中姊妹们都在贾母前承奉。

庚辰双 妙极!连宝玉一并算入姊妹队中了。(己卯本同;蒙府本、戚序本将"妙极"二字置于句末,余同)

凤姐站着正说笑。

庚辰双 奇奇怪怪文章。在刘姥姥眼中,以为阿凤至尊至贵,普天下人独(都)该站着说,阿凤独坐才是。如何今见阿凤独站哉?真妙文字!(己卯本"刘"本作"川",后朱笔旁添,"独该"作"都该";蒙府本、戚序本"奇奇怪怪文章"作"奇文都","普"作"凡","独"作"都",脱"说"字,"独站"后衍出一"着"字,"真妙"作"真正极妙";蒙府本"今"误作"令")

口里说"请老寿星安"。

庚辰双 更妙!贾母之号何其多耶?在诸人口中则曰"老太太",在阿凤口中则曰"老祖宗",在僧尼口中则曰"老菩萨",在刘姥姥口中则曰"老寿星"者,却似有数人,想去则皆贾母，难得如此，各尽其妙。刘姥姥亦善应接。（己卯本"则曰老太太"误作"则则老太太"，朱笔旁改作"则曰"，"在刘姥姥"脱"在"，"却"本作"去"，后朱笔旁补耳刀为"却"）

　　戚序双　更妙！不知贾母之号何其多耶？众人曰"老太太"，阿凤曰"老祖宗"，僧曰"老菩萨"，姥姥曰"老寿星"，者（看）却（去）似有数人，想去则皆贾母，难得如此，则各尽其妙。（"则"疑为衍字。蒙府本"众人"作"数人"，余同）

　　那板儿仍是怯人，不知问候。

　　庚辰双　"仍"字妙，盖有上文故也。不知教训者来看此句。（己卯本、蒙府本、戚序本同）

　　老亲家，你今年多大年纪了。

　　庚辰双　神妙之极！看官至此必愁贾母以何相称，谁知公然曰"老亲家"，何等现成，何等大方，何等有情理。若去（云）作者心中编出，余断断不信。何也？盖编得出者，断不能有这等情理。（庚辰本"云"本作"去"，后点去旁改之；己卯本同，然"云"为朱笔；蒙府本、戚序本此批只作"神妙之极"）

　　自己挑了两件随常的衣服，令给刘姥姥换上。

　　庚辰双　一段鸳鸯身分、权势、心机，口（只）写贾母也。（己卯本同）

　　戚序双　鸳鸯身分写出来了。（蒙府本同）

　　梳着溜油光的头，穿着大红袄儿，白绫裙子。

　　庚辰双　刘姥姥口气如此。（己卯本、蒙府本、戚序本同此）

　　贾母足的看着火光熄了，方领众人进来。

　　庚辰双　一段为后回作引，然偏于宝玉爱听时截住。（己卯本同；蒙府本、戚序本无"作引"以下句）

第四十回　史太君两宴大观园
金鸳鸯三宣牙牌令

看着老婆子丫头们扫那些落叶。

庚辰双　是八月尽。（己卯本同；蒙府本、戚序本作"八月尽的光景"）

只坐在一边吃茶。

庚辰双　妙！若只管写薛姨妈来则吃饭，则成何文理。（己卯本同；蒙府本、戚序本"来则"作"到来只"，余同）

第四十一回　栊翠庵茶品梅花雪
怡红院劫遇母蝗虫

回前总批

庚辰本　此回栊翠品茶，怡红遇劫。盖妙玉虽以清净无为自守，而怪洁之癖未免有过，老妪只污得一杯，见而勿用，岂似玉兄日享洪福，竟至无以复加而不自知。故老妪眠其床，卧其席，酒屁熏其屋。却被人袭（袭人）遮过，则仍用其床其席其屋。亦作者特为转眼不知身后事写来作戒，纨绔公子可不慎哉？

多喝点子也无妨。

庚辰双　为登厕伏脉。

宝玉连忙将自己的杯捧了过来，送到王夫人口边。

庚辰双　妙极！忽写宝玉如此，便是天地间母子之至情至性。献芹之民之意，令人酸鼻。

那大姐儿因抱着一个大柚子顽的，忽见板儿抱着一个佛手，便也要佛手。

庚辰双　小儿常情，遂成千里伏线。

又忽见这柚子又香又圆。

庚辰双　柚子即今香团（橼）之属也，应与"缘"通。佛手者，正指迷津者也。以小儿之戏暗透前后通部脉络，隐隐约约，毫无一丝漏泄，岂独为刘姥姥之俚言博笑而有此一大回文字哉？

妙玉泡茶一段。

靖墨眉 尚记丁巳春日谢园送茶乎？展眼二十年矣。 丁丑仲春，畸笏。

妙玉不收成窑杯一段。

靖墨眉 妙玉偏辟（僻）处，此所谓"过洁世同嫌"也。他日瓜州渡口，红颜屈从枯骨，固不能各示劝惩，岂不哀哉？（按：原"渡口"下作"劝惩不哀哉屈从红颜固能不枯骨□□□"。缺字前二字看不清，似是"各示"两字，第三字为虫蛀去）

你虽吃的了，也没这些茶遭塌。

庚辰双 茶下"遭塌"二字，成窑杯已不屑再要。妙玉真清洁高雅，然亦怪谲孤僻甚矣。实有此等人物，但罕耳。

宝玉便走了进来，笑道："偏你们吃梯己茶。"二人都笑道："你又赶了来餐茶吃，这里并没你的。"

靖墨眉 玉兄独至，岂真无茶吃？作书人又弄狡猾，只瞒不过老朽。然不知落笔时作者作如何想。 丁亥夏。

黛玉知他天性怪癖。

靖墨眉 黛是解事人。

第四十二回　蘅芜君兰言解疑癖
潇湘子雅谑补余香

回前总批

庚辰本　钗、玉名虽二个，人却一身，此幻笔也。今书至三十八回时已过三分之一有余，故写是回，使二人合而为一。请看黛玉逝后宝钗之文字，便知余言不谬矣。

果见大姐儿安稳睡了。

庚辰双　岂真送了就安稳哉？盖妇人之心意皆如此；即不送，岂有一夜不睡之理？作者正描愚人之见耳。

你贫苦人起个名字只怕压的住他。

庚辰双　一篇愚妇无理之谈，实是世间必有之事。

遇难成祥，逢凶化吉。

靖墨眉　应了这话固好，批书人焉能不心伤？狱〔神〕庙相逢之日，始知"遇难成祥，逢凶化吉"，实伏线于千里。哀哉，伤哉！此后文字不忍卒读。　辛卯冬日。

我们家也算是个读书人家。

靖墨眉　"也算"二字太谦。

究竟也不是男人分内之事。

靖墨眉　男人分内究是何事？

男人们读书明理辅国治民这便好了。

靖墨眉　读书明理治民辅国者能有几人？

我倒笑的动不得了。

庚辰双 看他刘姥姥笑后复一笑，亦想不到之文也。听宝卿之评，亦千古定论。

第四十三回　闲取乐偶攒金庆寿
不了情暂撮土为香

咱们大家好生乐一日。

庚辰双　贾母犹云"好生乐一日"，可见逐日虽乐，皆还不趁心也。所以世人无论贫富，各有愁肠，终不能时时遂心如意。此是至理，非不足语也。

咱们也学那小家子，大家凑分子。

庚辰双　原来请（凑）分子是小家的事。近见多少人家，红白事一出，且筹算分子之多寡，不知何说？

多少尽着这钱去办，你道好顽不好顽？

庚辰双　看他写与宝钗作生日后，又偏写与凤姐作生日。阿凤何人也，岂不为彼之华涎（诞）大用一回笔墨哉？只是亏他如何想来，特写于宝钗之后，较姊妹胜而有余；于贾母之前，较诸父母相去不远。一部书中，若一个一个只管写过生日，复成何文哉？故起用宝钗，盛用阿凤，终用贾母，各有妙文，各有妙景。余者诸人，或一笔不写，或偶因一语带过，或丰或简，其情当理合，不表可知，岂必谆谆死笔，按数而写众人之生日哉？　迥不犯宝钗。

贾母忙和李纨道："你寡妇失业的，那里还拉你出这个钱，我替你出了罢。"

庚辰双　必如是方妙。

贾母笑道："依你怎么样呢？"

庚辰双　又写阿凤一详（评），更妙！若一笔直下，有何趣哉？

说的贾母与众人都大笑起来了。

庚辰双　写阿凤全付精神，虽一戏，亦人想不到之文。

你们这几个都是财主，果位虽低，钱却比他们多。

庚辰双　惊魂夺魄只此一句。所以一部书全是老婆舌头，全是讽刺世事，反面春秋也。所谓痴子弟正照风自（月）鉴。若单看了家常老婆舌头，岂非痴子弟乎？

凤姐又笑道："上下都全了。还有二位姨奶奶，他出不出，也问一声儿，尽到他们是理。不然，他们只当小看了他们了。"

庚辰双　纯写阿凤，以衬后文。

他们两个为什么苦呢？有了钱也是白填送别人，不如拘来咱们乐。

庚辰双　纯写阿凤，以衬后文。二人形景如见，语言如闻，真描画的到。

越性叫凤丫头别操一点心，受用一日才算。

庚辰双　所以特受用了，才有琏卿之变。乐极生悲，自然之理。

凤姐儿笑道。

庚辰双　"笑"字就有神情。

凤姐儿笑道："那么些还不够使，短一份儿也罢了。等不够了，我再给你。"

庚辰双　可见阿凤处处心机。

使不了，明儿带了棺材里使去。

庚辰双　此言不假，伏下后文短命。尤氏亦能干（于）事矣，惜不能劝夫治字（家），惜哉，痛哉！（靖藏本作墨眉，文小异："言"作"语"，"亦能干事矣"作"可谓亦能于事

382

矣"，"惜不能"作"惜乎不能"，"劝夫"误作"勤夫"，余同）

把周赵二人的也还了，他两个还不敢收。

庚辰双 阿凤声势亦甚矣。

尤氏道："你们可怜见的，那里有这些闲钱。凤丫头便知道了，有我应着呢。"二人听说，千恩万谢的方收了。

庚辰双 尤氏亦可谓有才矣。论有德，比阿凤高十倍，惜乎不能谏夫治家，所谓人各有当也。此方是至理至情。最恨近之野史中，恶则无往不恶，美则无一不美，何不近情理之如是耶？

靖墨眉 人各有当，方是至情。

今儿是正经社日，可别忘了。

庚辰双 看书者已忘，批书者亦已忘了，作者竟未忘。忽写此事，真忙中愈忙，紧处愈紧也。（靖藏本作墨眉，缺"看书者已忘"与"紧处愈紧也"首尾二句，又"批书者"作"批书人"，"亦已忘了"作"已忘了"，"忙中愈忙"作"忙中愈忙也"，余同）

宝玉也不来，想必他只图热闹，把清雅就丢开了。

庚辰双 此独宝玉乎？亦骂世人。余亦为（谓）宝玉忘了，不然何不来耶？

说今儿一早就出门去了。

庚辰双 奇文。

说有个朋友死了，出去探丧去了。

庚辰双 奇文。信有之乎？花团锦簇之日，偏如此写法。

若可带了来，又不这样没命的跑了。

庚辰双 奇奇怪怪，不知为何？看他下文怎样。

因听些野史小说，便信真了。

庚辰双 近闻刚丙庙，又有三教庵，以如来为尊，太上为次，先师为末，真杀有余辜。所谓此书救世之溺不假。

虽是泥塑的，却真有翩若惊鸿，婉若游龙之态，荷出绿波，日映朝霞之姿。

庚辰双 妙极！用《洛神赋》赞洛神，本地风光，愈觉新奇。

一齐来至井台上，将炉放下。

庚辰双 妙极之文！宝玉心中拣定是井台上了，故意使茗烟说出，使彼不犯疑猜矣。宝玉亦有欺人之才，盖不用耳。

含泪施了半礼。

庚辰双 奇文。云只施半礼，终不知为何事也。

保佑二爷来生也变个女孩儿。

靖墨眉 这方是作者真意。

说毕，又磕几个头才爬起来。

庚辰双 忽插入茗烟一篇流言，粗看则小儿戏语，亦甚无味；细玩则大有深意。试思宝玉之为人，岂不应有一极伶俐乖巧小童哉？此一祝，亦如《西厢记》中双文降香第三柱（炷）则不语，红娘则待（代）祝数语，直将双文心事道破。此处若写宝王（玉）一祝，则成何文字；若不祝，直成一诬（哑）谜，如何散场？故写茗烟一戏，直戏入宝玉心中，又发出前文，又可收后文，又写茗烟素日之乖觉可人，且衬出宝玉直似一个守礼待嫁的女儿一般，其素日脂香粉气，不待写而全现出矣。今看此回，直欲将宝玉当作一个极轻俊羞怯的女儿看，茗烟则极乖觉可人之丫鬟也。

靖墨眉 此处若使宝玉一祝，则成何文字；若不祝，直成一暗（哑）〔谜〕，如何散场。看此回，真（直）欲将宝玉作一□□□□□□之女儿看，□□□□乖觉可人之鬟也。（毛国瑶按：十字蛀去，后四字中只有一"火"旁尚存。郑按：此十字依次为："个极轻俊羞怯"与"茗烟则极"）

384

宝玉听他没说完，便掌不住笑了。

庚辰双 方一笑，盖原可发笑；且说的合心，愈见可笑也。

休胡说，看人听见笑话。

庚辰双 也知人笑〔话〕，更奇。

所以拿这大题目来劝我。

庚辰双 亦知这个大，妙极！

岂不两尽其道。

庚辰双 这是大通的意见，世人不及的去处。

总没大骑的，手里提紧着。

庚辰双 看他偏不写凤姐那样热闹，却写这般清冷，真世人意料不到这一篇文字也。

只见玉钏儿独坐在廊檐下垂泪。

庚辰双 总是千奇百怪的文字。

再一会子不来都反了。

庚辰双 是平常言语，却是无限文章，无限情理。看至后文再细思此言，则可知矣。

玉钏儿不答，只管擦泪。

庚辰双 无限情理。

可吃了什么，可唬着了？

庚辰双 奇文，毕肖！

第四十四回　变生不测凤姐泼醋
喜出望外平儿理妆

我告诉你说，好容易今儿这一遭，过了后儿，知道还得像今儿这样不得了？趁着尽力灌丧两钟罢。

庚辰双　闲闲一戏语，伏下后文，令人可伤。所谓"盛筵难再"。

一见了凤姐，也缩头就跑。

庚辰双　如见其形。

说着又把平儿打几下。

庚辰双　奇极！先打平儿，可是世人想得着的。

贾琏见了人，越发倚酒三分醉，逞起威风来。

庚辰双　天下小人大都如是。

凤姐儿见人来了，便不似先前那般泼了。

庚辰双　天下奸雄、妒妇、恶妇大都如是，只是恨无阿凤之才耳。

老祖宗救我，琏二爷要杀我呢。

庚辰双　瞧他称呼。

原来平儿早被李纨拉入大观园去了。

庚辰双　可知吃蟹一回非闲文也。

宝钗劝道："你是个明白人。"

庚辰双　必用宝钗评出，方是身分。

忽见李纨打发丫头来唤他，方忙忙的去了。

庚辰双 忽使平儿在绛芸轩中梳妆,非〔但〕世人想不到,宝玉亦想不到者也。作者费尽心机了。 写宝玉最善闺阁中事,诸如胭粉等类,不写成别致文章,则宝玉不成宝玉矣。然要写,又不便特为此费一番笔墨,故思及借人发端。然借人又无人,若袭人辈,则逐日皆如此,又何必拣一日细写,似觉无味。若宝钗等,又系姊妹,更不便来细搜袭人之妆奁,况也是自幼知道的了。因左想右想,须得一个又甚亲,又甚疏,又可唐突,又不可唐突,又和袭人等极亲,又和袭人等不大常处,又得袭人辈之美,又不得袭人辈之修饰一人来,方可发端,故思及平儿一人方如此,故放手细写绛芸闺中之什物也。(靖藏本为眉批,误入第四十一回,文作"忽使平儿在绛芸轩中梳妆,宝玉亦想〔不到者也〕")

今日是金钏儿的生日,故一日不乐。

庚辰双 原来为此。宝玉之私祭,玉钏之潜哀,俱针对矣。然于此刻补明,又一法也。真十(千)变万化之文。万法俱备,毫无脱漏,真好书也。

黄黄的脸儿。

庚辰双 大妙大奇之文!此一句便伏下病根了。草草看去,便可惜了作者行文苦心。

贾琏见了平儿,越发图不得了。

庚辰双 所谓妻不如妾,妾不如偷。(作正文。作者自批。梦觉本同,程甲本、杨藏本无后一句;蒙府本、戚序本、列藏本删去)

平儿道:"我伏侍了奶奶这么几年,也没弹我一指甲。就是昨儿打我,我也不怨奶奶,都是那淫妇治的,怨不得奶奶生气。"说着,也滴下泪来了。

庚辰双 妇人女子之情毕有(肖),但世之大英雄羽翼偶摧,尚按剑生悲,况阿凤与平儿哉?所谓此书真是哭成的。

说着，又哭了。

庚辰双 辖治丈夫，此是首计。懦夫来看此句。

贾琏道："你还不足。你细想想，昨儿谁的不是多。"

庚辰双 妙！不敢自说没不是，只论多少。懦夫来者（看）。

鲍二媳妇吊死了。

庚辰双 倒也有气性，只是又是情累一个，可怜。

凤姐忙收了怯色，反喝道："死了罢了，有什么大惊小怪的。"

庚辰双 写阿凤如此。

他娘家的亲戚要告呢。凤姐笑道。

庚辰双 偏于此处写阿凤笑，怀（坏）哉阿凤！

告不成倒问他个以尸讹诈。

庚辰双 写阿凤如此。

贾琏又命林之孝将那二百银子入在流年账上分别添补开消过去。

庚辰双 大敝（弊）小敝（弊），无一不到。

鲍二又有体面，又有银子，有何不依，便仍然奉承贾琏。

庚辰双 为天下夫妻一哭。

第四十五回　金兰契互剖金兰语
风雨夕闷制风雨词

　　你们听听，我说了一句，他就疯了，说了两车的无赖泥腿市俗专会打细算盘分斤拨两的话出来。

　　庚辰双　心直口拙之人急了，恨不得将万句话来并成一句说死那人，毕肖！

　　宝玉每日便在惜春这里帮忙。

　　庚辰双　自忙不暇，又加上一"帮"字，可笑可笑。所谓《春秋》笔法。

　　宝钗因见天气凉爽，夜复渐长。

　　庚辰双　"复"字妙！补出宝钗每年夜长之事，皆《春秋》字法也。

　　遂至母亲房中，商议打点些针线来，……每夜灯下女工，必至三更方寝。

　　庚辰双　代（灯）下收（秋）夕。　写针线下"商议"二字，直将寡母训女，多少温存活现在纸上。不写阿呆兄，已见阿呆兄终日醉饱优游，怒则吼，喜则跃，家务一概无闻之形景毕露矣。《春秋》笔法。

　　我长了今年十五岁。

　　庚辰双　黛玉才十五岁，记清。

　　将来也不过多费得一副嫁妆罢了，如今也愁不到这里。

　　庚辰双　宝钗此一戏，直抵过通部黛玉之戏宝钗矣，又恳切，又真情，又平和，又雅致，又不穿凿，又不牵强。黛玉因识得宝钗后方吐真情，宝钗亦识得黛玉后方肯戏也。此是大关节、大章法，非细心看不出。

细心（思）二人此时好看之极，真是儿女小窗中喁喁也。

你也是个明白人，何必作"司马牛之叹"。

庚辰双 通部众人必从宝钗之评方定，然宝钗亦必从颦儿之评始可，何妙之至！

今儿好些。

庚辰双 一句。

吃了药没有。

庚辰双 两句。

今儿一日吃了多少饭。

庚辰双 三句。

羞的脸飞（绯）红，便伏在桌上嗽个不住。

庚辰双 妙极之文！使黛玉自己直说出夫妻来，却又云画的扮的。本是闲谈，却是暗隐不吉之兆，所谓"画儿中爱宠"是也。谁曰不然。

宝玉却不留心。

庚辰双 必云"不留心"方好，方是宝玉。若着（留）心，又有何文字？且直是一时时猎色一贼矣。

你想什么吃，告诉我，我明儿一早回老太太，岂不比老婆子们说的明白。

庚辰双 直与后部宝钗之文遥遥针对。 想彼姊妹房中婆子丫鬟皆有，随便皆可遣使。今宝玉独云婆子而不云丫鬟者，心内已度定丫鬟之为人。一言一事，无论大小，是方无错谬者也，一何可笑！

今儿又是我们的头家，如今园门关了，就该上场了。

庚辰双 几句闲话，将潭潭大宅夜间所有之事描写一尽。

390

虽偌大一园，且值秋冬之夜，岂不寥落哉？今用老妪数语，更写得每夜深人定之后，各处〔灯〕光灿烂，人烟簇集，柳陌之〔上〕，〔花〕巷之中，或提灯同酒，或寒月烹茶者，竟仍有络绎人迹不绝，不但不见寥落，且觉更胜于日间繁华矣。此是大宅妙景，不可不写出；又伏下后文，且又趁（衬）出后文之冷落。此闲话中写出，正是不写之写也。　脂砚斋评。

第四十六回　尴尬人难免尴尬事
鸳鸯女誓绝鸳鸯偶

回前总批

庚辰本　此回亦有本而笔，非泛泛之笔也。

只看他题纲用"尴尬"二字于邢夫人，可知包藏含蓄文字之中，莫能量也。

你知道你老爷跟前竟没有个可靠的人。

庚辰双　说得得体。我正想开口一句不知如何说，如此则妙极是极。如闻如见。

鸳鸯见邢夫人去了，必在凤姐儿房里商议去了，必定有人来问他的，不如躲了这里。

庚辰双　终不免女儿气，不知躲在那里方无人来罗皂。写得可怜可爱。

便拉他到枫树底下。

庚辰双　随笔带出妙景。正愁园中草木黄落，不想看此一句，便恍如值（置）身于千霞万锦、绛雪红霜之中矣。

这是咱们好，比如袭人、琥珀、素云、紫鹃、彩霞、玉钏儿、麝月、翠墨，跟了史姑娘去的翠缕，死了的可人和金钏，去了的茜雪。

庚辰双　余按此一算，亦是十二钗。真镜中花，水中月，云中豹，林中之鸟，穴中之鼠，无数可考，无人可指，有迹可追，有形可据，九曲八折，远响近影，迷离烟灼，纵横隐现，

392

千奇百怪，眩目移神，现千手千眼大游戏法也。　脂砚斋。

这如今因都大了，各自干各自的去了。

庚辰双　此语已可伤。犹未"各自干各自去"，后日（日后）更有各自之处也，知之乎？

不是别个，正是宝玉走来。

庚辰双　通部情案，皆必从石兄挂号，然各有各稿，穿插神妙。

他爹的名字叫金彩。

庚辰双　姓金名彩，由"鸳鸯"二字化出。因文而生文也。

他哥哥金文翔。

庚辰双　更妙！

他嫂子也是老太太那边浆洗的头儿。

庚辰双　只鸳鸯一家，写的荣府中人各有各职，如目已睹。

王夫人忙站起来，不敢还一言。

庚辰双　千奇百怪，王夫人亦有罪乎？老人家迁怒之言，必应如此。

宝玉听说，忙站起来。

庚辰双　宝玉亦有罪了！

凤姐儿也不提我。

庚辰双　阿凤也有了罪。　奇奇怪怪之文，所谓《石头记》不是作出来的。

第四十七回　呆霸王调情遭苦打
冷郎君惧祸走他乡

　　"就是咱们娘儿四个斗呢，还是再添个呢?"王夫人笑道:"可不只四个。"

　　庚辰双　老实人言语。

　　这几日可到秦钟的坟上去了。

　　庚辰双　忽提此人，使我堕泪。近几回不见提此人，自谓不表矣，乃忽于此处〔对〕柳湘莲提及，所谓"方以类聚，物以群分"也。(靖墨眉无"忽提"之"忽"，"近几回"作"近回"，"不见提此人"作"不提"，"乃忽于此处"作"乃于"，"及"前脱"提"，脱"方以类聚"，余同)

　　薛蟠笑道:"好兄弟，你一去都没兴了，好歹坐一坐，你就是疼我了。"

　　靖墨眉　奇谈! 此亦是□〔阿〕呆。(蛀一字)

　　我要日久变心，告诉人去的，天诛地灭。

　　靖墨眉　呆子声口如闻。

　　薛蟠挨打一段。

　　靖墨眉　纨绔子弟齐来看此。

　　他吩咐不许跟去，谁还敢找去。

　　庚辰双　亦如秦法自误。

第四十八回　滥情人情误思游艺
慕雅女雅集苦吟诗

回前总批

庚辰本　题曰"柳湘莲走他乡"，必谓写湘莲如何走。今却不写，反细写阿呆兄之游艺心，了却湘莲之分内。走者而不细写其走，反写阿呆不应走而写其走。文牵（章）岐（歧）路，令人不识者如此。

至"情小妹"回申（中），方写湘莲文字，真神化之笔。（靖藏本作墨眉。无"中"字，"方写"作"方出"，"真"作"真真"）

到了外头，谁还怕谁，有了的吃，没了的饿着，举眼无靠，他见了这样，只怕比在家里省了事也未可知。

庚辰双　作书者曾吃此亏，批书者亦曾吃此亏，故特于此注明，使后人深思默戒。　脂砚斋。

有知道来历的，买个还罢了。

庚辰双　闲言过耳无迹，然已伏下一事矣。

然后宝钗和香菱才同回园中来。

庚辰双　细想香菱之为人也，根基不让迎、探，容貌不让凤、秦，端雅不让纨、钗，风流不让湘、黛，贤惠不让袭、平，所惜者青年罹祸，命运乖蹇，足（至）为侧室，且虽曾读书，不能与林、湘辈并驰于海棠之社耳。然此一人，岂可不入园哉？故欲令入园，终无可入之隙。筹画再四，欲令入园，

395

必呆兄远行后方可。然阿呆兄又如何方可远行？曰名不可，利不可，正事不可，必得万人想不到，自己忽一发机之事方可。因此思及"情"之一字，及（乃）呆素所误者，故借"情误"二字生出一事，使阿呆游艺之志已坚，则菱卿入园之隙方妥。回思因欲香菱入园，是写阿呆情误；因欲阿呆情误，先写一赖尚华（荣）：实委婉严密之甚也。　脂砚斋评。

靖墨眉　湘（香）菱为人，根基不下迎、探，容貌不让凤、秦，端雅不让龙（袭）、平（当为纨、钗），惜幼年罗（罹）祸，命薄运乖，至为侧室，虽会（曾）读书，而不得与林、湘等并驰于海棠之社。然此人岂能不入园？惟无可入之隙耳，必使呆兄远行方可。试思〔呆〕兄如何可远行？名利不可，正事不可，因借"情〔误〕"二字生一事方妥。

靖墨眉　此批其当。（上批稍后）

好姑娘，你趁着这个工夫教给我作诗罢。

庚辰双　写得何其有趣！今忽见菱卿此句，合卷从纸上另走出一姣小美人来，并不是湘林探凤等一样口气声色。真神骏之技，虽驰驱万里而不见有倦怠之色。

只见平儿忙忙的走来。

庚辰双　"忙忙"二字奇，不知有何妙文。

你既来了，也不拜一拜街坊邻舍去。

庚辰双　是极！恰是戏言，实欲支出香菱去也。

你本来呆头呆脑的，再添上这个，越发弄成个呆子了。

庚辰双　"呆头呆脑的"，有趣之至！最恨野史，有一百个女子，皆曰聪敏伶俐，究竟看来，他行为也只平平。今以"呆"字为香菱定评，何等妩媚之至也！

好姑娘，别混我。

庚辰双　如闻如见。

宝钗正告诉他们，说他梦中作诗说梦话。

庚辰双 一部大书，起是梦，宝玉情是梦，贾瑞淫又是梦，秦氏之家计长策又是梦，今作诗也是梦，一并风月鉴亦从梦中所有，故〔曰〕：红缕（楼），梦也。余今批评亦在梦中，特为梦中之人，特作此一大梦也。 脂砚斋。（靖藏本作墨眉，批在第四十九回香菱梦中作诗交与黛玉一段眉上。"大书"作"书"；"起是梦"后之五个"梦"下均有一"中"字；"秦之家计长策"作"可卿家计长"；脱"一并风月鉴"句；"故"上有一"是"字；"特作此"前有"而"字，无"脂砚斋"之署名）

第四十九回　琉璃世界白雪红梅
脂粉香娃割腥啖膻

庚辰本　此回系大观园集十二正钗之文。

香菱交梦中诗与黛玉一段。

靖墨眉　（已见第四十八回，此略。）

凤姐儿冷眼敁敠岫烟心性为人。

庚辰双　音颠夺，心内忖度也。

又指着黛玉，湘云便不则声。

庚辰双　是不知道黛玉病中相谈赠燕窝之事也。　脂砚。

那宝琴年轻心热。

庚辰双　四字道尽，不犯宝钗。　脂砚斋评。（靖墨眉"钗"误作"琴"，无署名）

且本性聪敏，自幼读书识字。

庚辰双　我批此书竟得一秘诀，以告诸公：凡野史中所云才貌双全佳人者，细细通审之，只得一个粗知笔墨之女子耳。此书凡云知书识字者，便是上等才女，不信时只看他通部行为及诗词诙谐皆可知。妙在此书从不肯自下评注，云此人系何等人，只借书中人闲评一二语，故不得有未密之缝被看书者指出，真狡猾之笔耳。

鹤势螂形。

庚辰双　近之拳谱中有坐马势，便似螂之蹲立。昔人爱轻

398

捷便俏，闲取一螂，观其仰颈叠胸之势。今四字无出处，却写尽矣。　脂砚斋评。（列藏本"坐"误作"生"，"便俏闲取"作"便闲暇取"，又无署名）

这会子一定算计那块鹿肉去了。

庚辰双　联诗极雅之事，偏于雅前写出小儿啖膻茹血极腌臜的事来，为锦心绣口作配。

我为芦雪广一大哭。

庚辰双　大约此话不独黛玉，观书者亦如此。

第五十回　芦雪广争联即景诗
暖春坞创制春灯谜

起首恰是李氏

庚辰双　一定要按次序，恰又不按次序，似脱落处而不脱落，文章岐（歧）路如此。（按：此评原误作正文，但抄手从"起首"直勾到"开出"，将正文一并勾入批语。又有墨笔眉批道："勾出者似是批语，不宜混入。"靖藏本作墨眉，"恰"作"却"，无"处"字，"岐"误作"枝"）

湘云道："难堆破叶蕉，麝煤融宝鼎。"

靖墨眉　的是湘云。写《海棠》是一样笔墨，如今联句又是一样写法。

如今就叫他自己作去。

庚辰双　想此刻宝玉已到庵中矣。

宝钗只得依允。

庚辰双　想此刻二玉已会，不知肯见赐否？（列藏本作正文，脱去"知肯"）

各人房中丫鬟都添送衣服来。

庚辰双　冬日午后景况。（列藏本作正文，"日"作"月"）

原来这枝梅花只有二尺来高，……香欺兰蕙。

庚辰双　一篇"红梅赋"。（列藏本同此）

从里边游廊过去，便是惜春卧房，门斗上有"暖香坞"

三个字。

庚辰双 看他又写出一处。从起至末，一笔一部之文也有，千万笔成一部之文也有，一二笔成一部之文也有。如《试才》一回，起若都说完，以后则索然无味，故留此几处以为后文之点染也。此方活泼不板，眼目屡新。

早有几个人打起猩红毡帘，已觉温香拂脸。

庚辰双 各处皆如此，非独因"暖香"二字方有此景。戏注于此，以博一笑耳。

我因为到了老祖宗那里，鸦没雀静的。

庚辰双 这四个字俗语中常闻，但不能落纸笔耳，便欲写时，究竟不知系何四字，今如此写来，真是不可移易。

第五十一回　薛小妹新编怀古诗
胡庸医乱用虎狼药

不如另作两首为是。

庚辰双　如何？必得宝钗此驳方是好文。后文若真另作，亦必无趣；若不另作，又有何法省之。看他下文如何。

黛玉忙拦道。

庚辰双　好极！非黛玉不可。　脂砚。

这两首虽于史鉴上无考，咱们虽不曾看这些外传，不知底里，难道咱们连两本戏也没有见过不成？那三岁孩子也知道，何况咱们。探春便道："这话正是了。"

庚辰双　余谓颦儿必有尖语来讽，不望竟有此饰词代为解释，此则真心以待宝钗也。

宝钗听说方罢了。

庚辰双　此为三染无痕也。妙极！天花（衣）无缝之文。

宝玉命把煎药的银吊子找了出来。

庚辰双　"找"字〔有〕神理，乃不常用之物也。

小姑娘们冷风朔气的。

庚辰双　"朔"字又妙！朔作韶，北音也。用比（此）音，奇想奇想！

第五十二回　俏平儿情掩虾须镯
勇晴雯病补雀金裘

晴雯道："这话也是，只是疑他为什么忽然又瞒起我来。"

庚辰双　宝玉一篇推情度理之谈以射正事，不知何如？
你怎么就得了的？

庚辰双　妙！这才有神理，是平儿说过一半了。若此时从宝玉（平儿）口中从头说起一原一故，直是二人特等宝玉来听方说起也。

拿着这支镯子，说是小丫头子坠儿偷起来的，被他看见来回二奶奶的。

庚辰双　妙极！红玉既有归结，坠儿岂可不表哉？可知"奸贼"二字是相连的，故"情"字原非正道，坠儿原不情也，不过一愚人耳，可以传奸，即可以为盗。二次小窃皆出于宝玉房中，亦大有深意在焉。

里面盛着些真正汪恰洋烟。

庚辰双　汪恰，西洋一等宝烟也。

眼泪鼻涕登时齐流。

庚辰双　写得出。

如今的夜越发长了，你一夜咳嗽几遍，醒几次？

庚辰双　此皆好笑之极，无味扯淡之极，回思则皆沥血滴髓之至情至神也。岂别部偷寒送暖，私奔暗约，一味淫情浪态之小说可比哉？

403

前儿把那一件野鸭子的给了你小妹妹。

庚辰双 "小"字更妙！盖王夫人之末女也。

宝玉不识名姓，只微笑点了点头儿，马已过去。

庚辰双 总为后文伏线。

晴雯吃了药，仍不见病退，急的乱骂大夫，说只会骗人的钱，一剂好药也不给人吃。

庚辰双 奇文！真姣（娇）憨女儿之语也。

唬的小丫头子篆儿忙进来，问："姑娘作什么？"

庚辰双 此"姑娘"亦"姑姑娘娘"之称，亦如贾琏处小厮呼平儿，皆南北互用一（之）语也。 脂砚。

晴雯便冷不防欠身一把将他的手抓住。

庚辰双 是病卧之时。

姑娘们怎么了，你侄女儿不好。

庚辰双 "侄女"二字妙！余前注不谬。

那里又找哦啰嘶国的裁缝去。

庚辰双 妙谈！

一时只听自鸣钟已敲了四下。

庚辰双 按"四下"，乃寅正初刻。"寅"此样〔写〕法，避讳也。

第五十三回　宁国府除夕祭宗祠
荣国府元宵开夜宴

回前总批

靖藏本　祭宗祠、开夜宴一番铺叙，隐后回无限文字。浩荡宏恩，亘古所无。母媚兄先（死），无依。变故屡遭，〔生〕不逢辰，令人心摧肠断。

迎春、岫烟皆过去朝夕侍药。

庚辰双　妙在一人不落，事事皆到。

李婶之弟又接了李婶和李纹、李绮家去住几日。

庚辰双　来的也有理，去的也有情。

御田胭脂米二石。

庚辰双　《在园杂字（志）》曾有此说。

娘娘和万岁爷岂不赏的。

庚辰双　是庄头口中语气。　脂砚。

外头体面里头苦。

庚辰双　新鲜趣语。

前儿我听见凤姑娘……

庚辰双　此亦南北互用之文，前注不谬。（靖藏本作墨眉，文同）

夜夜招聚匪类赌钱。

庚辰双　这一回文字断不可少。

其取便快乐另与这边不同的。

庚辰双　又交待一个。

第五十四回　史太君破陈腐旧套
王熙凤效戏彩斑衣

回前总批

庚辰本　首回楔子内云："古今小说千部共成（出）一套"云云，犹未泄真；今借老太君一写，是劝后来胸中无机轴之诸君子不可动笔作书。凤姐乃太君之要紧陪堂，今题"斑衣戏彩"，是作者酬我阿凤之劳，特贬贾珍〔贾〕琏辈之无能耳。

秋纹麝月忙上去，将两个盒子揭开，两个媳妇忙蹲下身子。

庚辰双　细腻之极！一部大观园之文皆若食肥蟹，至此一句，则又三月于镇江江上唼出网之鲜鲥矣。

"那男子文章满腹，却去作贼"一段。

靖墨眉　文章满腹去作贼，余谓多〔多〕！（原作"文章满去贼腹作余谓多"）

第五十五回　辱亲女愚妾争闲气
欺幼主刁奴蓄险心

只不过言语沉（俞平伯作"安"）静，性情和顺而已。

庚辰双　这是小姐身分耳，阿凤未出阁想亦如此。

吴新登的媳妇心中已有主意。若是凤姐前，他便早已献勤，说出许多主意，又查出许多旧例来，任凤姐儿拣择施行。

庚辰双　可知虽有才干，亦必有羽翼方可。

正该和他协同，大家作个膀背（臂）。

庚辰双　阿凤有才处全在择人，收纳膀背（臂）羽翼，并非一味傍（倚）才自恃者可知。（俞平伯在此点为句号）这方是大才。（己卯本"臂"亦作"背"，又"傍"作"倚"，余同）

平儿屈一膝于炕沿之上，半身犹立于炕下，陪着凤姐儿吃了饭。

庚辰双　凤姐之才又在能买邀人心。（己卯本同；庚辰本"买邀"二字勾乙为"邀买"）

第五十六回　敏探春兴利除宿弊
时宝钗小惠全大体

难为你是个聪敏人，这些正事大节目事竟没经历，也可惜迟了。

庚辰双　反点题，文法中又一变体也。（己卯本同）

三人只是取笑之谈，说笑了一回，便仍谈正事。

庚辰双　作者又用金蝉脱壳之法。（己卯本同）

你们办的又至公了，事又甚妥。李纨、平儿都道是极。

庚辰双　宝钗此等非与凤姐一样，此时（是）随时俯仰，彼则逸才逾蹈也。（己卯本"此时"作"此是"，余同）

探春笑道："虽如此，只怕他们见利忘义。"

庚辰双　这是探春敏智过人处。此讽亦不可少。（己卯本同）

两家和厚的，好的很呢。

庚辰双　夹写大观园中多少儿女家常闲景，此亦补前文之不足也。（己卯本同）

除了我们大观园，更又有这一个园子。

庚辰双　写园可知。（己卯本同）

除了鸳鸯、袭人、平儿之外，也竟还有这一干人。

庚辰双　写人可知，妙在更（并）不说"更强"二字。（己卯本"更不"作"并不"）

他生的倒也还干净。

408

庚辰双 妙！在玉乡（卿）身上只落了这两个字，亦不奇了。（己卯本"乡"作"卿"）

只见王夫人遣人来叫宝玉，不知有何话说。

庚辰本 此下紧接"慧紫鹃试忙玉"。（己卯本同。此批书写在回末本句之下）

第五十七回　慧紫鹃情辞试忙玉
慈姨妈爱语慰痴颦

一人手托着腮颊出神，不是别人，却是宝玉。

庚辰双　画出宝玉来，却又不画阿颦，何等笔力！便（偏）不从鹃写，却写一雁，更奇是仍归写鹃。（己卯本"便"作"偏"）

春天凡有残疾的人都犯病，敢是他也犯了呆病了。

庚辰双　写妍（娇）憨女儿之心，何等新巧。（己卯本同）

宝玉听了，吃了一惊，忙问："谁？往那个家去？"

庚辰双　这句不成写（话），细读细嚼方有无限神清（情）嗞（滋）味。（己卯本"写"作"话"，"情滋"亦作"清嗞"）

宝玉笑道。

庚辰双　"笑"字奇甚！（己卯本同）

明年回去找谁？可见是扯谎。

庚辰双　此论极是，不介意。（己卯本同）

已死了大半个了。

庚辰双　奇极之语！从急怒姣（娇）憨口中描出不成话之话来，方是千古奇文。五字是一口气来的。（己卯本同）

第五十八回　杏子阴假凤泣虚凰
茜纱窗真情揆痴理

地名曰孝慈县。

庚辰双　随事命名。（己卯本同。按：此批在己卯、庚辰二本原误入正文，庚辰本墨眉云："命名句似批语。"今据有正本、杨藏本校改为批语）

还要停放数日，方入地宫，故得一月光景。

庚辰双　周到细腻之至。　真细之至，不独写侯府得理，亦且将皇宫赫赫写得令人不敢坐阅。（己卯本"细之至"误作"细之致"）

尤氏等又遣人告诉了凤姐儿。

庚辰双　看他任意鄙俚诙谐之中，必有一个"礼"字还清，足〔见〕是大家形景。（己卯本"足是"作"足见是"）

只得拄了一支杖，靸着鞋步出院外。

庚辰双　画出病势。（己卯本同）

因此不免伤心，只管对杏流泪叹息。

庚辰双　近之淫书满纸伤春，究竟不知伤春原委。看他并不提"伤春"字样，却艳恨秾愁，香流满纸矣。（己卯本同）

你是什么阿物儿，跑来胡闹。怕也不中用，跟我快走罢。

庚辰双　如何？必是含怨之人。又拉上宝玉，画出小人得意来。（己卯本同）

宝玉听了，心下纳闷。

庚辰双 连观书者亦纳闷。（己卯本同）

比往日已算大愈了。

庚辰双 好，若只管病亦不好。（己卯本同）

自古说，"物不平则鸣"。

庚辰双 自来经语，未遭如是用也。（己卯本同）

天长地久，如何是好。

庚辰双 画出宝玉来。（己卯本同）

敞着裤腿。

庚辰双 四字奇想，写得纸上跳出一个女优来。（己卯本同）

宝玉便就桌上喝了一口。

庚辰双 画出病人。（己卯本同）

一面说，一面忙端起，轻轻用口吹。

庚辰双 画。（己卯本同；戚序本改作"油"，程甲本、蒙府本改作"著"，梦觉本作"着"，杨藏本旁补"着"）

第五十九回　柳叶渚边嗔莺咤燕
绛芸轩里召将飞符

此回无批

第六十回　茉莉粉替去蔷薇硝
玫瑰露引来茯苓霜

全放出去，与本人父母自便呢。

庚辰双　补前文不足处。

因他排行第五，因叫他是五儿。

庚辰双　五月之柳，春色可知。

一则给我妈争口气，也不枉养我一场。

庚辰双　为母。

二则添上月钱，家里又从容些。

庚辰双　二为家中。

第六十一回　投鼠忌器宝玉瞒赃
判冤决狱平儿行权

忽见迎春房里小丫头莲花儿走来。

庚辰双　总是写春景将残。（己卯本同）

第六十二回　憨湘云醉眠芍药裀
呆香菱情解石榴裙

　　宝玉听了，喜欢非常，答应了，忙忙的回来。一壁里低头心下暗算："可惜这么一个人，没父母，连自己本姓都忘了，被人拐出来，偏又卖与了这个霸王。"因又想起，上日平儿也是意外想不到的，今日更是意外之意外的事了。一壁胡思乱想。

　　庚辰双　又下此四字。（己卯本同）

416

第六十三回　寿怡红群芳开夜宴
死金丹独艳理亲丧

且忙着卸装宽衣。

庚辰双　九（凡）吃酒从未先如此者。此独抬（怡）红风俗，故王夫人云，他行事总是与世人两样的。知子莫过母也。（己卯本"抬"作"怡"）

当时芳官满口嚷热。

庚辰双　余亦此时太热了，恨不得一冷。既冷时思此热，果然一梦矣。（己卯本同）

原来是薛姨妈打发人来了，接黛玉的。

列本双　奇文，不接宝钗，而接黛玉。（按：原混入正文，以"「　」"标出，不见于他本）

上面写着"槛外人妙玉恭肃遥叩芳辰"。宝玉看毕，直跳了起来。

庚辰双　帖文亦蹈俗套之卧（外）。（己卯本同）

刚过了沁芳亭，忽见岫烟颤颤巍巍的迎面走来。

列本双　四个俗字，写出一个活跳美人，转觉别出（书）中若干"莲步香尘"、"纤腰玉体"字样无味之甚。（按：原混入正文，后括出，旁有一"注"字。不见于他本）

我说你是无才的。

庚辰双　用芳官一骂，有趣。（己卯本同）

便在榆阴堂中摆了几席新酒佳肴。（列藏本"佳"作"嘉"）

列本双 榆荫中者，余荫也。兹既感灵，今故怀亲，所谓不失忠孝之大纲也。（按：此批亦混入正文，且括出，旁有一"注"字，为独出之批）

佩凤、偕鸾两个去打秋千玩耍。

庚辰双 大家千金不令（合）作此戏，故写不及探春等人也。（己卯本同；列藏本"令"作"合"，旁有一"注"字，且括出）

他这继母只得将两个未出嫁的小女带来，一并起居才放心。

庚辰双 原为放心而来，终是放心而去，妙甚！（己卯本同；靖藏本作墨眉，无"甚"字；列藏本文同，然亦混入正文，后括出，旁加一"注"字）

只和我们闹，知道的说是顽。

庚辰双 妙极之顽！天下有是之顽亦有趣甚。此语余亦亲闻者，非编有也。（己卯本"编"误作"偏"；靖藏本作侧批，"亲闻者"误作"亲问"，"偏"亦作"编"，余同）

第六十四回　幽淑女悲题五美吟
浪荡子情遗九龙珮

回前总批

列藏本　此一回紧接贾敬灵柩进城，原当铺叙宁府丧仪之盛。但上回秦氏病故，凤姐理丧，已描写殆尽，若仍极力写去，不过加倍热闹而已。故书中于迎灵送殡（殡）极忙乱处，却只闲闲数笔带过，忽插入钗、玉评诗，琏、尤赠珮一段闲雅风流文字来，正所谓急脉缓受（炙）也。（蒙府本、戚序本"凤姐"作"熙凤"，"插"误作"挥"，无"风流"二字；又蒙府本"接"误作"搂"，余同。程甲本第七十六回改文有"急脉缓炙"语）

又叫将那龙文鼐。

戚序双　子之切，小鼎也。（蒙府本同）

宝玉这里不由的低头细想一段。

靖藏本　玉兄此想周到的是在可女儿工夫上身左右于此时难其亦不故证其后先以恼况无夫嗔处。（俞平伯校作："玉兄在女儿身上工夫是左右想的周到，于此时亦不解（原"难"）其故。况其以后证先，以无大（原"夫"）可嗔恼处。"）

何不就命名曰《五美吟》。于是不容分说，便提笔写在后面。

戚序双　《五美吟》与后《十独吟》对照。（蒙府本、梦觉本同此）

第六十五回　贾二舍偷娶尤二姨
尤三姐思嫁柳二郎

尤三姐便知其意。

庚辰双　全用醍醐溃（灌）顶，全是大翻身大解悟法。（己卯本"溃"作"贯"；靖藏本作侧批，"全用"误作"今用"，"醍醐"作"湜湖"，"贯"同己卯本，"悟"讹作"语"）

不用姐姐开口，先便滴泪泣道。

庚辰双　全用如是等语，一洗蘩（孽）障。（己卯本"蘩"作"孽"）

靖墨眉　今（全）用如是语，一先（洗）□（孽）障。

尤三姐便啐了一口道。

庚辰双　奇！不知何为？（己卯本同）

我们有姊妹十个，也嫁你弟兄十个不成。

庚辰双　有理之极！（己卯本同）

除了你家，天下就没了好男子了不成。

庚辰双　一骂反有理。（己卯本同）

众人听了，都诧异，除去他，还有那一个。

庚辰双　余亦如此想。（己卯本同；蒙府本、戚序本无"余"字，列藏本改作"了正如此"，皆混入正文）

姐姐只在五年前想就是了。

庚辰双　奇甚！（己卯本同）

420

第六十六回　情小妹耻情归地府
冷二郎一冷入空门

这些混话，倒像是宝玉那边的了。

庚辰双　好极之文，将茗烟等已全写出，可（所）谓一击两鸣法，不写之写也。（己卯本同；靖藏本作侧批，文字错乱讹脱已甚。"极"误作"树"，"全"误作"今"，"写"误作"马"，脱"所"，"击"误作"攀"，"鸣"误作"鸟"，"法"误作"沄"，脱"不写之写也"）

可是你们家那宝玉，除了上学，他作些什么？

庚辰双　拍案叫绝。此处方问，是何文情！（己卯本同）

主子宽了，你们又这样；严了又抱怨，可知难缠。

庚辰双　情语，情文，至语。（己卯本同）

里头有个作小生的，叫作柳湘莲。

庚辰双　千奇百怪之文，何至于此！（己卯本同）

走的近来一看，不是别人，竟是薛蟠和柳湘莲来了，贾琏深为奇怪。

庚辰双　余亦为怪。（己卯本同）

真真一对尤物。

庚辰双　可巧。（己卯本同）

你们东府里除了那两个石头狮子干净，只怕连猫儿狗儿都不干净，我不做这剩忘八。

庚辰双　极奇之文，极趣之文！《金瓶梅》中有云"把忘

421

八的脸打绿了"，已奇之至。此云"剩忘八"，岂不更奇？（己卯本"奇极"作"极奇"，余同）

靖墨眉 极奇极趣之文！《金瓶〔梅〕》肖（有）"把亡（忘）八脸打绿"已奇，些（乃竖写"此云"之误）剩忘八，〔岂〕不更奇！

连忙作揖说："我该死，胡说。"

庚辰双 忽用湘莲提东府之事，骂及宝玉，可是人想得到的？所谓一个人不曾放过。（己卯本无"个"字）

第六十七回　馈土物颦卿念故里
讯家童凤姐蓄阴谋

回前总批

靖藏本　〔末〕回"撒手"，乃是已悟；此虽眷恋，却破迷关。是何必削发？青埂峰证了情（前）缘，仍不出士隐梦中；而前引即〔湘莲〕三姐。（按：此据周汝昌先生所校。）

宝钗听了，并不在意，便说道。

靖本侧　宝卿不以为怪，虽慰此言，以其母不然，以知何为□□□□。宝卿心机，余已此又是□□。（前四字看不清，后两字蛀去）

郑红枫校作：宝卿不以为怪，虽以此言慰其母，不然亦何为？□□□□，余已知宝卿心机，此又是□□。

俞平伯校作：宝卿不以为怪，虽以此言慰其母，然亦不知为何如（此条有缺文，以意增补此字）此。宝卿心机，余又是（下缺五个字，大约表示不甚了解，不甚赞成之意）。

季稚跃校作：虽宝卿不以为怪，然其母不知为何，以此言慰之，非 女 夫 子。宝卿心机，余已此又是 一 见。（庆山按："非"当作"乃"，"已"当作"于"。）

惟有望着西北上大哭了一场。

靖墨眉　岂犬（丢了左旁"豈"所致，当为繁体"獸"）兄也是有情之人。

薛姨妈说："可是柳相公那样一个年轻聪明的人，怎么就

423

一时糊涂，跟着道士去了呢？我想他前世必是有凤缘有根基的人，所以才容易听得进这些度化他的话去。

靖墨眉　似糊涂，却不糊涂。若非有风（凤）缘、有根基之人，岂能有此□□□副册之姣姣者也。（三个字漶漫不清。俞平伯先生校作："似糊涂却不糊涂，若非有凤缘有根基之人，岂能如此，庸中佼佼，册中之副者也。"黄霖末句校作："尤三姐姣姣，册之副者也。"）

第六十八回　苦尤娘赚入大观园
酸凤姐大闹宁国府

此回无批。

第六十九回　弄小巧用借剑杀人
觉大限吞生金自逝

此回无批。

第七十回　林黛玉重建桃花社
史湘云偶填柳絮词

　　就把海棠社改作桃花社。

　　庚辰双　起时是后有名，此是先有名。（己卯本同）

　　紫鹃炷了一支梦甜香。

　　庚辰双　重建，故又写香。（己卯本"又"本误作"人"，后朱笔旁改）

　　探春听说，忙写了出来。众人看时……

　　庚辰双　却是先看没作完的，总是又变一格也。（己卯本同）

第七十一回　嫌隙人有心生嫌隙
　　　　　鸳鸯女无意遇鸳鸯

　　宝钗姊妹与黛玉、探春、湘云五人来至园中，大家见了，不过请安、问好、让坐等事。众人中也有见过的，还有一两家不曾见过的，都齐声夸赞不绝。

　　列藏本　人非草木，见此数人，焉得不垂涎称妙？（按：此本及蒙府本、戚序本均混入正文，而庚辰本无此句）

　　只见园中正门与各处角门仍未关。

　　庚辰双　伏下文。

　　如今听了周瑞家的细了他亲家，越发火上浇油，仗着酒兴，指着隔断的墙。

　　庚辰双　细致之甚！

　　凤姐听了这话，又当着许多人，又羞又气，一时抓寻不着头脑，憋得脸紫涨，回头向赖大家的等笑道。

　　庚辰双　又写笑，妙！凡凤直（姐）怒处（则）必曰"笑"，凌凌不错。（邓改"凌凌"作"真真"）

　　内中只有江南甄家……

　　庚辰双　好，一提甄事。　盖直（真）事欲显，假事将尽。

　　只有该班的房中灯光掩映，微月半天。

　　庚辰双　是月初旬起更时也。

　　行至一湖山石后，大桂树阴下来。

428

庚辰双　是八月，随笔点景。

一个穿红裙子，梳鬅头，高大丰壮身材。

庚辰双　是月下所〔见〕之像，故不写至容儿（貌）也。

鸳鸯只当他和别的女孩子也在此方便，见自己来了，故意藏躲恐吓着耍。

庚辰双　此见是女儿们常事，观书者白（自）亦为如此。

谁知他贼人胆虚。

庚辰双　更奇！不知后为何事。

便双膝跪下，只说："好姐姐，千万别嚷。"

庚辰双　奇甚！

鸳鸯再一回想，那一个人影恍惚像个小厮，心下便猜疑了八九。

庚辰双　是聪敏女儿，妙！

自己反羞的面红耳赤，又怕起来。

庚辰双　是姣（娇）贵女儿，笔笔皆到。

是我姑舅兄弟。

庚辰双　妙！

鸳鸯啐了一口道："要死，要死。"

庚辰双　如见其面，如问（闻）其声。

第七十二回　王熙凤恃强羞说病
来旺妇倚势霸成亲

若不是我千凑万挪的，早不知到什么破窑里去了。如今倒落了一个放账破落户的名儿。

庚辰双　"可知放账乃（事）发，所谓此家儿（鬼）如（知）耻恶之事也。

前儿老太太生日，太太急了两个月，想不出法儿来；还是我提了一句，后楼上现有些没要的大铜锡傢伙四五箱子，拿出去弄三百银子，才把太太遮羞礼搪过去了。我是你们知道的，那一个金自鸣钟卖了五百六十两银子，没有半个月，大事小事没有十件，白填在里头。今儿外头也短住了，不知是谁的主意，搜寻上老太太了。

庚辰双　间（闲）语补出近日诸事。

昨晚上忽然作了一个梦，说来也可笑。

庚辰双　反说可笑，妙甚！若必以此梦为凶兆，则〈思〉返（反）落套，非"红楼"之梦矣。

梦见一个人，虽然面善，却又不知名姓。

庚辰双　是以前授方相之旧，数十年后矣。

他说娘娘打发他来要一百匹锦……他就上来夺。正夺着就醒了。

庚辰双　妙！实家常触景间梦，必有之理，却是江淹才尽之兆也，可伤。

430

这是奶奶的日间操心，常应候宫里的事。

庚辰双 淡淡抹去，妙！

家里有现成的银子，暂借一二百，过一两日就送过来。

庚辰双 可谓蜜（密）处不用（容）针。

两个都与宫中之物不离上下。

庚辰双 是太监眼中看，心中评。

命他拿去办八月中秋节。

庚辰双 过下伏脉。

见凤姐亲自和他说，何等体面。

庚辰双 今时人因图此现在体面，误了多少女儿。此正是回（为）今时女儿一笑（哭）。

遂至晚间悄命他妹子小霞。

庚辰双 霞〔有〕大小，奇奇怪怪之文，更觉有趣。

他去了，将来自然还有。

庚辰双 这是世人之情，亦是丈夫之情。

是晚得空，便先求了贾政。

庚辰双 这是使〔人〕想不到之文，却是大家必有之事。

只是年纪还小，又怕他们误了书，所以再等一二年。

庚辰双 妙文，又写出贾老儿女之情。细思一部书，总不写贾老则不〔成〕文，然若不如此写，则又非贾老。

第七十三回　痴丫头误拾绣春囊
懦小姐不问累金凤

小鹊不答，直往房内来找宝玉。

庚辰双　奇，从未见此婢也。

什么事，这时候又跑了来作什么。

庚辰双　又是补出前文矣，非只张（此）一回也。

因近来作诗，常把《诗经》读些，虽不甚精阐，还可塞责。

庚辰双　妙！宝玉读书原系从问（闺）中滥（游）而有。

稍能动性者，偶一读之，不过供一时之兴趣，究竟何曾成篇潜心玩索。

庚辰双　妙！写宝玉读书，非为功名也。

你暂且把我们忘了，心且略对着他些罢。

庚辰双　此处岂是读书之处，又岂是伴读之人？古今天下误尽多少纨绔，何况又是此等时之怡红院，此等之鬟婢，又是此等一个宝玉哉？

凤姐虽未大愈，精神固比常稍减。

庚辰双　看他渐次写来，从不作一年（平）易〔苟〕安之笔，况阿凤之文哉？

左右猜解不来，正要拿去与贾母看。

庚辰双　险极，妙极！荣富（府）堂堂诗礼之家，且大观〈官〉园又何等严肃清幽之地，金闺玉阁尚有此等秽妙

432

（物），天下浅闲浦募（闺薄幕）之家宁不慎乎？虽然，但此等偏出大官世族之中者，盖因其房宝（室）香（春）宵，鬟婢混杀（杂），鸟（乌）保其个个守礼特即（持节）哉？此正为大官（家）世族而告戒。其浅闲浦募（闺薄幕）之处（家），母如（女）主婢日夕耳鬓交磨，一止一动悉在耳目之中，又何必谆谆再四焉。

太太真个说的巧，真个是狗不识呢。

庚辰双 妙，寓言也。大凡知此交媾之情者，真狗畜之说（流）耳。飞（非）肆言恶詈，凡识此事者即狗矣。然则云与贾母看，则先骂贾母矣。此处刑（邢）夫人亦看，然则又骂刑（邢）夫人乎？故作者又难。（以下疑有缺文）

邢夫人接来一看，吓得连忙死紧攥住。

庚辰双 妙！这一"吓"字方是写世家夫人之笔。虽前文明书邢夫人之为人稍劣，然不（亦）在情理之中，若不用慎重之笔，则刑（邢）夫人直系一小家卑污极轻贼（贱）〈极轻〉之人已（矣），已（岂）得与荣府联房哉？所谓此书针锦（线）慎（缜）密处，全在无意中一字一句之间耳，看者细心方得。

偏咱们的人做出这事来，什么意思。

庚辰双 "咱们"二字便见自怀异心，从上文生离异发沥（泄）而来，谨密之至。更有人（甚）于此者，君未知也，一矣（笑）。

只有他说我的，没有我说他的。

庚辰双 妙极！一直（笔）画出一个懦弱小姐来。

如今直等外人共知，是什么意思。

庚辰双 我敬问，"外人"为谁？

竟通共这一个妹子，全不在意。

庚辰双 加在（罪）于琏、凤，的是父母常情，极是。

何必有（又）如此说来，便见又有私意。

只好凭他们罢了。

庚辰双 如何？此皆妇女私假之意，大不可者。

况且你又不是我养的。

庚辰双 更不好。

也该彼此瞻顾些，也免别人笑话。

庚辰双 又问"别人"为谁？又问彼二人虽不同母终是同父，被（彼）二人既同父，其父又系君之何人？吁！妇人私心今古有之。

也不能惹人笑话议论为高。

庚辰双 最可恨妇人无字（子）者引屯（此）话是（自）说。

旁边伺候的媳妇们便趁机道："我们的姑娘老实仁德，那里像他们三姑娘伶牙俐齿，会要姊妹们的强。他们明知姐姐这样，他竟不顾恤一点儿。

庚辰双 杀，杀，杀！此辈专生离异。余因实受其蛊，今读屯（此）文，直欲拔剑劈纸，又不知作者多少眼泪洒出屯（此）回也。又问不知如何"顾恤"些，又不知有何可"顾恤"之处，直（真）令人不解。愚奴贱婢之言，酷肖之至！

独咱们不戴，是何意思呢。

庚辰双 这个"咱们"使得，恰是女儿喁喁私语，非前问之一倒（例）可比者。 写得出，批得出。

拿几吊钱来替他赔补，如何。

庚辰双 写女儿各有机变，个个不同。

宁可没有了，又何必生事。

庚辰双 总是懦语。

迎春听见这媳妇发那夫人之私意。

庚辰双 大书此句，诛心之笔。

自拿了一本《太上感应篇》去看。

庚辰双 神妙之其（极）！一位懦弱小姐从之（纸）上跳出，且书又有奇大（文），妙。

迎春倚在床上看书，若有不闻之状。

庚辰双 看他写迎春虽稍劣，然亦大家千金之格也。

才刚谁在这里说话，到像拌嘴似的。

庚辰双 瞧他写探春气宇。

第七十四回　惑奸谗抄检大观园
矢孤介杜绝宁国府

这园中有素与柳家不睦的。

庚辰双　前文已（不）卯之伏线。

一概是非都凭他们去罢。

庚辰双　历了（来）世人到此作此想，但悔不及矣，可伤可叹！

必是小丫头们不知道，说了出来，也未可知。

庚辰双　奇奇怪怪，从何处〔想来〕，转至素日，〈成〉真如常山之蛇。

到跟前撒个娇儿，和谁要去，因此只装不知道。

庚辰双　奇文神文，岂世人〔与〕余相（想）得出者。前文云"一想（箱）子"，若是私拿出，贾母其睡梦中之人矣。盖此等事，作者曾经，批者曾经，实系一写往是（事），非特造出，故弄新笔，究经（竟）不记（即）不神（离）也。　鸳鸯借物一回于此便结乐（案）。（原字似繁体"樂"字）

只见王夫人气色更变。

庚辰双　奇！

这个东西如何遗在那里来？

庚辰双　奇问！

太太怎知是我的？

436

庚辰双 问甚的（的是）？

你的这几个姊妹也甚可怜了。

庚辰双 犹云可怜，妙。人（若）在别人视之，今古无比移（矣），若在荣府论，实不能比先矣。

如今这几个姊妹，不过比别人家的丫头略强些罢了。

庚辰双 所谓"贯子（观于）海者难为水"，俗子谓王夫人不知足，是（自）不可矣，又设（谓）作太过，真塘姑（蟛蜞）鸠觉（鸯）之见也。

余者皆在南方，各有执事。

庚辰双 又伏一笔。

王夫人向来看视邢夫人之得力心腹人等原无二意。

庚辰双 大书。看下人犹如此，可知待刑（邢）夫人矣。

今见他来打听此事，十分关切。

庚辰双 小人外是内非，委（悉）皆如此。

妖妖趫趫，大不成个体统。

庚辰双 活画晴雯出来。可知已（以）前知晴雯。必应遭妒者。可怜可伤，竟死矣。

有一个水蛇腰。

庚辰双 妙妙，好腰！

削肩膀。

庚辰双 妙妙，好肩！ 俗云水蛇要（腰），则游曲小也。又云美人无肩，又曰前或（削肩），皆之（至）美之刑（形）也。凡写美人，偏用俗笔反笔，与他书不同也。

眉眼又有些像你林妹妹的。

庚辰双 更好，刑客（形容）尽矣！

正值晴雯身上不自在。

庚辰双 音（传）神之至！所谓魂早离会（舍）矣，将死之兆也。 若俗笔必云十分妆饰，金（今）云"不自在"，想无挂心之罢（态），更不入王夫人之眼也。

并没十分妆饰，自为无碍。

庚辰双 好！可知天生美人原不在妆饰，使人一见不觉心惊目骇。可恨也（世）之涂脂抹粉真（者），同鬼魅而不见（自）觉。

他本是个聪敏过顶的人。

庚辰双 深罪聪明，到应（底）不错一笔。

不过抄检出些多余攒下蜡烛灯油等物。

庚辰双 毕真。

凤姐点头道："我也这样说呢。"

庚辰双 写阿凤心灰意懒，且避祸从时，迥又是一个人矣。

王善保家的听凤姐如此说，也只得罢了。

庚辰双 一处一样。

谁知早有人报与探春了。

庚辰双 不板。

所以引出这等丑态来。

庚辰双 实注一笔。

你们今日早起不曾议论甄家，自己家里好好的抄家，果然今日真抄了。

庚辰双 奇极！此日甄家事。

谁知竟在入画箱中寻出一大包金银锞子来，约共三四十个。

庚辰双 奇。

为察奸情，反得贼赃。（正文墨笔勾出）（蒙府本、戚序本、列藏本及梦觉本、程甲本亦均混入正文，程甲本"察"作"查"；又庚辰本有后人眉批云："似批语，故别之。"）

这是珍大爷赏我哥哥的。

438

庚辰双 妙极事（是）极！盖入画本系宁府之人也。

嫂子若饶也，我也不依。

庚辰双 这是自己反不依的，各得自然之理，各有自然之妙。

因司棋是王善保的外孙女儿。

庚辰双 玄妙奇诡，出人意外。

说着便伸手掣出一双男子锦带袜并一双缎鞋来。

庚辰双 险极！

便看那帖子，是大红双喜笺帖。

庚辰双 纸就好。 余为司其（棋）心动。

表弟潘又安拜具。

庚辰双 名字便妙。（列藏本"便"作"更"，余同）

凤姐看罢，不怒而反乐。

庚辰双 要（恶）毒之至！

凤姐只瞅着他嘻嘻的笑。

庚辰双 恶毒之至！

他鸦雀不闻的给你们弄个好女婿来，大家倒省心。

庚辰双 刻毒之至！按凤姐虽系刻毒，然亦不应在下人前为（如）〔此〕不寻（逊）。 次（此）等人前不得不如是也。

第七十五回　开夜宴异兆发悲音
赏中秋新词得佳谶

庚辰本回前批

乾隆二十一年五月初七日对清。　　缺中秋诗，俟雪芹。

　　□□□　　开夜宴　　发悲音。

　　□□□　　赏中秋　　得佳谶。

尤氏听了，便不往前去，仍往李氏这边来了。

庚辰双　前只有探春一语，过至此回，又用尤氏略为陪点，且轻轻谈（淡）染出甄家事故，此画家〔历〕来落墨之法也。

尤氏笑道："你们家下大小的人只会讲外面假礼假体面，究竟作出来的事都够使的了。"

庚辰双　按尤氏犯七出之条，不过只是"过于从夫"四字，此世间妇人之常情耳。其心术慈厚宽顺，竟可出于阿凤之上。时（特）用之（此）名（明）犯七出之人从公一论，可之（知）贾宅中暗犯七出之人亦不少。似（此）明犯者反可宥恐（恕），其什（饰）已（己）非而扬人恶者，阴昧（昧）僻谲之流，实不能客（容）于世者也。　　此为打草惊蛇法，实写形（邢）夫人也。

列藏本　如此说，便知他已知昨夜之事。（为正文，后括出，旁加"注"字。按庚辰本、蒙府本、戚序本、杨藏本等均为正文，"如此"前有"李纨听"三字。据此可知，列藏本

440

系因脱漏而误将正文作批语）

且商量咱们八月十五日赏月是正经。

庚辰双 贾母已看破孤（狐）悲兔死，故不改已〔往〕，聊未（以）自遗（遣）耳。

贾母笑道："这正是巧媳妇做不出没米的粥来。"……地下的媳妇们听说，方忙着取去了。

庚辰双 总伏下文。

只听里面称三赞四，耍笑之音虽多。

庚辰双 妙，先画赢（赢）家。

又兼有恨五骂六，忿怨之声亦不少。

庚辰双 妙，人（又）画输家。

说着，便举着酒俯膝跪下。

庚辰双 吊（调）侃，骂死世人。 不是骂。

无奈竟不得到手，所以有冤无处诉。

庚辰双 众恶之，必察也。今邢夫人一人，贾母先恶之，恐贾母心偏，亦可解之。若贾琏、阿凤之怨，恕（恐）儿女之私，亦可解之。若探春之怒，女子不识大而知小，亦可解之。今又忽用乃弟一怨，吾不知将又何如矣。

忽听那边墙下有人长叹之声。大家明明听见，都悚然疑畏起来。

庚辰双 余亦悚然疑畏。

况且那边又紧靠着祠堂。

庚辰双 奇绝神想，余更为之悚惧矣。

礼毕，仍闭上门，看着锁禁起来。

庚辰双 未写"荣府庆中秋"，却先写"宁府开夜宴"；未写荣府数尽，先写宁府异道（兆）。盖宁乃家宅，凡有关于吉凶者，故必先示之。且列祖祠（祀）此，岂无得而警乎？〈凡人〉先人虽远，然气远（运）相关，必有之利（理）也，非宁府之祖独有感应也。

今日看来，还是咱们的人也甚少，算不得什么。

庚辰双 未饮先感人丁，总是将散之兆。

饮酒一杯，罚说笑话一个。

庚辰双 不犯前几次饮酒。

恰恰在贾政手中住了。

庚辰双 奇妙，偏在政老手中，竟能使政老一谑，真大文章矣！

众姊妹弟兄……倒要听是何笑话。

庚辰双 余也要细听。

因从不曾见贾政说过笑话，所以才笑。

庚辰双 是极，摹神之至！

……唬得他男人忙跪下，求说："并不是奶奶的脚脏，只因昨晚吃多了黄酒，又吃了几块月饼馅子，所以今日有些作酸呢。"说的贾母与众人都笑了。

庚辰双 这方是贾政之谑，亦善谑矣。

不如不说的好。（宝玉不想说笑话）

庚辰双 实写旧日往事。

便也索纸笔来，立挥一绝与贾政。

庚辰双 偏立（写）贾政戏谑，已是异（奇）文，而贾环作诗，贾（更）奇中又奇之奇文也，总在人意料之外。竟有人曰，贾环如何又有好诗，似前言不搭后文矣。盖不可向（详）。说（试）问，贾环亦荣公子（之）正脉，虽少年顽劣，见（乃）今故（古）小儿之常情年（耳），读书岂无长进之理哉？况贾政之教，是（使）子弟目（自）己大觉疏忽矣。若是贾环连一平仄也不知，岂荣府是寻常膏粱（梁）不知诗书之家哉？然后之（知）宝玉之（这）一种情思，正非有益子总（之聪）明，不得谓比诸人皆（皆）妙者也。

442

说着便斟上酒，又行了一回令。

庚辰双 便又轻轻抹去也。

第七十六回　凸碧堂品笛感凄清
凹晶馆联诗悲寂寞

少了四个人，便觉冷清了好些。

庚辰双　不想这次中秋，反写得十分凄楚。（列藏本"凄"作"悽"，余同）

可怜你公公已是二年多了。

庚辰双　不是弄（算）贾敬，却是弄（算）〔贾〕赦死斯（期）也。

半日，方知贾母伤感，才忙转身陪笑，发语解释。

庚辰双　"转身"妙！画出对月听笛，如痴如呆，不觉尊长在上之形景来。（列藏本"听"误作"吹"，"来"作"矣"，余同）

只见贾母已朦胧双眼，似有睡去之态。

庚辰双　总写出凄凉无兴景况来。（列藏本"写"作"说"，余同）

贾母睁眼笑道："我不困，白闭闭眼养神，你们只管说，我听着呢。"

庚辰双　活画。（列藏本同此）

就遇见了紫鹃和翠缕来了。

庚辰双　妙，又出一个。

可知我们姑娘那去了？

庚辰双　更妙！（列藏本无"更"字）

宝玉近因晴雯病势甚重，诸务无心。

庚辰双 代（带）一笔，妙，更觉谨密不漏。

直通着那边藕香榭的路径。

庚辰双 点明，妙；不然此园竟有多大地亩了。

二人吃得既醉且饱，早已息灯睡了。

庚辰双 妙极！此书又（有）径（进）一步写法，如王夫人云："他姊妹可怜，那里像当日林姑妈那样。"有（又）如贾母云："如今人少，那里日（如）当日人多"等数〔语〕：此谓进一步法也。有退一步法，如宝钗之对刑（邢）岫烟〔云〕："此一时也，彼一时也，如今此（比）不得先的活（话）了，只好随是（时）十（适）分。"又如凤姐之对平儿云："如今我也我（看）明白了，我如今也要作好好先生罢"等类：此谓退一步法也。今有（又）方收拾故（过）贾母高乐，却有（又）写出二婆子高乐：此〔进〕一步之实〔事〕也。如前文海棠诗四手（首）以（已）足，忽又用湘云独成二律反厌（压）卷：此又进一步实事也。所谓法法皆全，然（全）然不夹（爽）也。

……就连老太太、太太以至宝玉、探丫头等人，无论事大事小，有理无理，其不能各遂其心者同一理也，何况你我旅居客寄之人了？

庚辰双 以立（依理）未不怡然得享自然之乐者矣。书中若干女子，从生（主）及婢，未有（又未）必各有所觉，各有所试，各有所长者，皆未如宝宝（玉）无可关切筹画，可叹！

这笛子吹的有趣，倒是助咱们的兴趣了。

庚辰双 妙！正是吹笛之时，分（勿）认作人（又）一处之笛也。

将月影荡散后复聚者几次。

庚辰双 写得出。试思若非亲历其竟（境）者，如何莫（摹）写得如此。（列藏本"竟"作"妙境"，"莫"作"摸"，余同）

却飞起一个白鹤来。

庚辰双 写得出。

不是别人，却是妙玉，二人皆咤（诧）异。

庚辰双 原可咤（诧）意（异），余赤（亦）咤（诧）意（异）。（列藏本"意"作"异"，无"余亦咤（诧）意"句）

湘云微笑道："我有择席的病，况且走了困，只好躺躺罢。你怎么也睡不着?"黛玉叹道。

庚辰双 一"笑"一"叹"，只二字便写出平日之行（形）景。

446

第七十七回　俏丫鬟抱屈夭风流
美优伶斩情归水月

命医生认了，各记号上来。

庚辰双　此等〔皆〕家常细是（事），岂事（是）揣拿（摹）得〈此皆〉〔出〕者？

得了这个，就珍藏密敛的。

庚辰双　调侃语。

都要去了，这却怎么的好。

庚辰双　宝玉之语全作图图（囫囵）意，最是极无味之〔语〕，〔却〕是极浓极有情之语也。只合如此写，方字（是）宝玉，稍有真功（切），则不是宝玉了。

王夫人皆记在心，因节间有碍，故忍了两日，所以今日特来亲自阅人。一则为晴雯犹可；二则因竟有人指宝玉为由，说他大了，已解人事，都由屋里的丫头们不长进教习坏了。因这事更比晴雯一人较盛（甚）。

庚辰双　暗伏一段。"更比"，觉烟迷雾罩之中更有无恨（限）溪山矣。

暂且挨过今年，明年一并给我仍旧搬出去心净。

庚辰双　一段神奇鬼讶之文，不知从何想来。王夫人从来未理家务，岂不一木偶哉？且前文隐隐约约已有无限口舌漫阔之潜（浸润之谮），原非一日矣。若无此一番更变，不独终无散场之局，且亦大不近乎情理。况此亦此（皆）余旧日目睹

447

亲问（闻）、作者身历之现成文字，非搜造而成者，故迥不与〔他〕小说之离合悲欢窠旧（臼）相对。想遭令（零）落之大族见（儿）子（孙）见此，难（虽）事各有殊，然其情理似亦有点（默）契于心者焉。此一段不独批此，真（直）从妙脸（抄检）大观园及贾母对月典（兴）尽生悲，皆可附者也。

我究竟不知晴雯犯了何等滔天大罪。

庚辰双 余亦不知。盖此等冤，实非晴雯一人也。

况且死了的也曾有过，也没见我怎么样，此一理也。

庚辰双 宝玉至终一着全作如是想，所以此（始）于情终于语（悟）者，既能终于悟而止，则情不得滥漫而涉于淫佚之事矣。一人前事一人了法，皆非弃竹而复悯笋之意。

晴雯虽到贾母跟前，千伶百俐，嘴尖性大，却倒还不忘旧。

庚辰双 口（只）此一句便是晴雯正传，可知〈无〉晴雯为聪明风流可（所）害也。一篇为晴雯写传，是哭晴雯也；非哭晴雯，乃哭风流也。

又见他器量宽宏。

庚辰双 趣极！器量宽红（宏）如此用，真扫地矣。

便是上回贾琏所接见的多浑虫灯姑娘儿的便是了。

庚辰双 奇奇怪怪，左盘右族（旋），千丝方（万）缘（线），皆自一体也。

一眼就看见晴雯睡在芦席土炕上。

庚辰双 芦席土炕。

在外间房内爬着。

庚辰双 总哭晴雯。

他独自掀起草簾。

庚辰双 草簾。

一眼就看见晴雯睡在芦席土炕上。

庚辰双 芦席土炕。（按：因正文抄重，故此批亦两见。据文义疑当删去前者）

未到手内，先就闻得油膻之气。

庚辰双 不独为晴雯一哭，且为宝玉一哭亦可。

又道是"饭饱弄粥"，可见都不错的。

庚辰双 妙！通篇宝玉最要（恶）书者，每因女子之所历始信其可，此谓触类旁通之妙快（诀）矣。

晴雯又哭道："回去他们看见了要问，不必撒谎，就说是我的。既耽了虚名，索性如此，也不过这样了。"

列本双 晴雯此举胜袭人多矣，真一字一哭也，又何必鱼水相得而后为情哉？

只说："好姐姐，别闹。"

庚辰双 如问（闻）如见，"别闹"二字活跳。

宝玉发了一晚上呆。

庚辰双 一句是（足）矣。

宝玉乃笑道。

庚辰双 "笑"字好极，有文章！盖恐冷落袭人也。

第七十八回　老学士闲征《姽婳词》
痴公子杜撰《芙蓉诔》

太太只管放心，我已大好了。

庚辰双　总是勉强。

王夫人见他精神复初，也就信了。

庚辰双　只用此一句，便又（入）后文。

将外面的大衣服都脱下来，麝月拿着。

庚辰双　看他用智之处。

那鬼只顾抢钱去了，该死的人就可多待些个工夫。

庚辰双　好，奇之至！又捉（从）来皆说"闰（阎）王注定三便（更）死，谁能留人至五更"之语。今忽借此小女儿一篇（番）无稽之谈，反成无人敢翻之案；且又寓意调侃，骂尽世熊（态），岂非文章之至耶？寄语观者，至此一（不）浮一大白者，已（以）后不必看书也。

靖墨眉　古来皆说："阎王注定三更死，谁敢留人至五更。"今忽以小女儿一番无稽之谈，及（反）成无人敢翻之案；且寓调侃世人之意，骂尽世态，真（岂）非绝妙之文？可〔寄〕语观者浮一白，〔以〕后不必看书了。

戚序双　又从来皆说"阎王注定三更死，谁能留人至五更"之语。（按：戚序本作正文；列藏本、杨藏本无此句；蒙府本同于庚辰本，后又点去）

宝玉走来扑了个空。

450

庚辰双 收拾晴雯，故为红颜一哭，然亦大（太）令人不堪。

上云王夫人怕女儿痨不详（祥），今则忽从宝玉心中〔道〕其苦。

又模拟出非（非模拟出），是已（以）悒郁词其（其词），母子至（之）心中体贴眷爱之情，曲委（委曲）已尽。

谁知次年便有黄巾、赤眉一干流贼余党复又乌合，抢掠山左一带。

庚辰双 妙！赤眉、黄巾两时之时（事），今合而为一，盖云一（不）过是此等众类，非特历历指名某赤某黄，若云不合两用便呆矣。此书全是如此，为混人也。

必将三人一齐唤来对作。

庚辰双 妙！世事皆不可无足厌，只又（有）"读书"二字是万不可足厌的，父母之心可不甚哉？近只（之）父母只怕儿子不能名利，岂不可叹乎？

宝玉尚出神。

庚辰双 妙！篇（偏）写出钝熊（态）来。

闺阁习武，任其勇悍，怎似男人。

庚辰双 贾老在坐（座），故不便出"浊物"二字，妙甚，细甚！

乃泣涕念曰。

庚辰本 诸君曰（阅）至此，只当一笑话看去，便可醒倦。（按：庚辰本作正文。列藏本"君"作"公"，"曰（阅）"作"看"，余同；亦混作正文）

太平不易之元。

庚辰双 年便奇。

蓉桂竞芳之月。

庚辰双 是八月。

无可奈何之日。

庚辰双 日更奇。细思月（日）何难于说真某某，今偏用如此说，可则（则可）知矣。

怡红院浊玉。

庚辰双 自谦的更奇。盖常以"浊"字许（评）天下之男子，竟自谓。所谓以责人之心责己矣。

谨以群花之蕊。

庚辰双 奇香。

冰鲛之縠。

庚辰双 奇帛。

沁芳之泉。

庚辰双 奇奠。

枫露之茗。

庚辰双 奇名（茗）。

白帝宫中抚司秋艳芙蓉女儿之前。

庚辰双 奇称。

窃思女儿自临浊世。

庚辰双 世不浊，内（因）物所混而浊也，前后便有照应。

"女儿"称妙，盖思普天下之称断不能有如此二字之清洁者，亦是宝玉之真心。

迄今凡十有六载。

庚辰双 方十六岁而夭，亦伤矣！

靖墨眉 十六而夭，伤哉！

其先之乡籍姓氏，湮沦而莫能考者久矣。

庚辰双 忽（非）又有此文不可，后来亦可伤矣。

相与共处者，仅五年八月有畸。

庚辰双 相共不足六载，一旦夭别，岂不可伤？

靖墨眉 共处不五（足）〔六〕载，一日一（旦）夭别，

452

可伤可叹！

　　孰料鸩鸱恶其高，鹰鸷翻遭罦罬（罬）。

　　庚辰双　《离骚》："鸷鸟之不群兮（兮）。"又："语（吾）令鸩为媒兮，鸩告余以不好。鸩（雄）鸠之鸣逝兮（兮），余恶直（其）轻佻。"注：鸷（鸷）时（特）立不群，故不群，故不于（豫）。鸩羽毒杀人。鸠多声，有如人之多言不实。罦罬，音孚拙，翻毕绸（网）。《诗经》："雉罹于罦。"《尔雅》："罬（罬）谓之罦。"

　　赍葹妒其臭，苣（苣）兰竟被芟鉏（鉏）。

　　庚辰双　《离骚》赍葹皆恶草，以便（辨）邪接（佞）；苣（苣）兰芳草，以别君子。

　　杏脸香枯，色陈颥颔。

　　庚辰双　《离骚》："长颥颔（颔）亦何伤。"面黄色。（靖藏本作墨眉，无"离骚"二字，"颔"误作"额"，余同）

　　岂招尤见替，实攘诟而终。

　　庚辰双　《离骚》："朝许（谇）夕替。"〔替〕废也。"恐（忍）尤而相（攘）询（诟）"，诟（诟）同〔询〕；攘，取也。（靖藏本作墨眉；无"离骚"，"谇"误作"淬"，"废"误作"发"，"忍"误为"思"，无"攘诟"之"攘"，"取"前有一"即"字）

　　高标见嫉，闺帏恨比长沙。

　　庚辰双　汲黯辈嫉贾谊之才，谪（谪）贬长沙。（靖藏本作墨眉，"汲黯"误作"及暗"，"谊"误为"玉"，"贬"误为"泛"）

　　直烈遭危，巾帼惨于羽野。

　　庚辰双　鲧刚真（直）自命，舜殛于羽山。《离骚》曰："鲧怫真（婞直）以之（亡）身兮，终然夭（夭）乎羽之野。"

靖墨眉 鲧真（直）以之（亡）身兮，终然夭乎羽〔之〕野。

槛外海棠预老。

庚辰双 恰极！

捉迷屏后莲瓣无声。

庚辰双 元微之诗："小楼深迷藏。"（元稹诗："小楼前后捉迷藏"）

复拄杖而遍抛孤匵。

庚辰双 柩本字。

石椁（榔）成灾，愧迨同灰之诮。

庚辰双 唐诗云："先开石棺，木可为棺。"晋杨公回诗云："生回（为）并身杨（物），死作同〈同〉棺灰。"

箝诐奴之口，讨岂从宽；剖悍妇之心，忿犹未释。

庚辰双 《庄子》："箝杨、墨之口。"《孟子》谓："诐辞知其所蔽。"

乘玉虬以游乎穹窿耶。

庚辰双 《楚词》："驷玉虬以乘鹥兮。"

驾瑶象以降乎泉壤耶。

庚辰双 《楚词》："杂瑶象以为车。"

列羽葆而为前导兮，卫危虚于旁耶？驱丰隆以为比从兮，望舒月以离耶。

庚辰双 危、虚二星为卫护星。丰隆，电（雷）师。〔望〕舒，月御也。

期汗漫而无天阆兮，忍捐弃余于尘埃耶。

庚辰双 《逍遥游》："天阆，上（止）也。"

余中心为之慨然兮。

庚辰双 《庄子·至乐篇》："我独何能无概（慨）然。"

徒嗷嗷（嗷嗷）而何为耶。

454

庚辰双　《庄子》："噭噭善（嗷嗷然）随而哭子（之）。"

君偃然而长寝兮，岂天运之变于斯耶。

庚辰双　《庄子》："偃善（然）寝于巨室"，谓人死也。又："变而〔有〕气，气变而有形，形变之有生，今又变〔而〕之死，是相与为春秋冬夏四时行也。"　《天道》变（篇）："其死也物化。"

既窀穸且安稳兮，反其真而复奚花（化）耶。

庚辰双　窀〈穸〉，〔音〕肫。《左传》"窀穸之事"，墓穴幽堂（室）也。左贵嫔（嫔）杨石（后）诔："早即窀穸。"《庄子·太（大）宗归（师）》："而以（已）反〔其〕真。"注：以死为真。

余犹桎梏而悬附兮，灵格余以嗟来耶。

庚辰双　《庄子·太（大）宗归（师）》：桎桔（梏）之名。"被（彼）以生为悬疣附赘，以死为快（决）疣（疣）溃（溃）痈。""嗟来桑户乎，嗟来桑户乎！"注：桑户，人名，孟子〔反〕、琴张二人招其魂而语之也。"方将不化，〈恶如意〉（知已化）哉！"言人死犹如化去。《法华经》云："法华道师多硃（殊多）方便，于险道中化一诚（城），疲极之众，人（入）城皆（皆）生已度想，安稳想。"

第七十九回　薛文龙悔娶河东狮
贾迎春误嫁中山狼

等我的紫鹃死了，我再如此说，还不算迟。

庚辰双　明是为与阿颦作谶，却先偏说紫鹃，总用此狡猾之法。

这是何苦，又咒他。

庚辰双　又画出宝玉来。究竟不知是咒谁，使人一笑一叹。

莫若说"茜纱窗下，我本无缘"。

庚辰双　双关句，意妥极。

黄土垄中，卿何薄命。

庚辰双　如此我亦为（谓）妥极。但试问当面用"尔""我"是（字）样，究竟不知是为谁之谶，一笑一叹。　一篇诔问（文）总因此二句而有。又当知虽来（诔）晴雯，而又实诔黛玉也，奇幻（幻）至此。若云必因请（晴）雯来（诔），则呆之至矣。

黛玉听了，怔然变色。

庚辰双　慧心人可为一哭。　观此句，便知诔文实不为晴雯而作也。

宝黛谈话一段。

靖墨眉　观此，知虽诔晴雯，实乃诔黛玉也。试观"证前缘"回黛玉逝后诸文便知。

456

心中虽有无限的狐疑乱拟。

庚辰双 用此事（字）更妙，盖又欲瞒观者。

一面说话，一面咳嗽起来。

庚辰双 总为后文伏线。阿鞛之问（文），可见不是一笔两笔所写。（蔡义江校"问"作"病"）

这孙家乃是大同府人氏。

庚辰双 设云大概相同也，若必云真大同府则呆。

生得相貌魁梧，体格健壮，弓马娴熟，应酬权变。

庚辰双 画出一个俗物来。

且又家资饶富。

庚辰双 此句断不可少。

见其轩窗寂寞，屏帐翛然，不过有几个该班上夜的老妪。

庚辰双 先为"对竟（景）悼鞛儿"作引。（靖藏本作墨眉；"竟"作"景"，余同）

既领略得如此寥落凄惨之景，是以情不自禁，乃信口吟成一歌曰。

庚辰双 此回题上半截是灰聚向秉（悔娶河东）狮，今却偏连中山狼（狼），倒装业下情上，细腻写来，可见迎春是书中正传，阿呆夫凄（妻）是副，殡（宾）主次序严肃之至。其婚聚（娶）俗礼一概不及，只用宝玉〈玉〉一人过去。正是书中之大吉（旨）。（按：末句当与上连写）

蓼花菱叶不胜愁，吹散芰荷红玉影。

庚辰双 此句遗失。（所谓"此句遗失"，系指"吹散芰荷红玉影"句，乃照抄首联第二句，批在其下。他本作"重露繁霜压纤梗"）

又让他同到怡红院去吃茶。

庚辰双 断不可少。

你哥哥娶嫂子的事，所以要紧。

庚辰双 出题。去（却）闲闲引出。

都称他家是桂花夏家。

庚辰双 夏日何得有桂，又桂花时即（节）焉〈有〉得又〔有〕雪，三是（者）原系风马牛，金（今）若强奏（凑）合，故终不相符。来此败运之事，大都如此，当局者自不解耳。

宝玉笑问道。

庚辰双 听得桂花回（为）号，原觉新雅，故不又（由）一笑，余亦欲笑问。

你们大爷怎么就中意了？

庚辰双 补出阿呆素日难得中意来。

只是娶的日子太急，所以我们忙乱的很。

庚辰双 阿呆求妇一段文字，切（却）从香菱口中补明，省却许多闲文累笔。

我也巴不得早些过来，又添一个作诗的人了。

庚辰双 妙极！香菱口声段（断）不可少。看他下作死（此）语，知其心中略无忌讳疑卢（虑）等意，夏（真）是浑然天真，余为之一哭。（靖藏本作墨眉，"香菱"作"菱卿"，"口声"作"声口"，"段（断）"误作"斩"，"下作"无"下"字，"死语"作"此言"，"知"作"可知"，脱"虑"字，无"之"字）

宝玉冷笑道。

庚辰双 忽日（曰）"冷笑"道，二字便有文章。

到替你担心虑后呢。

庚辰双 又为香菱之识（谶），偏是此等事体等到。

458

第八十回　懦弱迎春肠回九曲
　　　　姣怯香菱病入膏肓

金桂听了，将脖项一扭，嘴唇一撇。

庚辰双　画出一个悍妇来。

鼻孔里哧哧两声。

庚辰双　真真追魂捋（摄）魄之笔。

那一股清香，就令人心神爽快的。

庚辰双　说的出便是慧心人，何况菱卿哉。

"菱角花谁闻见香来着"一段。

靖墨眉　是乃不及全儿（貌）。昨（非）闻煦堂语，更难揣此意。然则余亦有幸，雨（两）意不期然而合，□同。

俞平伯校作：是乃不及（疑当作"果"）。昨闻煦堂语，更难揣全儿（原"儿"，疑乃"兒"之误，即"貌"字），然则余亦幸同此意，两意有不期然而合者（原缺一字，当是"者"）。——此条谈香菱与金桂之结局，意义不甚明，校文亦未必妥，仅可备参考。

依你说，那兰花桂花倒香的不好了。

庚辰双　又〈一〉倍（陪）一个兰花，一则是自高声价，二则是诱人犯法。

是夜曲尽丈夫之道，奉承金桂。

庚辰双　"曲尽丈夫之道"，奇问（闻）奇语。（靖藏本作墨眉，"问"作"闻"，余同）

大家叫他作小舍儿，专作些粗笨的生活。

庚辰双 铺钗（补叙）小舍儿手（首）尾，亡（忙）中又点"薄命"二字，与痴丫头遥遥作对。

到我屋里将手帕取来，不必说我说的。

庚辰双 金桂坏极，所以独使小舍为此。

百般竭力挽回不暇。

庚辰双 总为痴心一人（人一）笑（哭）。

只说心疼难忍，四肢不能转动。

庚辰双 半月工夫，诸计安矣。

大约是宝蟾的镇魇法儿。

庚辰双 恶极坏极！

他这些时并没多空儿在你房里，何苦赖好人。

庚辰双 正要老兄此句。

薛蟠更被这一席话激怒，顺手抓起一根门闩来。

庚辰双 与前要打死宝玉遥遥一对。

抱怨说运气不好。

庚辰双 果然不羞（差）。

宝蟾却不比香菱的情性，最是个烈火乾柴。既和薛蟠情投意合，便把金桂忘在脑后。

列本双 妙！所谓天理还报不爽。

薛家母女总不去理他。薛蟠亦无别法，惟日夜悔恨不该娶这绞（搅）家星罢了。都是一时没了主意。

庚辰双 补足本题。

焉得这等样情性，可为（谓）奇之至极。

庚辰双 别书中形容妒妇，必曰黄发鬖面，岂不可笑？（列藏本"鬖面"作"齾容"，余同）

只因七事八事的都不顺心。

庚辰双 草蛇灰线，后文方不见突然。（列藏本"灰"为

后补，"方"后衍出一"后"字，又点去）

前儿宝玉去了，回来也曾说过的。

庚辰双　补明。（列藏本同此）

"哥儿别睡，仔细肚里面筋作怪。"说着，满屋里人都笑了。

庚辰双　王一贴又与张道士遥遥一对，特犯不犯。（列藏本"特"误作"时"，余同）

这茗烟手内点着一枝梦甜香。

庚辰双　与前文一照。

王一贴心有所动。

庚辰双　四字好。万生端（端生）于心，心邪则射则（利），意在于邪（财）。（列藏本"生端"正作"端生"，无"射则"，"邪"作"财"）

宝玉犹未解。

庚辰双　"未解"妙，若解则不成文矣。（列藏本同此）

我问你，可有贴女人的妒病方子。

列本双　千古奇文奇语，仍归〈缩〉结至上半回正文，细密如此。

死了还妒什么，那时就见效了。

庚辰双　此科诨一收，方为奇趣之至。（列藏本同此）

有真的跑到这里来混？

庚辰双　寓意深远，在此数目（句）。（列藏本"目"作"语"，余同）

便骂我是"醋汁子老婆拧出来的"。

庚辰双　奇文奇骂，为迎春一哭。　恨薛蟠何等刚霸，偏不能以此语金桂，使人盆盆（忿忿）。世（此）书中全是不平，又全是意外之料（意料之外）。（列藏本"一哭"后多"又为荣府一哭"，"语金桂"作"语及金桂"，"盆盆"正作

461

"忿忿"，"世"作"此"，余同）

倒没的叫人看着赶势利似的。

庚辰双 不通，可笑，遁辞如开（闻）。（列藏本"开"作"闻"，余同）

还是王夫人、薛姨妈等安慰劝释，方止住了，过那边去。

庚辰双 凡迎春之文，皆（皆）从宝玉眼中写出。前"悔聚（娶）河东狮"是实写，"误家（嫁）中去（山）狼"出迎春口中，可为（谓）实（虚）写。以虚虚实实变纫（幻）体格，各尽其法。（列藏本同）

回后总批

靖藏本 开生面，立新场，是〔书〕不止《红楼梦》一回，惟此回更生〔更〕新。读去非阿颦无是佳吟，非石兄断无是情聆赏。难为了作者，且愧杀古今小说〔家〕也，故留数语以慰之。

余〔谓〕不〔因〕见落花，〔宝〕玉何由至浬（埋）香冢（冢）；不至埋香〔冢〕，如何写《葬花吟》。《石头记》无闲字闲文□正如此。 丁亥夏，畸笏叟。

玉兄一生之天性，真颦又（儿）之知己，玉兄外无一人。思昨阻〔批〕《葬花吟》之客，确是宝玉之化身。余几作〔点〕□（金）为铖（铁）之人。幸甚幸甚！

西（茜）〔香罗〕暗〔系〕于袭人腰〔中〕，亦系伏〔线〕之文。

是□□〔后回〕累又（累）忘情之引。

（毛国瑶附记：第八十回最后几条批实际上是二十七和二十八回的批语。本书缺二十八、二十九两回，我怀疑这两回书失去较早，后来从他本抄批，乃抄在第八十回后。）

（按：靖本八十回后之总批，确如毛氏所云。然其批语错讹脱漏，次序甚乱；又文字依违于甲戌、庚辰，故暂录于此。）

462

后　　记

　　此书打字稿，由红枫之妻许秀云亲手校对。她是长春外国语学校的语文教师。教学之余，从事校对，十分辛苦。迟至2002年12月至2003年3月中旬，才由我先后两次终校一过。据手稿和脂本，调整少数批语所附正文，删补个别批语，校订手稿和打字本出现的讹脱衍倒文字，及规范行款格式等方面的技术处理之类。靖藏本所存169条（同于甲戌本和庚辰本者30条，与二者有异同者88条，独出51条）批语很重要，因用毛国瑶手抄本的复印本——核对，加以校补。本来尽量保存原校文字，2004年方才详加校勘，不留遗憾。有正本人民文学出版社影印本称戚序本，而戚宁本、戚沪本、有正本皆戚蓼生作序的本子，易滋混淆，故仍称"有正本"，则把"戚序本"作为它们的总称。梦稿本则改称杨藏本。原稿用简称的本子，皆改作全称。人老多故，不得安宁。虽殚精竭力，亦未必尽善尽美。有待方家，给予指正。

郑庆山

2003年1月6日记

2003年3月15日誊补

2004年6月10日修改